행복한 가정과 건강 ❷

행복한 가정과 건강 ❷

KPH

"습관과 품성은
가정의 토대 위에 형성된다."

*Habit and character are built on
the foundations of the home.*

머리말

Your Home & Health

행복의 기초: 가정과 건강

'가정은 행복의 기초'이다. 가정이 두루 평안해야 모든 가족 구성원이 행복하다. 가정 내에서 어머니는 남편으로부터 그리고 그들의 자녀로부터 존경을 받아야 한다. 가정에서 어머니의 역할은 아무리 강조해도 지나치지 않다. 자녀들은 부모에게서 올바른 인성을 갖춘 사람으로 성장하도록 적절한 가정 교육을 받는다. 자녀들은 어렸을 때부터 가정에서 자제력을 배우고, 자신의 감정을 다스리는 법, 타인을 배려하는 법 그리고 가정과 사회에서 사람들을 대할 때의 예절 등을 배운다. "자녀들은 부모의 잔소리가 아닌 부모의 뒷모습을 보고 배운다."라는 말이 있다. 부모의 모본이 자녀의 운명을 결정하므로 부모들은 자녀들에게 말로만 훈육하기보다 집 안팎에서 언제나 정직하고 성실한 삶을 살아야 한다. 이처럼 부모에게서 올바른 가정 교육을 받고 성장한 자녀들은 어른이 되어도 가정을 소중히 여길 줄 알게 되며, 훗날 자신이 꾸리게 될 가정 안에서 참된 행복을 경험할 수 있다.

'건강은 행복의 기초'이다. 대개 건강은 가정에서 시작된다. 행복한 삶을 살고, 행복한 가정을 이루는 데 있어서 건강은 매우 중요한 요소이다. 건강에 유익한 음식을 먹고, 적절한 운동을 하며, 적당한 휴식을 취함으로 건강한 삶을 누릴 수 있다. 술이나 담배 등 부절제한 음식물을 삼가고 규칙적인 생활 습관을 실천해야 질병을 예방하고 건강을 유지할 수 있다. 또한 스트레스가 많은 세상에서 상처 받은 마음에 치유를 얻고, 마음에 참된 평안을 찾으면 더욱 건강하고 행복한 삶을 기대할 수 있다. 이 책을 읽는 독자들이 여기서 소개하는 '행복한 가정의 비결'을 배우고, '건강한 삶의 비결'을 배우게 되길 바란다. 부디 행복의 든든한 두 기초인 '가정'과 '건강'을 소중히 여기고, 그 토대 위에서 모두가 진정으로 행복한 삶을 살게 되기를 소망한다.

"네 부모를 공경하라
그리하면 너의 하나님 나 여호와가 네게 준 땅에서 네 생명이 길리라"
- 출애굽기 20장 12절

시조사 편집국장 박 재 만

책을
열며

Your Home & Health

　인생의 길은 단 한 번밖에 걸을 수 없다. 기껏 해야 불과 몇 년 만을 그대 자신의 시간이라고 간주할 수 있다. 그 시간에서 어떻게 하면 최상의 것을 얻을 수 있겠는가? 그 시간은 그대를 위해 어떤 축복을 간직하고 있는가? 모든 질문 가운데 가장 타당한 질문은 "그대가 다른 사람들의 삶에 어떻게 기여할 수 있는가?"라는 질문이다.
　인생의 가장 풍부한 보물 가운데는 건강, 행복한 가정, 진정한 친구들 그리고 마음의 평화가 포함된다. 삶에서의 지위나 재정 형편에 상관없이 그대는 이 모든 것을 소유할 수 있다. 열쇠는 그대의 손안에 놓여 있다.
　삶에 주어진 천부적인 것들에서 가장 충실한 유익을 얻으려면 그대는 필수적인 분명한 원칙들의 통제를 받아야 한다. 그대의 행동과 태도만이 그대가 누리게 될 행복의 정도를 결정할 것이다.
　이 책은 사람들의 삶을 향상시키는 책을 많이 저술하여 잘 알려진 한 저자가 기록한 책이다. 그녀는 이 책에서 실제적인 일에서 얻은 폭넓은 경험뿐 아니라 인생의 좀 더 심오한 일들에 대한 풍부하고도 보기 드문 통찰에

"그대가 다른 사람들의 삶에
어떻게 기여할 수 있는가?"

서 얻은 것들을 이야기하고 있다. 이 책에 제시된 중요한 원칙들은 여러 나라의 공개적인 강단이나 세계의 주요 언어로 인쇄된 책을 통해 공표되었으며 그 원칙들을 접한 많은 사람에게 축복이 되었다. 그녀의 기별은 이제 이 대중적인 형태의 서적으로 보급되고 있다.

본 서적의 내용 중 몇 장은 좀 더 많이 그리고 널리 읽힌 책인 〈치료봉사〉에서 발췌한 것이다. 몇몇 경우를 제외하고는 모든 장을 다 게재하였다. 유일한 예외는 이 보급판에 그 주제가 좀 더 잘 제시될 수 있도록 주제를 약간씩 재배열하거나 삭제한 것이다. 전체를 다 원할 경우에는 발행자에게서 그 내용을 확보할 수 있을 것이다.

이 책에 제시된 중요한 진리들이 이 책의 독자들을 좀 더 충만하고 풍부한 삶으로 인도하기를 간절히 바란다.

Your Home & Health

· 머리말 / 6
· 책을 열며 / 8
· 더 좋은 생활을 위한 전망 / 12

Part One

환자 보살피기

제1장 실외 생활의 유익 / **22**
제2장 기도의 능력 / **29**

Part Two

하늘 교사와 의사가 되시는 그리스도

제3장　인류의 필요를 채우시는 종 / **46**

제4장　환자와 도움이 필요한 사람들을 위한 봉사 / **59**

제5장　자연과 함께, 하나님과 함께 / **83**

제6장　믿음 안에서 모험 / **90**

제7장　마음 치료하기 / **108**

제8장　봉사에 부르심 / **132**

Part Three

더욱 고상한 생활

제9장　우리가 하나님을 알 수 있을까? / **150**

제10장　진리를 탐구함 / **175**

제11장　비교할 수 없는 책 / **185**

제12장　매일의 신앙 / **197**

제13장　대인 관계 / **216**

제14장　최고의 경험 / **232**

서언

Your Home & Health

더 좋은 생활을 위한 전망
Horizons of Better Living

건강 원칙에 대한 교육이 현재보다 더 필요한 시대는 없었다. 생활의 안락함과 편리함 그리고 위생 문제와 질병 치료에 관련된 많은 분야에 이처럼 놀라운 발전이 있었음에도 신체의 활력과 인내심의 쇠퇴는 걱정스러울 정도다. 동료 인류의 행복을 마음에 두고 있는 모든 사람은 이 사실에 주의를 기울여야 한다.

우리의 인위적인 문명은 건전한 원칙들을 파괴하는 죄악을 장려한다. 관습과 유행은 자연과 싸우고 있다. 그것들이 강요하는 행습, 그것들이 조장하는 방종 등은 신체와 정신의 힘을 끊임없이 감소시키며, 견딜 수 없는 부담을 인류에게 안긴다. 부절제와 범죄, 질병과 불행이 어느 곳에나 있다.

많은 사람은 알지 못해 건강 법칙을 어긴다. 그들에게는 교육이 필요하다. 반면에 더 많은 사람이 그들이 행동하는 것보다 더 잘 알고 있다. 지식을 삶의 지침으로 삼는 일이 중요하다는 사실을 그들은 깨달을 필요가 있다.

건강이 우연히 이루어지지 않는다는 사실은 아무리 자주 강조해도 지나치지 않는다.
건강은 법칙에 순종한 결과이다.

일반적으로 사람들은 건강 유지에 너무도 적게 주의한다. 질병에 걸린 후에 치료법을 아는 것보다 예방하는 편이 훨씬 낫다.

사람마다 자기 자신 그리고 인류를 위한 생명의 법칙에 관해 알며 그것에 양심적으로 순종할 의무가 있다. 모든 사람은 모든 유기체 중 가장 훌륭한 인체에 대해 잘 알아야 할 필요가 있다. 그들은 여러 신체 기관의 기능과 모든 기관이 건강하게 작용하기 위해 서로 의존한다는 사실을 이해해야 한다. 그들은 정신이 신체에 미치는 영향과 신체가 정신에 미치는 영향 그리고 그것들을 다스리는 법칙들을 연구해야 한다.

여덟 가지 천연 치료제

깨끗한 공기, 햇볕, 음식의 절제, 휴식, 운동, 규칙적인 식사, 물의 사용, 하나님의 능력을 신뢰하는 일은 참으로 좋은 치료제이다. 모든 사람은 천

건강에 좋지 않은 습관은
그 어떤 것이라도 거기에 빠지면
옳고 그름을 분별하는 일이 더 어려워지므로
악에 저항하기가 더 어렵게 된다.
그것은 실패와 패배할 위험을 증가시킨다.

연 치료제에 대한 지식을 알고 있어야 하며 활용할 수 있는 방법을 알아야 한다. 환자를 치료하는 일과 관련된 원칙을 이해하고 이 지식을 올바르게 사용할 수 있도록 실제적인 훈련을 하는 일이 가장 필요하다.

천연 치료제 사용에는 매우 많은 주의와 노력이 필요하다. 천연 치료와 회복하는 과정은 점진적이므로 조급한 사람들에게 그것은 느린 것처럼 보인다. 신체에 해로운 방종을 버리는 데는 희생이 필요하다. 그러나 천연 치료제가 방해받지 않고 잘 활용된다면 치료의 역할을 지혜롭게 잘 수행한다는 것이 마침내 밝혀질 것이다. 자연 법칙을 잘 따르는 사람은 신체와 정신의 건강을 보상으로 얻게 될 것이다.

건강이 우연히 이루어지지 않는다는 사실은 아무리 자주 강조해도 지나치지 않는다. 건강은 법칙에 순종한 결과이다. 운동 경기와 힘겨루기에 참가하는 선수들은 이를 안다. 이 사람들은 가장 세심하게 준비한다. 그들은 철저한 훈련과 엄격한 규율을 따른다. 신체적 습관을 주의 깊게 통제한다. 그들은 신체의 어떤 기관이나 기능을 약하게 하거나 불구로 만드는 태만, 과도함 또는 부주의가 패배를 확실하게 한다는 사실을 안다.

삶의 투쟁에서 확실하게 성공하기 위해 그런 세심한 주의가 얼마나 더 필요하겠는가! 우리가 싸우는 싸움은 모의전(模擬戰)이 아니다. 우리는 영원한 운명이 걸린 싸움을 하고 있다. 우리에게는 맞서야 할 보이지 않는 적이 있다. 악한 천사들은 각 사람을 지배하기 위해 애쓰고 있다. 건강을 해치는 것은 무엇이나 육체의 힘을 감소시킬 뿐 아니라 정신과 도덕의 힘을 약하게 하는 경향이 있다. 건강에 좋지 않은 습관은 그 어떤 것이라도 거기에 빠지면 옳고 그름을 분별하는 일이 더 어려워지므로 악에 저항하기가 더 어렵게 된다. 그것은 실패와 패배할 위험을 증가시킨다.

"운동장에서 달음질하는 자들이 다 달릴지라도 오직 상을 받는 사람은 한 사람인 줄을 너희가 알지 못하느냐"(고전 9:24). 우리가 싸우는 싸움에서는 바른 원칙에 순종하여 스스로를 훈련하는 사람이 모두 승리할 것이다. 삶의 세세한 부분에서 이 원칙들을 실행하는 것이 주의를 기울이기에 너무 사소한, 중요하지 않은 일로 간주되는 일이 매우 흔하다. 그러나 성패가 걸린 문제들을 생각해 볼 때, 우리가 해야 하는 일은 전혀 작은 일이 아니다. 매 행동이 삶의 승리나 패배를 결정짓는 저울에 그 무게를 더하고 있는 것이다. 성경은 우리에게 "너희도 상을 받도록 이와 같이 달음질하라"

(고전 9:24)고 명한다.

우리의 첫 조상은 부절제한 욕망 때문에 에덴을 잃어버렸다. 모든 일에 절제하는 것은 우리가 에덴으로 회복되는 일에 있어서 사람들이 깨닫고 있는 것보다 더 중요하다.

고대 희랍 경기에 참가한 선수들이 실천한 극기를 지적하면서 바울은 다음과 같이 기록한다. "이기기를 다투는 자마다 모든 일에 절제하나니 저희는 썩을 면류관을 얻고자 하되 우리는 썩지 아니할 것을 얻고자 하노라 그러므로 내가 달음질하기를 향방 없는 것같이 아니하고 싸우기를 허공을 치는 것같이 아니하여 내가 내 몸을 쳐 복종하게 함은 내가 남에게 전파한 후에 자기가 도리어 버림이 될까 두려워함이로라"(고전 9:25~27).

개혁을 해 나가는 것은 기본 진리를 명확하게 인식하는 일에 달려 있다. 편협한 철학과 딱딱하고 냉랭한 정통주의에 위험이 도사리는 한편 부주의한 자유주의에도 큰 위험이 있다. 모든 지속적인 개혁의 기초는 하나님의 율법이다. 우리는 이 율법에 순종할 필요성을 명백하고 뚜렷하게 제시해야 한다. 그 원칙들은 사람들 앞에 계속해서 제시되어야 한다. 그것들은 하나님의 속성처럼 영원하며 변하지 않는다.

최초의 배도의 가장 처참한 영향 중 하나는 사람의 자제력 상실이다. 이 자제력을 다시 지닐 때에만 진정한 진전이 있을 수 있다.

몸은 품성 발전을 위해 정신과 심령이 계발되는 유일한 매체이다. 영혼의 원수가 육체의 힘을 약화시키고 퇴화시키는 쪽으로 유혹하는 것은 이런 이유 때문이다. 이곳에서의 그의 성공은 전 존재가 악에 굴복하는 것

최초의 배도의 가장 처참한 영향 중 하나는
사람의 자제력 상실이다.
이 자제력을 다시 가질 때에만 진정한 진전이 있을 수 있다.

을 의미한다. 우리 육체의 본성의 경향은 더 높은 힘의 지배를 받지 않으면 분명히 파멸과 죽음을 초래할 것이다.

이성이 신체를 지배하여야 함

신체는 지배를 받아야 한다. 인간의 더 높은 힘이 그것을 지배해야 한다. 감정은 의지에 따라 통제되어야 하며 의지 그 자체는 하나님의 통제 아래 놓여야 한다. 하나님의 은혜로 성화된 이성이 왕과 같은 힘으로 우리의 삶을 지배해야 한다.

하나님의 요구를 양심으로 절실히 느껴야 한다. 남녀들은 자제의 의무, 순결의 필요, 모든 저열한 식욕과 더러운 습관에서 해방되는 것에 대해 자각해야 한다. 그들은 정신과 육체의 모든 능력이 하나님의 선물이며, 그분에게 봉사하는 일을 위해 최선의 상태로 보존되어야 한다는 사실에 깊은 인상을 받아야 한다.

복음을 상징한 고대의 의식에서 흠이 있는 제물은 하나님의 제단으로 가져갈 수 없었다. 그리스도를 상징해야 하는 희생 제물은 오점이 없어야 했다. 하나님의 말씀은 당신의 자녀들이 어떤 사람이 되어야 하는지에 대한 예증으로 이것을 지적한다. "거룩하고 흠이 없는" "하나님이 기뻐하시는 거룩한 산 제물"(엡 5:27; 롬 12:1)이 그것이다.

하나님의 능력을 떠나서는 어떤 진정한 개혁도 성취될 수 없다. 타고나거나 배양된 성향을 막는 인간의 방벽은 마치 급류를 막으려는 모래 둑과 같다. 그리스도의 생명이 우리의 삶에 생기를 주는 능력이 될 때 비로소 우리는 안팎에서 우리를 공격하는 유혹에 저항할 수 있다.

그리스도께서는 심령을 부패시키는 본성의 성향을 사람이 완전히 지배할 수 있도록 이 세상에 오셔서 하나님의 율법대로 사셨다. 심령과 육체의 의사이신 그분은 투쟁적인 정욕을 이기게 해 주신다. 그분은 사람이 완전한 품성을 소유하도록 온갖 편의를 다 마련해 놓으셨다.

그리스도께 굴복할 때 사람의 마음은 율법에 통제된다. 그것은 모든 포로에게 자유를 선포하는 최고의 법이다. 그리스도와 하나가 됨으로써 사람은 자유롭게 된다. 그리스도의 뜻에 복종하는 것은 완전한 사람으로 회복되는 것을 의미한다.

하나님께 순종하는 것은 죄의 속박에서 자유, 인간의 정욕과 충동에서 해방됨을 뜻한다. 사람은 자기 자신을 정복하는 자, 자기 자신의 성향을 정복하는 자, "통치자들과 권세들과 이 어둠의 세상 주관자들과 하늘에 있는 악의 영들"(엡 6:12)에게 승리하는 자가 될 수 있다.

부모의 모본이 자녀의 운명을 결정한다

이런 교훈이 가정보다 더 필요한 곳은 없으며 가정보다 더 많은 결실을 맺을 수 있는 곳도 없다. 부모는 자녀의 습관과 품성의 기초를 놓는 일을 해야만 한다. 개혁 운동은 신체와 도덕적 건강에 영향을 미치는 하나님의 율법을 부모에게 제시하는 일로 시작되어야 한다. 하나님의 말씀에 순종하는 것이 세상을 멸망으로 휩쓸어 넣고 있는 악에 대한 유일한 보호 장치라는 사실을 보여 주라. 부모들 자신뿐 아니라 자녀들을 위해서도 부모의 책임을 분명하게 하라. 그들은 자녀들에게 순종이나 위반 중 한 가지 모본을 보여 주고 있다. 그들의 모본과 가르침이 가족의 운명을 결정한다. 자녀들은 부모들이 행하는 대로 될 것이다.

만일 부모들이 그들이 행동한 결과를 추적하든지 그들의 모본과 교훈으로 죄나 의의 세력을 어떻게 지속시키며 증가시키는지 볼 수 있다면, 분명한 변화가 있을 것이다. 많은 사람이 전통과 습관에서 돌이켜 생애의 거룩한 원칙을 받아들일 것이다.

그리스도의 생명이 우리의 삶에 생기를 주는 능력이 될 때 비로소 우리는 안팎에서 우리를 공격하는 유혹에 저항할 수 있다.

Part One

환자 보살피기

Care of the Sick

"야외에서 운동하는 것은 생명을 얻는 데 필요한 일이다. 운동은 잠자는 지성을 깨우며 마음으로 하나님의 창조를 이해하도록 준비시킨다."

Exercise in the open air is a life- giving necessity. The intellect will be awakened, the mind prepared to appreciate God's creation.

제1장 실외 생활의 유익 / **제2장** 기도의 능력

01
실외 생활의 유익
Benefits of Outdoor Life

창조주께서는 우리 첫 조상들을 위해 그들의 건강과 행복에 가장 적합한 환경을 선택하셨다. 그분께서는 그들을 왕궁에 살게 하거나 오늘날 많은 사람이 소유하기 위해 몸부림치는 인공적 장식품과 사치품으로 둘러싸이게 하지 않으셨다. 그분은 그들을 자연과 가까이 접촉할 수 있고 하늘의 거룩한 존재들과 친밀하게 사귈 수 있는 장소에 살도록 하셨다.

하나님께서 당신의 자녀들을 위하여 마련해 주신 동산에는 우아한 관목들과 고운 꽃들이 어디에나 눈에 띄었다. 거기에는 온갖 종류의 나무가 있었으며 그중 많은 나무에는 향기롭고 맛있는 과일들이 달려 있었다. 그 나뭇가지에서는 새들이 즐거운 찬양의 노래를 불렀다. 나무 그늘 아래에서는 지상의 피조물들이 두려움 없이 함께 뛰어 놀았다.

흠 없이 순결한 아담과 하와는 에덴동산에서 보고 듣는 것을 즐겼다. 하나님께서는 그들에게 에덴동산에서 할 일, 곧 동산을 "경작하며 지키게" (창 2:15) 하는 일을 하도록 지정해 주셨다. 매일의 일은 그들을 건강하고 기쁘게 했으며 그 행복한 부부는 창조주의 방문을 기쁨으로 맞았다. 그분께서는 날이 서늘할 때에 그들과 함께 거닐며 이야기하셨다. 하나님께서는 매일 그들에게 당신의 교훈을 가르치셨다.

하나님께서 우리의 첫 조상에게 정해 주신 삶의 계획에는 우리를 위한 교훈이 있다. 비록 죄가 지상에 그 그늘을 드리웠을지라도 하나님께서는 그분의 손으로 만드신 것들에서 그분의 자녀들이 기쁨을 찾기를 바라신다. 그분이 지정하신 삶의 계획을 더 면밀하게 따르면 따를수록 그분은 고통을 당하는 사람들을 회복시키기 위해 더 놀랍게 일하실 것이다. 환자들은 자연과 가까이 접촉할 필요가 있다. 자연에 둘러싸여 실외에서 하는 생활은 무력하고 거의 희망이 없는 많은 환자에게 놀라운 일이 일어나게 해줄 것이다.

도시 생활의 단점 vs. 시골 생활의 장점

도시의 소음과 자극과 혼란 그리고 부자연스럽고 인공적인 생활은 환자들을 가장 피곤하게 그리고 지치게 하는 것들이다. 연기와 먼지, 유독한 가스, 병균이 가득한 공기는 생명을 위협한다. 사면이 벽으로 둘러싸인 곳에 갇혀 대부분의 시간을 보내는 환자들은 자신들이 마치 방에 갇힌 포로가 된 것처럼 느낀다. 그들은 수많은 집, 포장된 길, 바쁘게 움직이는 사람들을 내다볼 수 있을 뿐 푸른 하늘이나 햇빛, 풀이나 나무, 꽃들은 전혀 볼 수 없다. 이렇게 갇혀 있으므로 그들은 고통과 슬픔만 곰곰이 생각하게 되고 자신의 슬픈 생각에 희생되고 만다.

도덕적 능력이 약한 사람들에게 도시는 위험이 많은 곳이다. 극복해야 할 부자연스러운 식욕을 가진 환자들은 도시에서 끊임없이 유혹을 받는다. 그들은 생각의 흐름을 바꿀 수 있는 새로운 환경에 놓일 필요가 있다. 그들은 그들의 삶을 망가뜨린 사람들과는 전혀 다른 환경 가운데서 생활할 필요가 있다. 하나님께로부터 떠나게 하는 영향에서 벗어나 얼마 동안 더 순결한 분위기 속에 있어야 한다.

환자를 돌보는 기관을 도시에서 떨어진 곳에 세우면 훨씬 더 성공적일 것이다. 그리고 될 수 있는 대로 건강을 회복하려는 모든 사람은 실외 활동의 유익을 얻을 수 있는 시골 환경에 있어야 할 것이다. 자연계는 하나님께서 사용하시는 의사이다. 깨끗한 공기, 찬란한 햇빛, 꽃과 나무, 과수원과 포도원 그리고 이런 환경에서 하는 실외 활동은 건강과 생명을 준다.

의사와 간호사들은 실외에서 많은 시간을 보내도록 환자들을 격려해야 한다. 실외 생활은 많은 환자에게 필요한 유일한 치료법이다. 그것에는 흥분과 과도하게 유행을 따르는 생활, 곧 몸과 마음과 심령을 약화시키고 파멸시키는 생활에서 생긴 질병을 치료하는 놀라운 힘이 있다.

도시 생활, 눈부신 불빛, 거리의 소음에 지친 환자들에게 조용하고 자유

깨끗한 공기, 찬란한 햇빛, 꽃과 나무, 과수원과 포도원 그리고 이런 환경에서 하는 실외 활동은 건강과 생명을 준다.

로운 시골은 얼마나 쾌적한 곳이 되겠는가! 그들이 자연계의 경치를 보기를 얼마나 열망하겠는가! 야외에 앉아 햇볕을 즐기며 나무와 꽃의 향기를 맡는 것이 그들에게 얼마나 큰 기쁨이겠는가! 소나무의 발삼, 삼목과 전나무의 향에는 생명을 주는 요소가 있으며 그 밖의 나무에도 건강을 회복시켜 주는 요소들이 있다.

매력적인 시골 환경에서 사는 것처럼 만성병 환자들에게 행복과 건강을 회복시켜 주는 것은 없다. 거기에서 대부분의 무기력한 환자들은 햇볕이나 나무 그늘에 앉거나 누울 수 있다. 그들은 눈을 들기만 하면 위에 있는 아름다운 나뭇잎들을 쳐다볼 수 있다. 미풍이 지나가는 소리를 들을 때에 평온하고 상쾌한 느낌이 그들에게 밀려온다. 의기소침했던 정신이 소생한다. 약해지던 힘이 다시 솟아난다. 무의식중에 마음이 평화로워지고 흥분했던 맥박이 조용하고 규칙적으로 뛴다. 더 강해짐에 따라 병자들은 몇 걸음을 옮겨 아름다운 꽃, 곧 지상에서 고통 당하는 가족들에게 하나님께서 보내시는 귀중한 사랑의 사자인 꽃 몇 송이를 꺾어 보려 시도할 것이다.

환자들에게 야외 활동할 기회를 제공함

환자들이 야외에서 활동할 수 있는 계획을 세워야 한다. 일할 수 있는 사람들에게는 유쾌하고 쉬운 몇 가지 일을 제공하라. 그들에게 이 야외 활동이 얼마나 유쾌하고 유익한지 보여 주라. 그들에게 신선한 공기를 호흡하도록 격려하라. 그들에게 심호흡을 할 것과 호흡하거나 말할 때 복부 근육을 사용할 것을 가르치라. 이것은 그들에게 매우 필요한 교육이다.

실외 운동은 생명을 얻는 데 필요한 것으로 규정되어야 한다. 그리고 그런 활동으로 땅을 경작하는 것보다 더 좋은 것은 없다. 환자들로 하여금 화단을 가꾸거나 과수원이나 채소밭에서 일하게 하라. 방에서 나와 꽃을 가꾸거나 그 밖에 가볍고 즐거운 일을 하면서 야외에서 시간을 보내도록 격려받을 때 그들의 주의는 자신과 자신의 고통에서 떠나게 될 것이다.

환자가 실외에서 지낼 수 있는 시간이 길수록 그는 간호가 덜 필요할 것이다. 그를 둘러싼 환경이 유쾌할수록 그는 더 희망차게 될 것이다. 아무리 우아한 가구를 비치하더라도 집에 갇혀 있으면 짜증이 나고 우울해질 것이다. 그의 주변을 천연계의 아름다운 것들로 둘러싸라. 자라나는 꽃을 볼 수 있고 새들이 노래하는 것을 들을 수 있는 곳에 그를 두라. 그러면 그의 마음은 새들의 노랫소리에 맞춰 노래를 부르게 될 것이다. 몸과 마음이 평안해질 것이다. 지성이 일깨워지고 상상력이 살아나며 마음은 하나님의 말씀의 아름다움을 식별할 준비를 갖추게 될 것이다.

자연계에는 환자들의 주의를 자신에게서 돌려서 그들의 생각을 하나님께로 향하게 하는 것들이 많다. 그분의 놀라운 작품에 둘러싸여 그들의 마음은 보이는 것에서 보이지 않는 것으로 끌어올려지게 된다. 자연계의 아름다움은 그들이 하늘 가정을 생각하도록 이끌어 준다. 거기에는 사랑스러움을 훼손하는 일이 없고, 더럽히거나 파괴하는 것이 없으며, 질병이나 죽음을 일으키는 것이 없다.

이런 영향을 받을 때 고통을 당하는 많은 사람이 생명의 길로 인도될 것이다. 하늘 천사들은 환자들과 고난 받는 자들의 마음에 격려와 희망과 기쁨과 평화를 주는 일에 인간 도구들과 협력한다. 그런 상태에서 환자들은 이중으로 복을 받고 많은 사람이 건강하게 된다. 연약한 발걸음이 탄력을 되찾는다. 눈은 다시 빛나게 된다. 어쩔 수 없던 사람이 희망찬 사람이 된다. 한때 의기소침했던 얼굴이 기쁨의 표정을 띤다. 불평 어린 어조가 기쁨과 만족의 음성으로 바뀐다.

죄책감으로부터 해방될 때 건강이 증진됨

신체적 건강을 되찾을 때 사람들은 마음의 건강을 확보해 주는 그리스도에 대한 믿음을 더 잘 행사할 수 있게 된다. 죄를 용서받은 데 대한 인식은 말할 수 없는 평안과 기쁨과 안식을 가져온다. 흐려졌던 그리스도인 소망은 밝아진다. 다음과 같은 말로 믿음이 표현된다. "하나님은 우리의 피난처시요 힘이시니 환난 중에 만날 큰 도움이시라"(시 46:1). "내가 사망의 음침한 골짜기로 다닐지라도 해를 두려워하지 않을 것은 주께서 나와 함께 하심이라 주의 지팡이와 막대기가 나를 안위하시나이다"(시 23:4). "피곤한 자에게는 능력을 주시며 무능한 자에게는 힘을 더하시나니"(사 40:29).

02
기도의 능력
The Power of Prayer

성경은 "항상 기도하고 낙심하지 말아야 할 것"(눅 18:1)이라고 말한다. 사람들이 기도의 필요를 느끼는 때가 있다면 그것은 기운이 약해지고 생명 자체가 그들에게서 빠져나가는 것처럼 보이는 때이다. 흔히 건강한 사람들은 날마다 해마다 그들에게 계속해서 주어지는 놀라운 자비를 잊어버리고 은혜를 주신 하나님께 영광을 돌리지 않는다. 그러나 질병에 걸리면 하나님을 기억한다. 힘이 빠질 때 사람들은 하나님의 도움을 필요로 한다. 자비하신 하늘 아버지께서는 그분께 진정으로 도움을 구하는 사람들에게서 결코 돌아서지 않으신다. 그분은 병들었을 때에도 건강할 때처럼 우리의 피난처이시다.

"아버지가 자식을 긍휼히 여김같이

여호와께서는 자기를 경외하는 자를

긍휼히 여기시나니

이는 그가 우리의 체질을 아시며

우리가 단지 먼지뿐임을 기억하심이로다."

"미련한 자들은 그들의 죄악의 길을 따르고

그들의 악을 범하기 때문에 고난을 받아

그들은 그들의 모든 음식물을 싫어하게 되어

사망의 문에 이르렀도다

이에 그들이 그들의 고통 때문에 여호와께 부르짖으매

그가 그들의 고통에서 그들을 구원하시되

그가 그의 말씀을 보내어 그들을 고치시고

위험한 지경에서 건지시는도다."

– 시편 103편 13~14절; 107편 17~20절

성령께서 시편 기자를 통해 이 말씀을 하시던 때와 마찬가지로 하나님께서는 지금도 환자들을 기꺼이 회복시켜 주기를 원하신다. 그리고 그리스도께서는 지상 봉사를 하시던 당시와 마찬가지로 오늘날도 자비로운 의사가 되신다. 그분에게는 모든 질병을 치료하는 향유와 모든 약한 것을 회복시키는 능력이 있다. 오늘날 그분의 제자들은 옛날 제자들이 진실로 기도한 것처럼 환자들을 위해 기도해야 한다. 그러면 회복이 뒤따를 것이다. "믿음의 기도는 병든 자를 구원"(약 5:15)할 것이기 때문이다. 우리에게는 성령의 능력, 곧 하나님의 약속을 요구할 수 있는 조용한 믿음의 확신이 있다. "병든 사람에게 손을 얹은즉 나으리라"(막 16:18)라는 주님의 약속은 사도 시대처럼 오늘날도 신뢰할 수 있는 약속이다. 그것은 하나님의 자녀들의 특권을 제시하며 우리는 믿음으로 그 특권에 포함된 모든 것을 붙들어야 한다. 그리스도의 종들은 그분께서 일하시는 통로이며 그분은 그들을 통해 그분의 치유 능력을 행하기를 원하신다. 환자들과 고통 당하는 자들을 믿음의 팔로 안아서 하나님 앞에 드리는 것이 우리가 할 일이다. 우리는 그들에게 위대한 치료자를 믿도록 가르쳐야 한다.

병실을 '벧엘- 하나님의 집'으로 바꾸라

구주께서는 우리가 환자들, 희망이 없는 자들, 고통 당하는 자들에게 그분의 능력을 붙들도록 격려하게 하신다. 믿음과 기도를 통해 병실은 벧엘로 바뀔 수 있다. 의사와 간호사들은 멸망시키기 위해서가 아니라 구원하기 위해 주님이 이곳에 계신다는 사실을 아무도 오해할 수 없을 만큼 말과 행동으로 분명하게 표현할 수 있다. 그리스도께서는 의사와 간호사들의 마음을 그분의 부드러운 사랑으로 채워 주심으로써 병실에 그분의 임재를 나타내기를 원하신다. 만일 환자를 간호하는 사람들의 삶이 그리스도께서 그들과 함께 환자의 병상 곁으로 갈 수 있는 그런 삶이라면 환자는 자비하신 구주의 임재를 확신하게 되고 이 확신 자체가 마음과 신체를 치료하는 일에 큰일을 할 것이다.

그리고 하나님께서는 기도를 들으신다. 그리스도께서는 "내 이름으로 무엇이든지 내게 구하면 내가 행하리라"(요 14:14)라고 말씀하셨다. 다시 그분은 "사람이 나를 섬기면 내 아버지께서 그를 귀히 여기시리라"(요 12:26)라고 말씀하신다. 만일 우리가 그분의 말씀에 따라 살면 그분께서 하신 모든 귀한 약속이 우리에게 성취될 것이다. 우리는 그분의 자비를 받을 자격이 없지만 우리 자신을 그분께 바치면 그분은 우리를 받으신다. 그분은 그분을 따르는 자들을 위해 그리고 그들을 통해 일하실 것이다.

그러나 그분의 말씀을 순종하며 살 때에만 우리는 그분의 약속의 성취를 요청할 수 있다. 시편 기자는 "내가 나의 마음에 죄악을 품었더라면 주께서 듣지 아니하시리라"(시 66:18)라고 말한다. 만일 우리가 그분께 부분적이며 절반의 마음만 드린 순종을 한다면 그분의 약속들은 우리에게 성취되지 않을 것이다.

하나님의 말씀에서 우리는 환자의 회복을 위한 특별 기도에 관한 교훈을 받는다. 그런 기도를 드리는 것은 가장 엄숙한 행동이므로 주의 깊은 생각 없이 드려서는 안 된다. 많은 경우 환자의 치유를 위해 기도하면서도 추측 정도의 믿음만 가지고 있다.

많은 사람이 방종에 의해 질병을 자초한다. 그들은 자연 법칙이나 엄격한 순결의 원칙에 따라 살지 않았다. 어떤 이들은 먹고 마시고 옷 입고 일하는 습관에서 건강 법칙을 무시했다. 흔히 악습이 마음과 신체를 허약하

게 하는 원인이다. 만일 하나님께서 기도의 응답으로 그들을 고쳐 주신다면 그들은 다시 마음대로 건강에 해로운 습관을 계속하며 제한 없이 왜곡된 식욕에 탐닉할 것이다. 하나님의 자연 법칙과 영적 법칙을 부주의하게 범하는 동일한 행동을 계속해서 추구할 것이다. 만일 하나님께서 이런 사람들의 건강을 회복시키는 이적을 행하신다면 그분께서는 죄를 조장하는 일을 하시는 것이다.

"병이 낫기를 위하여 서로 기도하라"

사람들이 건강에 해로운 습관을 버리도록 가르침을 받지 않으면, 하나님을 그들의 연약함을 고쳐 주시는 분으로 가르치는 일은 헛된 일이 된다.

기도의 응답으로 하나님의 복을 받기 위해서는 악행을 그치고 올바로 행하는 법을 배워야 한다. 그들은 올바른 생활 습관을 지니고 위생적인 환경에서 살아야 한다. 그들은 자연 법칙과 영적 법칙에서 하나님의 법칙에 조화롭게 살아야 한다.

건강 회복을 위한 기도를 원하는 사람들에게 자연 법칙과 영적 법칙에서 하나님의 법칙을 범하는 것이 죄라는 것과 하나님의 복을 받으려면 죄를 자복하고 버려야 한다는 것을 분명히 알려 주어야 한다.

성경은 "너희 죄를 서로 고백하며 병이 낫기를 위하여 서로 기도하라"(약 5:16)라고 우리에게 명한다. 기도를 요청하는 사람에게 다음과 같은 생각을 제시하라. "우리는 당신의 마음을 알 수 없으며 당신의 생애의 비밀을 모릅니다. 그것은 오직 당신과 하나님만 아십니다. 만일 당신의 죄를 회개한다면 그 죄를 고백하는 것이 당신의 의무입니다." 자기 혼자만의 죄는 하나님과 사람 사이의 유일한 중보자이신 그리스도께 고백해야 한다. "만일 누가 죄를 범하여도 아버지 앞에서 우리에게 대언자가 있으니 곧 의로우신 예수 그리스도시라"(요일 2:1)라고 성경에 제시되어 있기 때문이다. 모든 죄는 하나님께 범하는 것이므로 그리스도를 통해 그분께 고백해야 한다. 모든 알려진 죄는 공개적으로 고백해야 한다. 동료에게 행한 잘못은 손해를 입은 사람과 해결해야 한다. 만일 건강을 되찾으려는 사람이 악한 말을 하는 죄를 범하였거나, 가정이나 이웃이나 교회에 불화의 씨를 뿌려 서로를 이간시키고 파당을 일으켰다면 혹은 어떤 잘못된 행동으로 다른 사람들을 죄에 빠뜨렸다면, 이 모든 일을 하나님과 피해를 입힌 사람들 앞에서 고백해야 한다. "만일 우리가 우리 죄를 자백하면 그는 미쁘시고 의로 우사 우리 죄를 사하시며 우리를 모든 불의에서 깨끗하게 하실 것이요"(요일 1:9).

잘못이 시정된 후에 우리는 주님의 영이 지시하시는 대로 조용한 믿음으로 병자의 필요를 주님께 제시할 수 있다. 그분은 개인의 이름을 아시며 그분의 사랑스런 아들을 주실 대상이 지상에서 오직 그 하나뿐인 양 각 사람을 돌보신다. 하나님의 사랑은 매우 크고 다함이 없으므로 환자들은 그분을 신뢰하고 기뻐하도록 격려를 받아야 한다. 자신에 대한 걱정은 몸을 연약하게 하고 질병을 일으킨다. 만일 그들이 침체와 슬픔을 극복하고 일어서면 회복 가능성은 더 커질 것이다. "여호와는 그의 인자하심을 바라는 자를"(시 33:18) 살피시기 때문이다.

"내 원대로 마시옵고 아버지의 원대로 되기를…"라고 기도하라

환자들을 위해 기도할 때는 "우리는 마땅히 기도할 바를 알지"(롬 8:26) 못한다는 점을 기억해야 한다. 우리는 우리가 바라는 복이 최선일지 그렇지 않을지 알지 못한다. 그러므로 우리의 기도에는 다음과 같은 생각이 포함되어야 한다. "주님, 주님은 영혼의 모든 비밀을 아십니다. 주님은 이 사람들을 아십니다. 그들의 중보자이신 예수께서 그분의 생명을 그들을 위해 주셨습니다. 그들에 대한 주님의 사랑은 우리가 베풀 수 있는 최대한의 사랑보다 더 큽니다. 그러므로 만일 건강을 회복하는 일이 주님의 영광과

질병 중에 있는 사람들의 유익을 위한 일이라면 우리는 예수님의 이름으로 그들이 건강을 회복하기를 기도합니다. 만일 그들이 회복하는 것이 주님의 뜻이 아니라면 우리는 고통을 받고 있는 그들을 주님의 은혜가 위로하고 주님의 임재가 지탱해 주기를 기도합니다."

하나님께서는 처음부터 끝을 아신다. 그분은 모든 사람의 마음을 아신다. 그분은 영혼의 모든 비밀을 읽고 계신다. 그분은 기도의 대상인 그들이 살아날 때 그들에게 닥칠 시험들을 견딜 수 있을지 그렇지 못할지를 아신다. 그분은 그들의 생애가 그들과 세상에 복이 될 것인지 저주가 될 것인지 아신다. 그러므로 우리는 열렬하게 탄원하면서도 "그러나 내 원대로 마시옵고 아버지의 원대로 되기를 원하나이다"(눅 22:42)라고 말해야 한다. 예수께서는 겟세마네 동산에서 기도하실 때 하나님의 지혜와 뜻에 순종하는 이 말씀에 "내 아버지여 만일 할 만하시거든 이 잔을 내게서 지나가게 하옵소서"(마 26:39)라는 말씀을 첨부하셨다. 만일 이 말씀이 하나님의 아들이신 그분께 합당한 것이었다면 유한하고 실수가 많은 인간의 입술에는 얼마나 더 합당한 것이겠는가!

우리가 바라는 것을 완전한 지혜를 가지신 하늘 아버지께 일관성 있게 위탁해야 한다. 그런 후에 전적인 신뢰를 가지고 모든 것을 그분께 맡겨야 한다. 하나님의 뜻대로 구하면 그분께서 우리의 소원을 들어주신다는 것을 우리는 안다. 그러나 순종의 정신 없이 우리의 청원을 밀어붙이는 것은 옳지 않다. 우리의 기도는 명령 형식이 아닌 간구 형식을 취해야 한다.

건강 회복에 있어 하나님께서 그분의 거룩한 능력을 통해 분명하게 일하시는 경우가 있다. 그러나 모든 환자가 다 치유되는 것은 아니다. 많은 사람이 예수님 안에서 잠든다. 밧모섬에 있던 요한은 "지금 이후로 주 안에서 죽는 자들은 복이 있도다 하시매 성령이 이르시되 그러하다 그들이 수고를 그치고 쉬리니 이는 그들의 행한 일이 따름이라"(계 14:13)라고 기록하라는 명령을 받았다. 이 말씀에서 우리는 만일 사람들이 건강을 회복하지 못해도 그것 때문에 믿음이 부족한 것으로 간주해서는 안 된다는 것을 알 수 있다.

기도할 때 명백하고 즉각적인 응답을 기대해서는 안 됨

우리 모두는 기도가 즉시 명백하게 응답되기를 바라며 응답이 늦어지거나 바라지 않는 형태로 응답되면 실망의 유혹을 받는다. 그러나 지혜로우시고 선하신 하나님께서는 우리 기도를 항상 우리가 바라는 바로 그때에 그 방식대로 응답하지는 않으신다. 그분은 우리의 모든 소원을 성취하는 것보다 더 많은, 더 나은 일을 하실 것이다. 그리고 우리는 그분의 지혜와 사랑을 신뢰할 수 있으므로 그분께 우리의 뜻에 양보해 주시기를 요구해서는 안 되며 오히려 그분의 목적에 따라 그 목적을 이루기 위해 노력해야 한다. 우리의 욕망과 흥미는 그분의 뜻 가운데로 흡수되어야 한다. 믿음을 시험하는 이 경험들은 우리의 유익을 위한 것이다. 이런 경험들을 통해 우리의 믿음이 오직 하나님의 말씀에 기초한 진실하고 성실한 것인지, 환경에 좌우되는 불확실하고 변하기 쉬운 것인지 분명히 드러나게 된다. 믿음은 실천을 통해 강화된다. 우리는 주님을 기다리는 사람들을 위한 귀중한 약속이 성경에 있음을 기억하고 끝까지 인내해야 한다.

모든 사람이 이 원칙을 다 이해하고 있는 것은 아니다. 주님께 치유의 자비를 구하는 많은 사람이 그들의 기도에 대해 명백하고 즉각적인 응답을 받아야 한다고 생각하며 만일 그렇지 못하면 그들의 믿음에 결함이 있다고 생각한다. 그러므로 질병으로 약해진 사람들은 지혜로운 권면을 받으며 신중하게 행동해야 한다. 그들은 친구들이 자신을 살리기 위하여 노력하는 것을 무시하거나 건강의 회복을 위해 자연계의 힘을 이용하는 것을 등한히 해서는 안 된다.

흔히 여기에 잘못을 범할 위험이 있다. 어떤 사람들은 기도의 응답으로 고침을 받을 것으로 믿고 믿음의 부족을 나타내는 듯 보이는 일은 어떤 것도 하지 않는다. 그러나 만일 죽을 수밖에 없다고 예상되면 그들은 자신이 원하는 대로 일을 정리해 두어야 한다. 또한 헤어지는 시간에 사랑하는 이들에게 하고 싶은 충고나 격려의 말을 하는 것을 두려워하지 말아야 한다.

기도로 치유를 받으려는 사람들은 그들의 힘이 닿는 곳에 있는 치료제를 이용해야 한다. 하나님께서 고통을 덜어 주고 몸이 회복하는 것을 돕도록 마련하셨으므로 그런 치료제를 사용하는 것은 믿음을 부인하는 것이 아니다. 하나님과 협력하며 자신을 회복하기에 가장 유리한 상태에 두는 것은 믿음을 부인하는 것이 아니다. 하나님께서는 생명의 법칙에 관한 지식을 얻을 수 있는 능력을 우리에게 주셨다. 이 지식은 우리의 힘이 닿는 곳에 사용되도록 놓여 있다. 우리는 가능한 모든 이점을 취하며 자연계의 법칙과 조화되도록 활동하는 등 건강 회복을 위해 모든 편의를 이용해야 한다. 환자들의 회복을 위해 기도한 후에도 우리는 하나님과 협력할 수 있는 특권을 가진 것을 그분께 감사하며 그분께서 제공하신 방법에 복을 주시도록 간구하는 등 더욱 힘을 다해 일할 수 있다.

기도와 함께 단순하고 자연적인 치료제를 사용함

우리는 치료제 사용에 대한 허락을 하나님의 말씀에서 찾을 수 있다. 이스라엘의 왕 히스기야가 병들었을 때 하나님의 선지자는 그가 죽으리라는 기별을 전했다. 그는 여호와께 부르짖었으며 여호와께서는 그분의 종의 탄원을 들으시고 그의 생명이 15년간 연장될 것이라는 기별을 보내셨다. 이제 하나님께서 한마디만 하시면 히스기야는 즉시 치유될 수 있었다. 그런데 "한 뭉치 무화과를 가져다가 종처에 붙이면 왕이 나으리라"(사 38:21)라는 특별한 지시가 주어졌다.

한번은 그리스도께서 어떤 시각 장애인의 눈에 진흙을 바르시고 "실로암 못에 가서 씻으라"라고 명하셨다. "이에 가서 씻고 밝은 눈으로 왔더라"(요 9:7). 치유는 오직 위대한 치료자의 능력을 통해서만 이루어질 수 있었으나 그리스도께서는 간단한 자연의 매체를 사용하셨다. 약물 치료를 장려하지는 않으셨으나 그분은 단순하고 자연적인 치료제를 사용하는 것은 허락하셨다.

환자의 회복을 위해 기도한 후에 어떤 결과가 나오든 하나님께 대한 믿

건강을 회복하는 경우에 치유의 은혜를 받은 사람은 창조주께 다시 새로운 의무를 진다는 것을 잊어서는 안 된다.

음을 상실해서는 안 된다. 사별(死別)을 당할지라도 하늘 아버지의 손이 쓴 잔을 우리 입술에 대신다는 사실을 기억하고 그 잔을 받자. 그러나 건강을 회복하는 경우에 치유의 은혜를 받은 사람은 창조주께 다시 새로운 의무를 진다는 것을 잊어서는 안 된다. 나병 환자 열 명이 고침을 받았을 때 오직 한 사람만 예수님을 찾아와서 그분께 영광을 돌렸다. 우리 중 아무도 하나님의 자비에 마음이 감동하지 않은 몰지각한 아홉 사람처럼 되어서는 안 된다. "온갖 좋은 은사와 온전한 선물이 다 위로부터 빛들의 아버지께로부터 내려오나니 그는 변함도 없으시고 회전하는 그림자도 없으시니라"(약 1:17).

아흔아홉 마리가 남아 있다네
There Were Ninety and Nine

아흔아홉 마리의 양이 안전하게

양 우리 안의 은신처에 누워 있다네.

그러나 한 마리가 언덕을 벗어나

황금빛 문으로부터 멀리, 멀리 달아나 버렸다네.

목자의 부드러운 보호를 벗어나서 멀리

거칠고 황량한 산중에 있다네.

"주님, 이곳에 아흔아홉 마리가 있나이다.

당신에게 이것으로 충분하지 않으십니까?"

그때 주님께서 대답하셨다네.

"내 양 가운데 한 마리가 나를 떠나서 방황하고 있다.

비록 길이 험하고 가파르다 할지라도

황무지로 가서 내 양을 찾겠노라."

그러나 되찾은 양들 중에 어느 양도

주님께서 건넜던 물이 얼마나 깊었는지 알지 못하며

통과하신 밤의 적막이 얼마나 어두웠는지 알지 못한다네.

이전에 그분이 잃어버린 양을 찾았을 때

황무지 저 먼 곳에서부터 양의 울음소리를 들으셨다네.

희미한 음성으로, 의지할 곳 없는 곳에서 거의 죽게 되었다네.

"주님, 가시는 길 내내 떨어져 있는 핏방울은 어디서 났습니까?

산길의 발자국을 따라 표시되어 있습니다."

"그것들은 길 잃은 사람을 위해 흘린 것이란다.

이전에 목자가 그를 되돌아올 수 있게 하였단다."

"주님, 왜 당신의 손이 그렇게 갈라지고 찢어지셨나요?"

"오늘 밤에 많은 사람이 가시로 찔렀기 때문이란다."

그러나 모든 산중에서 우레와 같은 소리로

또한 가파른 바위산 꼭대기로부터

하늘 문의 함성이 울려 퍼지고 있다네.

"기뻐하라 내가 내 양을 찾았노라!"

하늘 보좌 주위에 있던 천사들이 노래한다네.

"기뻐하라 주님께서 당신의 자녀들을 도로 찾으셨도다!"

– 엘리자베스 클리페인(Elizabeth C. Clephane)

Part Two

하늘 교사와 의사가 되시는 그리스도

The Divine Teacher and Physician

"만일 예수님께서 '하나님의 뜻이 이루어지이다'라고 기도하셨다면 그분을 따르는 사람들은 자신들의 인생 계획에서 하나님의 뜻에 순종하는 일이 얼마나 더 필요하겠는가?"

If Jesus prayed, "Thy will be done," how necessary it is for His followers to submit to God's will in their life plans.

제3장 인류의 필요를 채우시는 종 / 제4장 환자와 도움이 필요한 사람들을 위한 봉사 / 제5장 자연과 함께, 하나님과 함께 / 제6장 믿음 안에서 모험 / 제7장 마음 치료하기 / 제8장 봉사에 부르심

03
인류의 필요를 채우시는 종
A Servant of Humanity

우리 주 예수 그리스도께서는 인간의 필요를 채워 주기 위해 지칠 줄 모르는 종으로 이 세상에 오셨다. 그분은 인간의 모든 필요를 채워 주기 위해 "우리의 연약한 것을 친히 담당하시고 병을 짊어지셨도다"(마 8:17). 그분은 질병과 불행과 죄의 짐을 제거하기 위해 오셨다. 인간을 완전하게 회복시키는 것이 그분의 사명이었다. 그분은 사람들에게 건강과 평화와 품성의 완전함을 주기 위해 오셨다.

그분께 도움을 구한 사람들의 환경과 필요는 다양했으나 그분께 나아온 사람들 중 도움을 받지 못하고 돌아간 사람은 한 명도 없었다. 그분에게서 치유의 능력이 흘러나왔으며 사람들은 몸과 마음과 영혼이 완전해졌다.

구주의 사업은 어떤 시간이나 장소에 국한되지 않았다. 그분의 사랑에는 한계가 없었다. 치료하고 가르치는 사업을 대규모로 행하셨으며 그분께로 모여든 무리를 수용할 정도로 큰 건물은 없었다. 갈릴리의 푸른 언덕 기슭에, 사람들이 많이 다니는 큰길에, 바닷가에, 회당에 그리고 아픈 사람들을 그분께로 데려올 수 있는 곳이면 어디든지 그분은 치료할 수 있는 장소를 준비하셨다. 통과하신 모든 도시와 모든 마을과 모든 촌락에서 그분은 질병 중에 있는 사람들 위에 손을 얹으시고 그들을 고치셨다. 그분의 기별을 들을 준비가 되어 있는 마음이 있는 곳에서는 어디서든지 하늘 아버지의 사랑에 대한 보증으로 그들을 위로하셨다. 하루 종일 그분은 그분께 나아오는 사람들에게 봉사하셨다. 그리고 저녁에는 가족들을 부양하기 위해 낮 동안 적은 돈을 버는 수고를 해야 하는 사람들을 돌보셨다.

세속적 '욕망'을 '사명'에 굴복시키신 예수

예수께서는 인간의 구원을 위해 엄청나게 무거운 책임을 지고 계셨다. 그분은 인류가 가진 원칙과 목적에 결정적인 변화가 없으면 모두가 멸망할 것을 아셨다. 이것이 그분의 심령을 누르는 부담이었으나 아무도 그분을 내리누르는 짐의 무게를 알지 못했다. 그분은 어린 시절, 청년 시절, 장년 시절을 홀로 걸으셨다. 그러나 그분이 계신 곳에는 언제나 하늘이 열려 있었다. 그분은 날마다 시련과 유혹을 당하셨다. 그분은 날마다 죄악을 접하셨고 그분이 복 주시고 구원하려는 사람들 위에 작용하는 죄의 힘을 목도하셨다. 그러나 그분은 실패하거나 낙담하지 않으셨다.

모든 일에서 그분은 욕망을 사명에 완전히 굴복시키셨다. 그분은 성부의 뜻에 삶의 모든 것을 굴복시킴으로써 자신의 삶을 영화롭게 하셨다. 어린 시절에 어머니가 랍비 학교에서 그를 발견하고 "아이야 어찌하여 우리에게 이렇게 하였느냐"라고 했을 때 그분은 "어찌하여 나를 찾으셨나이까 내가 내 아버지 집에 있어야 될 줄을 알지 못하셨나이까"(눅 2:48~49)라고 대답하셨는데 그것은 그분의 평생 사업의 기본 방침이었다.

그분의 생애는 끊임없는 자아 희생의 생애였다. 이 세상에서 거할 집이

암처럼 사회를 좀먹고 있는 부절제와 그 외의 악의 파급을 막기 위한 노력에서, 자녀들의 습관과 품성을 형성하는 방법을
부모들에게 가르쳐 주는 일에 더 많은 주의를 기울인다면
백배나 더 좋은 결과를 얻게 될 것이다.

그분께는 없었다. 다만 친구들이 그분을 지나가는 나그네로 친절하게 대접했을 뿐이었다. 그분은 우리를 위해 가장 가난한 자의 삶을 사시고 궁핍한 자들, 고통 당하는 자들과 동행하며 함께 일하려고 오셨다. 인정받지도 존경받지 못한 채 그분은 사람들 사이를 다니시면서 많은 일을 행하셨다.

그분은 항상 인내하셨으며 쾌활하셨다. 고통 당하는 사람들은 그분을 생명과 평화의 사자로 환영하였다. 그분은 어린이들과 젊은이들의 필요를 아셨으며 모든 이에게 "내게로 오라"고 초청하셨다.

설교하는 일보다 더 중요한 일은 봉사

봉사하시는 동안 예수께서는 설교보다 환자 치료에 더 많은 시간을 바치셨다. 그분이 행하신 이적은 멸망시키기 위해 오신 것이 아니라 구원하기 위해 오셨다는 그분의 말씀이 진실임을 입증했다. 어디로 가시든지 그분의 자비의 소식이 그분을 앞서갔다. 그분이 지나가신 곳에서는 그분의 사랑을 받은 사람들이 건강한 모습으로 기뻐하며 새로 발견한 힘을 시험하고 있었다. 주님이 행하신 일을 듣기 위해 군중이 그들 주위에 모여들었다. 듣지 못했던 많은 이가 난생처음으로 들은 소리가 그분의 음성이었으며 말하지 못했던 이들이 처음으로 한 말이 그분의 이름이었고 보지 못했던 사람들이 처음으로 본 것이 그분의 얼굴이었다. 그들이 어떻게 예수님을 사랑하지 않고 그분을 찬양하지 않을 수 있겠는가? 마을과 도시들을 통과하실 때 그분은 마치 생명과 기쁨을 나누어 주는 생명의 물줄기 같으셨다.

"스불론 땅과 납달리 땅과

요단강 저편 해변 길과 이방의 갈릴리여

흑암에 앉은 백성이 큰 빛을 보았고

사망의 땅과 그늘에 앉은 자들에게 빛이 비치었도다."

- 마태복음 4장 15~16절

 구주께서는 치유하실 때마다 사람들의 마음과 심령에 하나님의 원칙을 심는 기회로 삼으셨다. 그것이 그의 사업의 목적이었다. 사람들이 그분이 선포하는 은혜의 복음을 받아들이고 싶은 마음을 갖도록 그분은 이 세상의 복을 나누어 주셨다.

 그리스도께서는 유대 나라의 교사들 사이에서 가장 높은 지위를 차지할 수도 있었으나 오히려 가난한 사람들에게 복음을 전하기를 더 좋아하셨다. 그분은 큰길이나 골목길에 있는 사람들이 진리의 말씀을 들을 수 있도록 이곳저곳을 다니셨다. 바닷가에서, 산기슭에서, 도시의 거리에서, 회당에서 성경을 설명하는 그분의 음성을 들을 수 있었다. 흔히 그분은 이방인들이 그분의 말씀을 들을 수 있도록 성전 바깥뜰에서 가르치셨다.

 그리스도의 가르침은 서기관과 바리새인들이 성경을 설명하는 것과 워낙 달랐으므로 사람들의 주목을 끌었다. 랍비들은 늘 전승과 인간의 이론과 사상을 가르쳤다. 흔히 성경에 관해 사람들이 가르치고 기록한 것이 성경 자체를 대신했다. 그러나 그리스도께서 가르치신 주제는 하나님의 말씀 그 자체였다. 그분은 질문하는 사람들에게 "기록된바"(마 11:10), "성경에 이르기를…하지 아니하였느냐?"(요 7:42), "네가 어떻게 읽느냐?"(눅 10:26)라는 말로 대신하셨다. 친구나 원수가 관심을 보일 때마다 그분은 말씀을 제시하셨다. 그분은 분명하고 힘 있게 복음의 기별을 선포하셨다. 그분의 말씀은 부조와 선지자들의 교훈에 홍수와 같은 빛을 비추었으며 성경은 사람들에게 새로운 계시로 다가왔다. 그분의 말씀을 듣는 사람들은 이전에는 결코 하나님 말씀에서 그처럼 깊은 의미를 깨닫지 못했었다.

솔직한 교훈과 적절한 비유가 청중을 사로잡다

그리스도와 같은 전도자는 이전에 결코 없었다. 그분은 하늘의 왕이셨으나 사람들을 그들이 있는 곳에서 만나기 위해 자신을 낮추시고 우리와 같은 인성을 쓰셨다. 부자와 가난한 자, 자유로운 자와 속박된 자, 곧 모든 자에게 그리스도께서는 언약의 사자로서 구원의 소식을 전하셨다. 위대한 치료자로서 그분의 명성은 온 팔레스타인에 퍼졌다. 환자들은 그분에게 도움을 요청하기 위해 그분이 지나가실 곳으로 왔다. 그분의 말씀을 듣길 갈망하는 사람, 그분이 손으로 만져 주기를 바라는 많은 사람 역시 그곳으로 나왔다. 이렇게 비천한 인간의 옷을 입으신 영광의 왕께서 이 도시에서 저 도시로, 이 마을에서 저 마을로 다니시며 복음을 전파하고 환자들을 고치셨다.

그분은 나라의 큰 연례 축제들에 참석하셨으며 외적인 의식에 몰두해 있는 사람들에게 하늘의 사물들을 이야기해 주고 영원을 보여 주셨다. 그분은 모든 사람에게 지혜의 보고에서 보화를 가져다주셨다. 그분은 사람들에게 워낙 단순한 말로 말씀하셨기 때문에 그들은 결코 오해할 수 없었다. 그분은 자신만의 독특한 방법으로 슬픔과 고통 중에 있는 모든 사람을 도우셨다. 그분은 부드럽고 예절 바른 은혜로 치유와 능력을 베푸시면서 죄로 병든 자들에게 봉사하셨다.

교사들의 임금이신 그분은 사람들이 가장 잘 아는 것을 통해 백성들에게 접근하려고 애쓰셨다. 그분은 말씀을 듣는 자들이 말씀을 들은 후에 진리가 줄곧 그들의 가장 신성한 회상과 공감에 결합되도록 진리를 제시하셨다. 그분은 그들의 관심과 행복에 그분 자신을 완전히 일치시키셨다는 것을 그들이 느끼도록 가르치셨다. 그분의 교훈은 매우 솔직했고 그분의 비유는 매우 적절했으며 그분의 말씀은 매우 동정적이었고 유쾌했으므로 청중은 매료되었다. 그분이 궁핍한 자들에게 말씀하실 때 가지셨던 단순성과 열성은 모든 말씀을 신성하게 했다.

그분은 얼마나 바쁜 삶을 사셨던가! 날마다 그분이 궁핍하고 슬픈 사람들의 비천한 거처에 들어가 버림받은 사람들에게 소망을, 근심하는 사람들에게 평안을 말씀하시는 것을 볼 수 있었다. 은혜롭고 부드럽고 동정 깊은 마음으로 그분은 기가 꺾인 자들을 일으키시고 슬픔에 잠긴 자들을 위로하셨다. 가시는 곳마다 그분은 복을 나누어 주셨다.

예수께서는 가난한 자들에게 봉사하시는 한편 부자들에게 접근하는 방법을 발견하기 위해 연구하셨다. 그분은 부유하고 교양 있는 바리새인들, 유대의 귀족들 그리고 로마의 집권자들과 사귀려고 노력하셨다. 그분은 그들의 초청을 받아들이셨고 그들의 잔치에 참석하셨으며 그들의 마음에 접근하여 없어지지 않는 부를 그들에게 드러내실 수 있도록 그들의 관심과 직업에 자신을 친숙하게 하셨다.

그대도 흠 없는 삶을 살 수 있음

그리스도께서는 사람이 하늘에서 능력을 받음으로써 흠 없는 삶을 살 수 있다는 것을 보여 주기 위해 이 세상에 오셨다. 그분은 지칠 줄 모르는 인내와 동정 깊은 도움으로 사람들의 필요를 채워 주셨다. 부드러운 은혜의 접촉으로 그분은 사람들의 심령에서 불안과 의심을 제거하고 적의를 사랑으로, 불신을 믿음으로 바꾸셨다.

그분은 마음에 맞는 사람에게 "나를 따라오너라"라고 말씀하셨으며 그 말을 들은 사람은 일어나서 그분을 따랐다. 세상에 사로잡힌 매혹의 주문은 풀렸다. 그분의 음성을 들을 때에 탐욕과 야망의 정신은 마음에서 사라졌으며 사람들은 구주를 따르기 위해 일어났고 속박에서 벗어났다.

그리스도께서는 국적이나 계급이나 신조를 구별하지 않으셨다. 서기관들과 바리새인들은 하나님께서 주신 선물을 민족적인 특권으로 규정하고 지역을 제한하였으며 다른 지역에 있는 하나님의 가족들을 제외시키기 원했다. 그러나 그리스도께서는 모든 장벽을 무너뜨리기 위해 오셨다. 그분은 그분의 자비와 사랑의 선물이 마치 공기와 햇빛과 땅을 새롭게 하는 소낙비처럼 제한 없이 주어진다는 사실을 보여 주려고 오셨다.

그리스도의 생애는 계급 제도가 없는 종교, 곧 유대인과 이방인, 자유자와 노예를 한 형제로 연결시켜 주고 하나님 앞에 동등하게 해 주는 종교를 세우셨다. 어떤 정치적인 문제도 그분의 노선에 영향을 주지 못했다. 그분은 이웃 사람과 낯선 사람, 친구와 원수를 차별하지 않으셨다. 그분의 관심을 끈 것은 생명수를 갈급하는 영혼이었다.

그분은 어떤 사람도 무가치하다고 여기지 않으시고 모든 사람에게 치료제를 적용하려고 노력하셨다. 어떤 사람들을 만나든지 때와 환경에 적절한 교훈을 제시하셨다. 사람들이 동료에게 나타낸 모든 무관심과 모욕은 그분으로 사람들에게 더욱 신성과 인성을 겸한 동정을 베풀어야겠다고 깨닫게 해 줄 뿐이었다. 그분은 가장 거친 사람들과 가장 가망이 없는 사람들에게 확실한 하나님의 자녀가 될 수 있는 그런 품성을 획득할 기회를 주셨다. 그들에게 흠이 없고 해가 없는 사람이 될 수 있다는 보증을 제시함으로써 그들을 희망으로 고무시키려고 노력하셨다.

흔히 그분은 사탄의 지배 아래로 흘러들어 그 올무에서 벗어날 힘이 없는 사람들을 만나셨다. 낙심하고 병들고 유혹받고 타락한 그런 사람들에게 예수께서는 가장 부드러운 자비의 말씀, 곧 그들에게 필요하고 그들이 이해할 수 있는 말씀을 하셨다. 그분은 영혼의 원수와 치열한 전투 중에 있는 또 다른 사람들을 만나셨다. 이들에게 그분은 승리할 수 있다는 보증을 하심으로써 인내하도록 격려하셨다. 왜냐하면 하나님의 천사들이 그들의 편이며 그들에게 승리를 줄 것이기 때문이었다.

그분은 세리의 식탁에 존경받는 손님으로 앉으셨으며 동정과 사교적인 친절을 통해 인간의 존엄성을 인정하신다는 것을 보여 주셨다. 사람들은 그분의 신임을 받을 만한 가치 있는 존재가 되기를 갈망했다. 그분의 말씀은 그들의 갈급한 마음에 복스럽고 활기찬 능력으로 떨어졌다. 새로운 충동이 일어났으며 사회에서 버림받은 이들에게 새로운 생애의 가능성이 열렸다.

편견의 장벽을 허무시는 예수

예수께서는 유대인이셨으나 사마리아인들과 거리낌 없이 섞이셨으며 그분의 동족인 바리새인들의 관습을 무시하셨다. 그들의 편견에도 그분은 이 멸시받는 사람들의 호의를 받아들이셨다. 그분은 그들의 지붕 아래서 그들과 함께 주무셨으며 그들의 손으로 만들어 제공하는 음식을 그들의 식탁에서 함께 잡수셨다. 그분은 그들의 거리에서 가르치셨으며 최상의 친절과 예의로 그들을 대하셨다. 그분이 인간의 동정의 줄로 그들의 마음을 그분께로 이끄실 때 그분의 거룩한 은혜는 유대인들이 거절한 구원을

그들에게 가져다주었다.

그리스도께서는 구원의 복음을 선포할 기회를 소홀히 하지 않으셨다. 그분이 사마리아의 한 여인에게 하신 놀라운 말씀을 들어 보라. 그 여인이 물을 긷기 위해 왔을 때 그분은 야곱의 우물가에 앉아 계셨다. 그분이 한 가지 요청을 하자 그 여자는 놀랐다. 그분은 "물을 좀 달라"(요 4:7)라고 하셨다. 그분은 시원한 물 한 모금을 원하셨으며 생명의 샘물을 그녀에게 줄 수 있는 길도 열기를 원하셨다. 그녀는 "당신은 유대인으로서 어찌하여 사마리아 여자인 나에게 물을 달라 하나이까"라고 말했다. "이는 유대인이 사마리아인과 상종하지 아니함이러라." 예수께서 대답하셨다. "네가 만일 하나님의 선물과 또 네게 물 좀 달라 하는 이가 누구인 줄 알았더라면 네가 그에게 구하였을 것이요 그가 생수를 네게 주었으리라 …이 물을 마시는 자마다 다시 목마르려니와 내가 주는 물을 마시는 자는 영원히 목마르지 아니하리니 내가 주는 물은 그 속에서 영생하도록 솟아나는 샘물이 되리라"(요 4:8~14).

이 여인에게 그리스도께서는 얼마나 큰 관심을 나타내셨는가! 그분의 말씀은 얼마나 진지하고 웅변적이었는가! 그 말을 듣자 그녀는 물동이를 버려두고 마을로 들어가서 친구들에게 "내가 행한 모든 일을 내게 말한 사람을 와서 보라 이는 그리스도가 아니냐"라고 말하였다. 우리는 "그 동네 중에 많은 사마리아인이 예수를 믿는지라"(요 4:29, 39)라는 말씀을 보게 된다. 이 말이 그때 이후 흐른 세월 동안 영혼을 구원하는 데 끼친 영향력을 누가 상상이나 할 수 있겠는가?

　진리를 받기 위해 마음이 열린 곳에서는 어디서나 그리스도께서 즉시 그들을 가르치신다. 그분은 그들에게 하늘 아버지를 드러내시며 마음을 아시는 그분께 드릴 만한 봉사가 무엇인지를 알려 주신다. 그런 사람들에게 그분은 비유를 사용하지 않으신다. 그들에게 그분은 사마리아 우물가의 여인에게처럼 "네게 말하는 내가 그라"(요 4:26)라고 말씀하신다.

04
환자와 도움이 필요한 사람들을 위한 봉사

Ministry to the Sick and Needy

가버나움의 한 어부의 집에 베드로의 장모가 "열병"으로 누워 있었다. "사람들이 곧 그의 일로 예수께 여짜온대" 예수께서 "그의 손을 만지시니 열병이" 떠나갔다. 그러자 그녀는 일어나 구주와 그분의 제자들에게 봉사하였다(눅 4:38; 막 1:30; 마 8:15).

그 소식은 신속히 퍼져 나갔다. 그 이적은 안식일에 행해졌으며 사람들은 랍비들을 두려워하여 해가 지기까지 감히 치료를 받으러 오지 못했다. 해가 지자 집에서, 상점에서, 시장에서 마을 사람들이 예수께서 계신 초라한 거처로 몰려들었다. 환자들은 들것에 들려, 지팡이에 의지하여, 친구들의 부축을 받으며, 힘없이 비틀거리며 예수님 앞에 나왔다.

사람들이 몰려드는 일이 여러 시간 계속되었다. 그 치료자가 내일까지 그들과 함께 머물지 아니면 떠날지 아무도 몰랐기 때문이었다. 일찍이 가버나움에서 이런 날을 볼 수 없었다. 승리의 음성과 구원의 함성이 공중에 울려 퍼졌다.

마지막 환자가 고침을 받은 다음에야 예수께서는 비로소 그분의 일을 멈추셨다. 무리가 떠나고 시몬의 집에 적막이 깃든 때는 깊은 밤이었다. 길고 떠들썩했던 하루가 지나고 예수께서는 휴식을 취하셨다. 그러나 도시가 깊이 잠들어 있을 때에 구주께서는 "새벽 아직도 밝기 전에 일어나 나가 한적한 곳으로 가사 거기서 기도"(막 1:35)하셨다.

사람들의 칭찬과 인기를 추구하지 않으신 예수

아침 일찍 베드로와 그의 동료들이 예수께 와서 가버나움 사람들이 이미 그분을 찾고 있다고 말했다. 그들은 놀랍게도 "내가 다른 동네들에서도 하나님의 나라 복음을 전하여야 하리니 나는 이 일을 위해 보내심을 받았노라"(눅 4:43)라는 그리스도의 말씀을 들었다.

그 당시 가버나움에 널리 퍼진 흥분으로 인해 그분은 사명의 목적을 망각할 위험이 있었다. 예수께서는 단지 이적을 행하는 사람이나 신체의 질병을 고쳐 주는 사람으로 자신이 주목받는 것에 만족하지 않으셨다. 그분은 사람들의 구주로서 그분께 사람들을 이끌려고 노력하셨다. 사람들은 그분이 지상의 통치권을 세울 왕으로 오셨다고 열렬히 믿고 있었으나 그분은 그들의 마음을 세상적인 것에서 영적인 것으로 돌리기를 소망하셨다. 단순한 세상적인 성공은 그분의 사업을 방해할 것이었다.

　부주의한 무리의 경탄(驚嘆)은 그분의 마음에 익숙하지 않았다. 그분의 삶에는 자신을 내세우는 자기주장이 전혀 섞이지 않았다. 세상 사람들이 지위와 재물과 재능에 경의를 표하는 행동이 인자에게는 낯설었다. 충성이나 존경을 얻으려고 사람들이 사용하는 수단 중 그 어떤 것도 예수께서는 사용하지 않으셨다. 그분이 태어나기 수 세기 전에 그분에 관해 다음과 같이 예언되었다. "그는 외치지 아니하며 목소리를 높이지 아니하며 그 소리를 거리에 들리게 하지 아니하며 상한 갈대를 꺾지 아니하며 꺼져 가는 등불을 끄지 아니하고 진실로 정의를 시행할 것이며"(사 42:2~3).

　바리새인들은 꼼꼼한 의식주의와 예배와 자선의 과시로 명예를 얻으려 했다. 그들은 종교를 토의의 주제로 삼음으로써 종교에 대한 그들의 열심을 입증하려 했다. 반대파와의 논쟁은 요란하고 지루했으며 거리에서 율법을 배운 학자들이 지르는 화난 논쟁 소리를 듣는 것은 드문 일이 아니었다.

　예수님의 생애는 이 모든 것과는 두드러지게 대조적이었다. 그 삶에서는 결코 시끄러운 논쟁, 허식적인 예배, 칭찬을 받으려는 행동을 볼 수 없었다. 그리스도께서는 하나님 안에 감추어지셨고 하나님께서는 아들의 품성 가운데 나타나셨다. 예수께서는 이 계시에 사람들의 마음이 향하기를 바라셨다.

　의의 태양께서는 그분의 영광으로 감각을 눈부시게 하기 위해 장려한 모습으로 세상에 갑자기 나타나지 않으셨다. 그리스도에 관하여 "그의 나타나심은 새벽빛같이 어김"(호 6:3)없다고 기록되어 있다. 새벽빛은 조용하고 부드럽게 이 세상에 나타나서 어둠을 몰아내고 세상에 생명을 일깨운다. 그렇게 의의 태양께서는 "치료하는 광선을"(말 4:2) 비추셨다.

"내가 붙드는 나의 종,

내 마음에 기뻐하는 자 곧 내가 택한 사람을 보라."

"주는 환난 당한 가난한 자의 요새이시며

폭풍 중의 피난처시며 폭양을 피하는 그늘이 되셨사오니."

"하늘을 창조하여 펴시고

땅과 그 소산을 내시며

땅 위의 백성에게 호흡을 주시며

땅에 행하는 자에게 영을 주시는

하나님 여호와께서 이같이 말씀하시되

나 여호와가 의로 너를 불렀은즉

내가 네 손을 잡아 너를 보호하며

너를 세워 백성의 언약과

이방의 빛이 되게 하리니

네가 눈먼 자들의 눈을 밝히며

갇힌 자를 감옥에서 이끌어 내며

흑암에 앉은 자를 감방에서 나오게 하리라."

- 이사야 42장 1절; 25장 4절; 42장 5~7절

"내가 맹인들을 그들이 알지 못하는 길로 이끌며

그들이 알지 못하는 지름길로 인도하며

암흑이 그 앞에서 광명이 되게 하며

굽은 데를 곧게 할 것이라

내가 이 일을 행하여 그들을 버리지 아니하리니."

"항해하는 자들과 바다 가운데의

만물과 섬들과 거기에 사는 사람들아

여호와께 새 노래로 노래하며

땅끝에서부터 찬송하라

광야와 거기에 있는 성읍들과

게달 사람이 사는 마을들은 소리를 높이라

셀라의 주민들은 노래하며

산 꼭대기에서 즐거이 부르라

여호와께 영광을 돌리며

섬들 중에서 그의 찬송을 전할지어다."

"여호와께서 이 일을 행하셨으니

하늘아 노래할지어다

땅의 깊은 곳들아 높이 부를지어다

산들아 숲과 그 가운데의 모든 나무들아

소리 내어 노래할지어다

여호와께서 야곱을 구속하셨으니

이스라엘 중에 자기의 영광을 나타내실 것임이로다."

– 이사야 42장 16절; 42장 10~12절; 44장 23절

약속된 메시아 예수

헤롯의 감옥에서 구주의 사업에 실망하고 당황하였지만 지켜보면서 기다리던 침례자 요한은 다음과 같은 기별과 함께 두 제자를 예수께 보냈다. "오실 그이가 당신이오니이까 우리가 다른 이를 기다리오리이까?"(마 11:3).

구주께서는 그 제자들의 질문에 즉시 대답하지 않으셨다. 그들이 그분의 침묵을 이상하게 생각하며 서 있을 때 아픈 사람들이 그분께 나왔다. 강력한 구원자의 음성이 청각 장애인의 귀를 통과했다. 그분께서 손으로 한 번 만지면서 말씀하시자 시각 장애인의 눈이 열려 대낮의 빛과 자연계의 모습과 친구들의 얼굴과 구주의 얼굴을 보게 하였다. 그분의 음성이 죽어 가는 사람들의 귀에 들리자 그들은 건강하고 활기차게 일어났다. 마비되고 귀신 들린 사람들이 그분의 말씀에 순종할 때 광기는 떠나고 그분을 경배했다. 랍비들이 부정하다고 도외시한 가난한 농부들과 노동자들이 그분 주위에 모여들었으며 그분은 그들에게 영생의 말씀을 들려주셨다.

그렇게 그날이 지나갔으며 요한의 제자들은 그 모든 것을 보고 들었다. 마침내 예수께서는 그들을 부르시고, 가서 그들이 보고 들은 것을 요한에게 말하라고 명하시면서 다음의 말씀을 덧붙이셨다. "누구든지 나로 말미암아 실족하지 아니하는 자는 복이 있도다"(마 11:6). 요한의 제자들은 그 기별을 전했으며 그것으로 충분했다.

요한은 메시아에 대한 다음의 예언을 회상했다. "여호와께서 내게 기름을 부으사 가난한 자에게 아름다운 소식을 전하게 하려 하심이라 나를 보하나님의 나라는 외적 과시를 통해 이르러 오는 것이 아니다.
그것은 하나님 말씀의 부드러운 영감, 성령의 내적인 활동,
영혼이 그 생명이 되시는 분과 사귀는 일을 통해 이르러 온다.

내사 마음이 상한 자를 고치며 포로된 자에게 자유를, 갇힌 자에게 놓임을 선포하며 여호와의 은혜의 해와 우리 하나님의 보복의 날을 선포하여 모든 슬픈 자를 위로"(사 61:1~2)하심이라. 나사렛 예수께서는 약속된 분이셨다. 그분의 신성에 대한 증거는 고통 당하는 인류의 필요를 채우시는 그분의 봉사에 나타났다. 그분의 영광은 인간의 낮은 지위까지 내려오신 그분의 겸손에 나타났다.

그리스도의 사업은 그분이 메시아이심을 선포했을 뿐 아니라 그분의 왕국이 어떤 방법으로 세워질 것인가를 보여 주었다. 요한에게는 광야에서 엘리야에게 나타났던 것과 동일한 진리가 계시되었다. "여호와 앞에 크고 강한 바람이 산을 가르고 바위를 부수나 바람 가운데에 여호와께서 계시지 아니하며 바람 후에 지진이 있으나 지진 가운데에도 여호와께서 계시지 아니하며 또 지진 후에 불이 있으나 불 가운데에도 여호와께서 계시지 아니하더니"(왕상 19:11~12) 불 후에 하나님께서 세미한 소리로 선지자에게 말씀하셨다. 그렇게 예수께서는 그분의 일을 하실 것이었다. 왕좌들과 왕국들을 전복시키는 것이나 화려함과 외적 치장을 통해서가 아니라 자비와 자아 희생의 삶을 통해 사람들의 마음에 말씀하심으로 그분의 일을 수행하실 것이었다.

하나님의 나라는 외적 과시를 통해 이르러 오는 것이 아니다. 그것은 하나님 말씀의 부드러운 영감, 성령의 내적인 활동, 영혼이 그 생명이 되시는 분과 사귀는 일을 통해 이르러 온다. 하나님 나라의 가장 큰 능력은 완전한 그리스도의 품성에 도달한 인간의 속성에 나타난다.

"너희는 세상의 빛이라"

그리스도를 따르는 사람들은 세상의 빛이 되어야 한다. 그러나 하나님께서는 그들에게 빛을 비추기 위해 노력하라고 명령하지 않으신다. 그분은 탁월한 선을 과시하기 위한 자기만족의 노력을 인정하지 않으신다. 그분은 그들의 심령이 하늘의 원칙에 물들기를 바라시며 그렇게 된 후 그들이 세상과 접촉하게 될 때 그들 속에 있는 빛을 드러내기를 바라신다. 삶의 모든 행위에 나타나는 그들의 확고한 충성은 빛을 비추는 수단이 될 것이다.

재산이나 높은 지위, 값비싼 장비, 건물이나 설비 등은 하나님의 사업을 발전시키는 데 필수적인 것이 아니다. 또한 사람들에게 칭찬을 받게 하고 허영심을 조장시키는 성공도 필수적인 것이 아니다. 아무리 당당해도 세상적인 과시는 하나님께서 보시기에는 무가치하다. 그분은 눈에 보이는 일시적인 것보다 눈에 보이지 않는 영원한 것을 가치 있게 여기신다. 전자는 후자를 표현할 때에만 가치가 있다. 최고로 선택된 예술품의 아름다움도 성령께서 심령 속에서 활동하여 맺은 열매인 품성의 아름다움과 비교할 수 없다.

하나님께서 그분의 아들을 세상에 주셨을 때 그분은 불멸의 재산을 사람에게 주셨다. 세상이 시작된 이래 사람들이 축적해 온 부도 그것과 비교하면 아무것도 아니다. 그리스도께서는 이 세상에 오셔서 영원히 간직해 온 사랑을 가지고 사람들 앞에 서셨으며 이것은 우리가 그분과 연결됨으로써 받아야 하고, 나타내야 하고, 나누어 주어야 할 보화이다.

하나님의 사업에서 인간의 노력은 일꾼의 거룩한 헌신에 비례하여, 생애를 변화시키는 그리스도의 은혜의 능력을 나타냄으로써 효력이 있게 될 것이다. 하나님께서 그분의 인을 우리에게 치시고 자신의 사랑의 품성을 우리 안에 나타내시기 때문에 우리는 세상과 구별되어야 한다. 우리의 구속주께서는 그분의 의로 우리를 덮으신다.

하나님께서는 그분의 봉사 사업을 위하여 사람들을 선택하실 때 그들이 세상의 재물과 학식과 웅변을 소유하고 있는지를 묻지 않으신다. 그분은 다음과 같이 질문하신다. "그들은 내가 그들에게 내 길을 가르칠 수 있을 만큼 겸손하게 행하는가? 내 말을 그들의 입술에 넣어 줄 수 있는가? 그들은 나를 대표할 것인가?"

하나님께서는 심령의 성전에 그분의 성령을 넣어 주실 수 있는 데 비례하여 각 사람을 사용할 수 있으시다. 그분께서 받으실 사업은 그분의 형상을 반영하는 사업이다. 그분을 따르는 사람들은 그분의 영원한 원칙의 지울 수 없는 특성들을 세상에 제시할 그들의 신임장으로 간직해야 한다.

고통의 짐을 진 어머니들에게 다가가신 예수

예수께서 도시의 거리에서 봉사하실 때 어머니들이 질병으로 죽어 가는 어린 자녀들을 팔에 안고 그분의 시선이 머무는 곳으로 나오기 위해 군중을 밀치며 나왔다.

창백하고 피곤에 지치고 거의 절망적인 그러나 단호하고 참을성 있는 어머니들을 보라. 그들은 고통의 짐을 지고 구주를 찾았다. 밀려드는 군중 때문에 그들이 뒤로 떠밀려 가자 그리스도께서는 그들에게로 한걸음씩 발걸음을 옮겨 마침내 그들에게 가까이 가셨다. 희망이 그들의 마음속에서 솟아났다. 그분의 주의를 끌게 되고 동정과 사랑이 흘러나오는 눈을 바라보게 되자 그들의 눈에서는 기쁨의 눈물이 흘렀다.

그 무리 중 하나에게 구주께서는 "내가 너를 위하여 어떻게 하랴"라고 말씀하심으로써 그녀가 그분을 신뢰하도록 요청하신다. 그녀는 흐느끼면서 "주님, 내 아이를 고쳐 주소서"라고 그녀의 가장 큰 소원을 말한다. 그리스도께서 그 어린아이를 그녀의 팔에서 받으시고 만지시자 질병은 떠난다. 죽음의 창백한 기색은 사라지고 생기 있게 하는 기운이 혈관을 통해 흐르며 근육은 힘을 얻는다. 위로와 평화의 말씀이 그 어머니에게 주어지고 그 경우와 마찬가지로 긴급한 또 다른 경우가 제시된다. 또다시 그리스도께서는 생기 있게 하는 능력을 발휘하시며 모든 사람은 놀라운 일을 행하시는 그분께 찬양과 영광을 돌린다.

우리는 그리스도의 생애의 위대함에 대해 많은 말을 한다. 우리는 그분이 이루신 놀라운 일들에 대해, 그분이 행하신 이적들에 대해 이야기한다. 그러나 작은 일에 그분이 기울이신 주의는 그분의 위대함을 더욱 잘 나타내 주는 증거이다.

유대인 사이에서는 어린이들을 랍비에게 데리고 가서 랍비의 손을 어린이 머리에 얹고 축복하게 하는 관습이 있었다. 그러나 제자들은 구주의 사업이 너무 중요하기 때문에 이렇게 방해를 받아서는 안 된다고 생각했다. 어머니들이 예수께서 그들의 어린아이들에게 복 주시기를 바라고 그분께 나왔을 때 제자들 은 그들을 못마땅하게 바라보았다. 그들은 이 어린아이들이 예수님을 찾아와서 유익을 얻기에 는 너무 어리다고 생각 하고 그분께서 그들의 나타남을 기뻐하지 않 으실 것이라고 결론지었 다. 그러나 구주께서는 자녀들을 하나님의 말 씀대로 훈련하기 위해 노력하고 있는 어머니들  의 걱정과 부담을 이해하셨다. 그분은 그들의 기도를 들으셨다. 그분 자신 이 그들을 그분이 계신 곳으로 이끄셨다.

한 어머니가 예수님을 찾기 위해 아이를 데리고 집을 떠났다. 가는 길에 한 이웃 사람에게 자신이 예수님을 만나서 해야 할 일을 이야기했더니 그 이웃 사람도 예수께서 자신의 자녀들에게 복 주시기를 원했다. 그리하여 어머니들 몇 명이 함께 어린 자녀들을 데리고 예수께 왔다. 그 자녀들 중 몇은 이미 영아기를 넘어 유년기와 소년기에 도달해 있었다. 어머니들이 그 들의 소원을 알리자 예수께서는 동정하는 마음으로 그들의 수줍고 눈물

어린 요청을 들으셨다. 그러나 그분은 제자들이 그들을 어떻게 대하는지 보려고 기다리셨다. 제자들이 예수께 호의를 베푼다고 생각하면서 그 어머니들을 책망하여 돌려보내는 것을 보시고 그분은 "어린 아이들이 내게 오는 것을 용납하고 금하지 말라 하나님의 나라가 이런 자의 것이니라"(막 10:14)라고 하시면서 그들의 잘못을 알려 주셨다. 그분은 어린아이들을 팔에 안으시고 손을 그들 위에 얹으셔서 그들이 받으러 온 복을 베푸셨다.

자녀를 위해 수고하는 모든 어머니들을 동정하심

어머니들은 위로를 받았다. 그들은 그리스도의 말씀으로 힘을 얻고 복을 받아 집으로 돌아갔다. 그들은 유쾌한 기분으로 그들의 의무를 감당하고 자녀들을 위해 희망찬 마음으로 일할 용기를 얻었다.

만일 그 어린아이들의 그 이후의 생애가 우리 앞에 펼쳐졌다면 우리는 그 어머니들이 자녀들의 마음에 그날의 광경을 회상시키며 구주의 사랑스런 말씀을 반복해서 들려주는 장면을 볼 수 있었을 것이다. 우리는 또한 훗날에 얼마나 자주 이 말씀에 대한 기억이 그 어린이들을 주님의 구원받은 사람들을 위해 놓인 길에서 벗어나지 않게 지켜 주었는지를 볼 수 있었을 것이다.

그리스도께서는 오늘날도 과거에 사람들 사이에서 왕래하셨던 때와 마찬가지로 동정 깊은 구주이시다. 그분은 유대 나라에서 어린아이들을 팔에 안으셨던 그 당시처럼 오늘날도 진실로 어머니들을 돕는 분이시다. 우리 가정에 있는 자녀들은 옛날 어린아이들과 똑같이 그리스도의 피로 산 영혼들이다.

예수께서는 모든 어머니의 마음속에 있는 부담을 아신다. 가난과 궁핍으로 고생한 어머니를 모셨던 그분은 수고하는 모든 어머니를 동정하신다. 가나안 여인의 근심을 덜어 주기 위해 긴 여행을 하셨던 그분은 오늘날 어머니들을 위해 같은 일을 하실 것이다. 나인성 과부에게 그녀의 외아들을 돌려주셨고 십자가의 고뇌 가운데서도 자신의 어머니를 기억하셨던 그분은 오늘날 어머니들의 슬픔을 동정하신다. 그분은 모든 슬픔과 필요를 위로하시고 도우실 것이다.

어머니들이 그들의 어려운 문제를 가지고 예수께 나가게 하라. 그들은 자녀들을 돌보는 데 그들을 도울 충분한 은혜를 발견하게 될 것이다. 구주의 발 앞에 짐을 내려놓으려는 모든 어머니에게 문이 열려 있다. "어린 아이들이 내게 오는 것을 용납하고 금하지 말라"(막 10:14)라고 말씀하신 그분은 지금도 여전히 어머니들에게 어린 자녀들을 데리고 와서 그분의 복을 받으라고 초청하신다.

예수께서는 그분과 접촉한 어린아이들이 은혜의 상속자와 하늘 왕국의 백성이 되며 어떤 어린이들은 그분을 위해 순교자가 될 사람임을 보셨다. 그분은 이 어린아이들이 장성한 사람보다 곧, 세상일에 현명하고 마음이 굳어져 있는 사람들보다 훨씬 더 쉽게 그분의 말씀을 듣고 그분을 구속주로 받아들일 것을 아셨다. 어린아이에게 진리를 가르치실 때 그분은 그들의 수준까지 내려오셨다. 하늘의 왕이신 그분이 그들의 질문에 답하셨고 그들의 부족한 이해력에 맞추기 위해 중요한 교훈들을 단순화하셨다. 그분은 장래에 자라나 영생의 열매를 맺을 진리의 씨앗을 그들의 마음에 심으셨다.

예수께서 제자들에게 어린아이들이 그분께 오는 것을 금하지 말라고 말씀하셨을 때 그분은 모든 시대에 그분을 따르는 사람들 곧 교회의 직원들과 목사들과 어린이 교사들과 모든 그리스도인에게 말씀하고 계셨다. 예수께서는 어린아이들을 그분께로 이끄시며 우리에게 "어린 아이들이 내게 오는 것을 용납하고 금하지 말라"라고 명하신다. 마치 너희가 만일 그들을 방해만 하지 않는다면 그들은 올 것이라고 말씀하시는 듯하다.

성령께서 어린이들의 마음에 활동하실 때 그분의 사업에 협력하라.
구주께서 그들을 부르고 계시다는 것과 꽃처럼 신선한 시절에
그들이 자신을 구주께 바치는 것보다 더
그분을 기쁘게 하는 일이 없다는 것을 가르치라.

기독교는 우울한 종교가 아님

그리스도인답지 않은 품성으로 예수님을 잘못 나타내지 말라. 냉담하고 거친 태도로 어린아이들을 그분에게서 격리시키지 말라. 만일 그대가 하늘에 있다면 하늘이 즐거운 장소가 될 수 없으리라는 느낌을 아이들이 갖게 할 원인을 제공하지 말라. 종교를 어린아이들이 이해할 수 없는 그 어떤 것이라고 말하거나 어린 시절에 그들이 그리스도를 받아들이는 일은 기대하지 않는 것처럼 행동하지 말라. 기독교는 우울한 종교이며 구주께 나올 때에는 삶을 즐겁게 하는 모든 것을 포기해야만 한다는 잘못된 인상을 그들에게 주지 말라.

성령께서 어린이들의 마음에 활동하실 때 그분의 사업에 협력하라. 구주께서 그들을 부르고 계시다는 것과 꽃처럼 신선한 시절에 그들이 자신을 구주께 바치는 것보다 더 그분을 기쁘시게 하는 일이 없다는 것을 가르치라.

구주께서는 그분의 피로 사신 영혼들을 한없이 온유함으로 주목하신다. 그분의 사랑으로 그들을 되찾았다. 그분은 말로 표현할 수 없는 간절한 마음으로 그들을 바라보신다. 그분은 최상의 훈련을 받은 가장 매력적인 어린이들뿐 아니라 유전과 태만으로 좋지 않은 특성을 지닌 어린이들도 사랑하신다. 많은 부모는 그들의 자녀들이 지닌 이 특성들에 대해 그들이 얼마나 큰 책임이 있는지를 이해하지 못한다. 그들은 자신들이 자녀들을 그렇게 만들어 놓았으면서도 잘못을 범하는 자녀들을 부드럽고 지혜롭게 다루지 않는다. 그러나 예수께서는 어린이들을 불쌍히 보신다. 그분은 원인에서 결과까지 추적하신다.

그리스도인 일꾼은 결점이 많고 잘못을 범하는 어린이들을 구주께로 인도하는 데 그리스도의 대리자가 될 수 있다. 그는 지혜와 기지로 그들을 자신의 마음에 붙들어 매고 그들에게 용기와 희망을 줄 수 있으며 그리스도의 은혜를 통해 그들의 품성이 변화된 것을 볼 수 있을 것이다. 그리하여 그들에 대해서는 "하나님의 나라가 이런 자의 것이니라"(막 10:14)라고 말할 수 있을 것이다.

그리스도께서 바닷가에서 가르치실 때 사람들은 하루 종일 그리스도와 그분의 제자들의 발길을 따라 모여들었다. 그들은 그분의 은혜로운 말씀을 들었는데 그 말씀은 워낙 단순하고 쉬웠기 때문에 그들의 심령에 마치 길르앗의 유향과 같았다. 그분의 거룩한 손의 치유는 병자들에게 건강을 가져다주고 죽어 가는 자들에게 생명을 가져다주었다. 그들에게 그날은 마치 하늘이 땅으로 내려온 것처럼 보였으며 그들은 식사 후 얼마나 시간이 흘렀는지 알지 못했다.

보리떡 다섯 개와 물고기 두 마리

해는 서산으로 넘어가고 있었으나 사람들은 여전히 떠나지 못하고 있었다. 마침내 제자들이 그리스도께 와서 그들 자신을 위해 무리들을 보내야겠다고 주장했다. 많은 사람이 먼 곳에서 왔으며 아침부터 아무것도 먹지 않았다. 그들은 주위에 있는 마을과 촌락에서 음식을 구할 수도 있었다.

그러나 예수께서는 "너희가 먹을 것을 주라"(마 14:16)라고 말씀하셨다. 그리고 그분은 빌립을 돌아보시며 "우리가 어디서 떡을 사서 이 사람들을 먹이겠느냐"(요 6:5)라고 질문하셨다.

빌립은 눈을 들어 사람의 무리를 바라보고 그 많은 무리에게 음식을 제공하는 것이 얼마나 불가능한 일인지를 생각했다. 그는 각 사람이 조금씩만 받아도 그들에게 다 나누어 주려면 200데나리온의 떡이 충분하지 못하다고 대답했다.

예수께서는 그 무리들 가운데서 얼마나 많은 음식을 발견할 수 있느냐고 질문하셨다. 그러자 안드레가 "여기 한 아이가 있어 보리떡 다섯 개와 물고기 두 마리를 가지고 있나이다 그러나 그것이 이 많은 사람에게 얼마나 되겠사옵나이까"(요 6:9)라고 말했다. 예수께서는 그것을 가져오라고 명령하셨다. 그리고 제자들에게 사람들을 풀밭에 앉히라고 명령하셨다. 그렇게 하자 그분은 그 음식을 가지고 "하늘을 우러러 축사하시고 떡을 떼어 제자들에게 주시매 제자들이 무리에게 주니 다 배불리 먹고 남은 조각을 열두 바구니에 차게"(마 14:19~20) 거두었다.

그리스도께서 무리를 먹이신 것은 하나님의 능력으로 이루어진 이적이었다. 그러나 제공된 음식 곧 갈릴리의 어부들의 매일의 음식인 물고기와 보리떡에 불과한 음식은 얼마나 보잘것없는 음식이었던가.

그리스도께서는 사람들에게 호화로운 식사를 제공할 수도 있으셨으나 단지 식욕을 만족시키기 위해 준비된 음식은 그들에게 유익한 교훈을 가르치지 못할 것이었다. 이 이적을 통해 그리스도께서는 단순의 교훈을 가

르치시기를 원하셨다.

  만일 오늘날의 사람들이 태초에 아담과 하와가 생활했던 것처럼 천연계의 법칙에 조화되게 생활하며 그들의 습관이 단순하다면 인간 가족의 필요는 풍성하게 제공될 것이다. 그러나 이기심과 식욕의 방종이 한편으로는 과도함 때문에, 다른 한편으로는 궁핍함 때문에 죄악과 불행을 가져왔다.

  예수께서는 사치에 대한 욕망을 만족시킴으로써 사람들을 그분께로 이끌려고 하지 않으셨다. 길고 흥분된 하루를 보낸 후 피곤하고 배고픈 그 큰 무리의 사람들에게 그 단순한 식사는 그분의 능력과 생활의 일반적인 필요에서 그들을 돌보시는 그분의 부드러운 돌봄에 대한 보증이었다. 구주께서는 그분을 따르는 사람들에게 세상에서 사치스러운 것을 주신다고 약속하지 않으셨다. 그들의 운명은 빈곤에 둘러싸여 있을지도 모른다. 그러나 그분의 말씀은 그들의 필요가 채워질 것이라고 보증한다. 그리고 세상의 물질보다 더 좋은 것 곧 그분 자신의 임재의 지속적인 위로를 약속하셨다.

낭비하는 일은 합당하지 않음

무리가 먹은 후에도 풍성한 음식이 남았다. 예수께서는 제자들에게 "남은 조각을 거두고 버리는 것이 없게 하라"(요 6:12)라고 명령하셨다. 이 말씀은 음식을 광주리에 담는 것 이상의 의미를 지녔다. 그 교훈은 이중적이었다. 아무것도 낭비해서는 안 된다. 우리는 현세의 어떤 유익도 그냥 지나가 버리도록 방임해서는 안 된다. 우리는 한 인간의 유익에 기여하는 것은 어떤 것이라도 등한히 해서는 안 된다. 지상의 굶주린 사람들의 필요를 채워 줄 수 있는 것은 무엇이든 거둬들이라. 동일한 주의를 기울여 우리는 영혼의 필요를 채워 주기 위해 하늘에서 온 떡을 소중히 간직해야 한다. 우리는 하나님의 모든 말씀으로 살아야 한다. 하나님께서 말씀하신 것은 하나도 잃어버려서는 안 된다. 우리의 영원한 구원에 관련된 말씀은 하나라도 소홀히 해서는 안 된다. 한 말씀이라도 헛되이 땅에 떨어져서는 안 된다.

보리떡 이적은 하나님을 의지해야 함을 가르친다. 하나님께서 오천 명을 먹이실 때 가까이에는 음식이 없었다. 분명히 그분은 어찌할 도리가 없었다. 그분은 여자와 어린아이들을 제외한 사람들 오천 명과 함께 광야에 계셨다. 그분은 무리들에게 그분을 따라 그곳까지 오라고 초청하지 않으셨다. 그분과 함께 있고 싶은 열정 때문에 그들은 초청이나 명령을 받지 않고 그곳까지 왔다. 그러나 그분은 그들이 하루 종일 그분의 교훈을 들은 후에 시장하고 힘이 빠져 있다는 것을 아셨다. 그들은 집에서 멀리 떨어져 있었고 곧 밤이 될 것이었다. 그들 중 많은 사람은 음식을 살 돈이 없었다. 그들을 위해 광야에서 40일간 금식하셨던 그분은 그들을 굶주린 채 집으로 돌려보내지 않으실 것이었다.

어려운 상황에 처할 때 우리는 하나님께 의존해야 한다. 비상사태를 만날 때마다 우리는 자유롭게 사용할 수 있는 자원이 무한하신 분께 도움을 구해야 한다.

하나님의 섭리가 예수님을 그곳에 두었으며 그분은 필요를 채울 수단을 하늘 아버지께 의존하셨다. 어려운 상황에 처할 때 우리는 하나님께 의존해야 한다. 비상사태를 만날 때마다 우리는 자유롭게 사용할 수 있는 자원이 무한하신 분께 도움을 구해야 한다.

이 이적에서 그리스도께서는 하늘 아버지께로부터 받아 제자들에게 주셨고 제자들은 사람들에게 주었으며 사람들은 서로 나누었다. 그와 마찬가지로 그리스도와 연합하는 모든 사람은 그분에게서 생명의 떡을 받아 다른 사람들에게 나누어 줄 것이다. 그분의 제자들은 그리스도와 사람들 사이에 임명된 통신 수단이다.

"너희가 먹을 것을 주라"(마 14:16)라는 구주의 명령을 들었을 때 제자들의 마음속에는 온갖 어려움이 떠올랐다. 그들은 "우리가 마을에 들어가 음식을 사야 할 것인가"라는 의문을 품었다. 그러나 그리스도께서는 무엇이라고 말씀하셨는가? "너희가 먹을 것을 주라"라고 하셨다. 제자들은 그들이 가지고 있는 모든 것을 예수께 가지고 왔다. 그러나 그분은 그들에게 먹으라고 말씀하지 않으셨다. 그분은 사람들에게 봉사하라고 그들에게 명하셨다. 음식은 그분의 손안에서 불어났다. 그리스도께 내민 제자들의 손은 채워지지 않은 적이 없었다. 그 적은 비축 음식은 모두에게 충분했다. 무리가 먹은 후에 제자들은 예수님과 함께 하늘이 공급한 귀중한 음식을 먹었다.

그대의 작은 도시락을 예수님 손에 맡기라

가난한 사람들, 무지한 사람들, 고통을 당하는 사람들의 필요를 볼 때 우리의 마음은 얼마나 자주 위축되는가? 우리는 다음과 같이 질문한다. "우리의 연약한 힘과 빈약한 자원이 이 엄청난 필요를 채우는 데 무슨 소용이 있는가? 우리는 그 사업을 지도할 수 있는 더 큰 재능을 지닌 어떤 사람이나 그 일을 맡을 어떤 기관이 나타나기를 기다려야 할 것이 아닌가?" 그러나 그리스도께서는 "너희가 먹을 것을 주라"라고 말씀하신다. 그대가 가진 재물과 시간과 재능을 사용하라. 그대의 보리떡을 예수께 가지고 가라.

비록 그대의 자원이 수천 명을 먹이기에는 충분하지 않을지라도 한 사람을 먹이기에는 충분할 것이다. 그리스도의 손안에서 그것은 많은 사람을 먹일 수 있을 것이다. 제자들처럼 그대가 가진 것을 드리라. 그리스도께서는 그 선물을 증가시킬 것이다. 그분은 당신을 정직하고 단순하게 의지할 때 갚아 주실 것이다. 보잘것없는 공급처럼 보인 것이 풍성한 잔치로 입증될 것이다.

"이것이 곧 적게 심는 자는 적게 거두고 많이 심는 자는 많이 거둔다 하는 말이로다…하나님이 능히 모든 은혜를 너희에게 넘치게 하시나니 이는 너희로 모든 일에 항상 모든 것이 넉넉하여 모든 착한 일을 넘치게 하게 하려 하심이라 기록된 바 그가 흩어 가난한 자들에게 주었으니 그의 의가 영원토록 있느니라 함과 같으니라 심는 자에게 씨와 먹을 양식을 주시는 이가 너희 심을 것을 주사 풍성하게 하시고 너희 의의 열매를 더하게 하시리니 너희가 모든 일에 넉넉하여"(고후 9:6~11)지라라.

05
자연과 함께, 하나님과 함께
With Nature and With God

구주의 지상 생애는 자연계와 함께 그리고 하나님과 함께 사귀는 생애였다. 이 사귐을 통해 그분은 능력 있는 생애의 비결을 우리에게 드러내셨다.

예수께서는 열렬하고 지칠 줄 모르는 일꾼이셨다. 그분보다 더 무거운 책임을 지고 산 사람은 없다. 세상의 슬픔과 죄의 짐을 그분처럼 무겁게 졌던 사람은 없다. 사람들의 유익을 위해 자신을 불태우는 그런 열성으로 일한 사람은 없다. 그러나 그분은 건강한 삶을 사셨다. 영적으로는 물론 육체적으로도 그분은 "흠 없고 점 없는"(벧전 1:19) 희생제물인 어린양으로 묘사되셨다. 영적으로나 육체적으로 그분은 모든 인류가 하나님의 율법을 순종함으로써 그렇게 되도록 하나님께서 구상하신 모본이셨다.

예수님을 쳐다보았을 때 사람들은 그분의 얼굴에서 거룩한 동정심이 지각력과 결합되어 있는 것을 보았다. 그분은 영적 생명의 분위기에 둘려 있는 것처럼 보였다. 그분의 태도는 친절하고 겸손했으나 숨겨져 있으면서도 완전히 가릴 수 없는 어떤 능력을 그분이 소유하고 있음을 사람들로 느끼게 했다.

봉사하시는 동안 그분은 당신의 생명을 위협하는 교활하고 위선적인 사람들의 추적을 당하셨다. 정탐꾼들이 따라다니면서 그분을 대적할 기회를 잡으려고 그분의 말씀을 주시했다. 그 나라의 가장 영리하고 교양 있는 사람들이 논쟁에서 그분을 패배시키려고 노력하였다. 그러나 그들은 결코 이길 수 없었다. 그들은 갈릴리 출신의 비천한 교사에게 불명예와 수치를 당하고 싸움터에서 물러나지 않을 수 없었다. 그리스도의 교훈에는 사람들이 이전에 결코 경험하지 못한 참신함과 능력이 있었다. 심지어 그분의 원수들까지도 "그 사람이 말하는 것처럼 말한 사람은 이 때까지 없었나이다"(요 7:46)라고 고백하지 않을 수 없었다.

가정의 의무를 감당하신 어린 예수

가난하게 보낸 예수님의 어린 시절은 부패한 세대의 인공적인 습관에 의해 부패되지 않았다. 목수의 작업대에서 일하며 가정생활의 짐을 지고 순종과 수고의 교훈을 배우며 그분은 자연 속에서 휴양하셨다. 그분은 자연계의 신비를 이해하려고 노력하며 지식을 얻으셨다. 그분은 하나님의 말씀을 연구하셨으며 그분에게 가장 행복한 시간은 들로 나가기 위해, 조용한 산골짜기에서 명상하기 위해, 산허리나 숲의 나무들 사이에서 하나님과 사귀기 위해 일하던 곳을 떠날 수 있을 때였다. 흔히 이른 아침에 한적한 장소에서 명상하며 성경을 연구하며 기도하시는 그분을 발견할 수 있었다. 주님은 찬미의 목소리로 아침빛을 환영하셨다. 그분은 감사의 노래로 그분의 일하는 시간을 즐겁게 하고 수고에 지치고 낙심한 사람들에게 하늘의 기쁨을 안겨 주셨다.

봉사하시는 동안 예수께서는 대부분 야외에서 생활하셨다. 이곳저곳으로 여행하실 때 그분은 걸어 다니셨고 대부분의 교훈은 야외에서 주어졌다. 제자들을 가르치실 때 그분은 흔히 도시의 혼잡을 떠나 들판의 고요함을 찾으심으로써 그들에게 가르치기를 원하신 단순성과 믿음과 자기 포기의 교훈에 조화가 더 잘 되게 하셨다. 열두 제자를 사도직에 부르시고 산상 설교를 하신 곳은 갈릴리 바다에서 얼마 떨어지지 않은 산허리의 그늘진 나무 아래였다.

그리스도께서는 푸른 하늘 아래에서, 풀로 덮인 언덕의 중턱에서, 호숫가에서 사람들을 주위에 모으기를 좋아하셨다. 그분 자신이 창조하신 피조물들로 둘러싸인 이곳에서 그분은 그들의 생각을 인공적인 것에서 천연적인 것으로 돌릴 수 있으셨다. 자연계의 성장과 발전에 그분의 왕국의 원칙들이 드러나 있었다. 눈을 들어 하나님께서 만드신 언덕들과 그분이 손으로 지으신 놀라운 작품들을 바라볼 때 사람들은 하나님의 진리에 관한 귀중한 교훈을 배울 수 있었다. 미래의 어느 날 그 거룩한 교사께서 가르치신 교훈은 자연계의 사물들을 통해 그들에게 반복될 것이었다. 정신은 향상되고 마음은 쉼을 얻을 것이었다.

예수께서는 그분의 사업에 협력하던 제자들을 흔히 얼마 동안 자유 시간을 주어 가정을 방문하고 휴식을 취하게 하셨으나 제자들은 그분을 활동에서 떠나게 할 수 없었다. 그분은 온종일 그분께 나오는 사람들에게 봉사하셨으며 일몰이 가까운 무렵이나 이른 아침이면 하늘 아버지와 교제하기 위해 산이라는 성소로 가셨다.

여러 시간의 기도가 예수의 피로를 회복시킴

끊임없는 활동, 랍비들의 적대감과 거짓 가르침과의 투쟁이 그분을 자주 완전히 지치게 했으므로 그분의 어머니와 형제들 심지어 제자들까지도 그분의 생명이 희생되지 않을까 염려했다. 그러나 그분이 고된 하루를 마감하며 여러 시간의 기도를 드리고 돌아오실 때 그들은 그분의 얼굴에서 화평한 모습과 온몸에 충만한 듯한 신선함과 생기와 힘을 목격했다. 하나님과 단 둘이 여러 시간을 보내신 후 그분은 하늘의 빛을 사람들에게 나누어 주기 위해 매일 아침 나오셨다.

예수께서 제자들에게 따로 한적한 곳에 와서 잠깐 쉬라고 명령하신 것은 첫 선교 여행에서 돌아온 직후였다. 제자들이 복음의 사신으로서 성공의 기쁨을 안고 돌아왔을 때 침례자 요한이 헤롯의 손에 죽었다는 소식

이 그들에게 들렸다. 그것은 심한 슬픔과 낙망의 소식이었다. 예수께서는 침례자 요한을 옥에서 죽게 내버려둠으로써 그분이 제자들의 믿음을 크게 시험하신 것을 아셨다. 동정 깊은 부드러움으로 그분은 눈물로 얼룩진 슬픈 얼굴을 바라보셨다. "너희는 따로 한적한 곳에 가서 잠깐 쉬어라"(막 6:31)라고 말씀하실 때 그분의 눈과 음성에는 눈물이 고여 있었다.

갈릴리 바다 북쪽 끝 벳새다 가까운 곳에 봄의 신록으로 덮인 아름답고 조용한 장소가 있었는데 그곳이 예수님과 그분의 제자들에게 훌륭한 휴식을 제공했다. 그 장소를 향해 그들은 배를 타고 호수를 건너갔다. 여기서 그들은 혼잡한 군중을 떠나 휴식할 수 있었다. 여기서 제자들은 바리새인들의 반박과 비난의 방해를 받지 않고 그리스도의 말씀을 들을 수 있었다.

여기서 그들은 주님과 교제함으로써 짧은 친교를 갖기를 희망했다.

예수께서 사랑하는 제자들과만 함께 계셨던 것은 짧은 기간에 불과했으나 그 짧은 순간은 그들에게 얼마나 귀중했던가. 그들은 복음사업과 사람들을 더욱 효과적으로 접촉할 수 있는 방법에 대해 이야기했다. 예수께서 그들에게 진리의 보화를 열어 주실 때 그들은 거룩한 능력으로 활력을 얻고 희망과 용기로 고취되었다.

"너희는 따로 한적한 곳에 가서 잠깐 쉬어라"

그러나 곧 무리들이 다시 그분을 찾아 나섰다. 그분이 평소에 휴식하러 가는 장소에 가셨으리라 생각하고 사람들은 그곳까지 그분을 따라갔다. 한 시간만이라도 휴식을 가져 보려 했던 그분의 희망은 좌절되었다. 그러나 양들의 선한 목자이신 그분은 순결하고 자비로운 그분의 마음속 깊은 곳에는 오직 쉼을 얻지 못하는 목마른 영혼들에 대한 사랑과 자비만을 가지고 계셨다. 하루 종일 그분은 그들의 필요에 따라 봉사하셨으며 밤이 되었을 때 그들을 가정으로 돌아가서 쉬게 하셨다.

다른 사람의 유익을 위해 전적으로 드려진 삶을 사시는 가운데 구주께서는 인간의 필요를 위한 끊임없는 활동과 접촉에서 떠나서 휴식을 찾고 하늘 아버지와의 지속적인 교제를 나누어야 할 필요를 발견하셨다. 그분을 따르던 무리가 떠나가자 그분은 산으로 올라가 오직 하나님께만 이 고난을 당하며 죄 많고 궁핍한 사람들을 위해 기도로 심령을 쏟아내셨다.

예수께서 제자들에게 추수할 것은 많으나 일꾼이 적다고 말씀하실 때 그분은 그들에게 끊임없이 일해야 할 필요성을 강조하지 않으시고 "추수하는 주인에게 청하여 추수할 일꾼들을 보내 주소서 하라"(마 9:38)라고 명령하셨다. 그분은 당신의 최초의 제자들에게 말씀하셨던 것과 같이 오늘날 일에 지친 그분의 일꾼들에게 "너희는 따로 한적한 곳에 가서 잠깐 쉬어라"(막 6:31)라고 말씀하신다.

하나님의 훈련을 받고 있는 모든 사람은 자기 자신의 마음, 자연계 그리고 하나님과 사귀는 조용한 시간이 필요하다. 그들 속에 세상과 세상의 풍습 혹은 세상의 관습을 따르지 않는 삶이 나타나야 하며 그들은 하나님의 뜻에 대한 지식을 얻는 일에 개인적 경험을 할 필요가 있다. 우리는 그분이 마음속에 말씀하시는 음성을 개인적으로 들어야 한다. 다른 모든 음성이 조용해지고 정적 가운데 그분 앞에서 기다릴 때 심령의 침묵은 하나님의 음성을 더 확실히 구별한다. 그분은 "너희는 가만히 있어 내가 하나님 됨을 알지어다"(시 46:10)라고 우리에게 명령하신다. 이것은 하나님을 위한 모든 활동에서 효과적인 준비이다. 분주한 군중과 삶의 격렬한 활동의 긴장 속에서 이렇게 하여 새로운 힘을 얻은 사람은 빛과 평화의 분위기에 둘러싸이게 될 것이다. 그는 육체적으로 정신적으로 새 힘을 얻게 될 것이다. 그의 생애는 향기를 발산하고 사람들의 심령을 움직일 수 있는 거룩한 능력을 나타낼 것이다.

06
믿음 안에서 모험
Adventures in Faith

"그 겉옷만 만져도 구원을 받겠다"(마 9:21). 이 말을 한 사람은 가난한 여인, 곧 그녀의 삶을 짐으로 만들었던 질병 때문에 12년 동안 고통을 당해온 여인이었다. 그녀는 모든 재산을 치료하는 일에 사용하였으나 고칠 수 없다는 선고를 받았을 뿐이었다. 그러나 위대한 치료자에 대한 이야기를 들었을 때 그녀의 희망은 되살아났다. 그 여인은 "만일 내가 그분께 이야기할 수 있을 만큼 가까이 갈 수만 있다면 고침을 받을 수 있을 것이다."라고 생각했다.

그리스도께서는 딸을 고쳐 달라고 간청한 유대의 랍비 야이로의 집으로 가시는 중이었다. "내 어린 딸이 죽게 되었사오니 오셔서 그 위에 손을 얹으사 그로 구원을 받아 살게 하소서"(막 5:23)라는 안타까운 탄원은 부드럽고 동정 깊은 그리스도의 마음을 움직였으며 그분은 즉시 그 회당장과 함께 그의 집을 향해 출발하셨다.

사방에서 군중이 그리스도를 에워싸 밀었기 때문에 그들은 천천히 앞으로 나아갈 수밖에 없었다. 군중을 뚫고 나가시면서 구주께서는 앓는 여자가 서 있는 곳 가까이에 오셨다. 그녀는 주님께 접근하려고 거듭 노력하였으나 실패했다. 그러나 이제 그녀에게 기회가 왔다. 그녀는 그분께 이야기할 방법을 찾을 수 없었다. 그녀는 주님의 더딘 전진을 방해할 마음이 없었다. 그녀는 그분의 겉옷을 만졌을 때 질병이 치료되었다는 소문을 들었다. 그녀는 고침을 받을 유일한 기회를 놓칠까 염려되어 "그 겉옷만 만져도 구원을 받겠다."라고 자신에게 말하며 앞으로 전진해 나갔다.

믿음이 집중된 한 번의 터치

그리스도께서는 그녀의 모든 생각을 아시고 그녀가 서 있는 곳으로 발걸음을 옮기고 계셨다. 그분은 그녀의 큰 필요를 아셨으며 그녀가 믿음을 행사하도록 그녀를 돕고 계셨다.

그분이 지나가실 때 그녀는 손을 내밀어 그분의 겉옷자락을 만지는 데 간신히 성공했다. 그 순간 그녀는 자신이 고침 받은 것을 알았다. 그 한 번의 만짐에 그녀의 일생의 믿음이 집중되었으며 즉시 그녀의 고통과 연약함은 사라졌다. 그 순간 그녀는 온몸의 모든 섬유 조직을 통해 흐르는 전류와 같은 전율을 느꼈다. 완전한 건강에 대한 느낌이 그녀에게 왔다. "병이 나은 줄을 몸에 깨달으니라"(막 5:29).

감사한 마음이 든 그 여인은 의사들이 12년의 긴 세월을 통해 행한 것보다 더 큰일을 단 한 번의 접촉으로 행하신 강력한 치료자께 감사를 표현하기를 원했다. 그러나 그녀는 감히 그렇게 하지 못했다. 그녀는 감사한 마음을 가지고 군중 속에서 빠져나가려고 노력했다. 예수께서 갑자기 걸음을 멈추시고 주위를 둘러보시며 "내게 손을 댄 자가 누구냐"고 물으셨다.

베드로는 놀라서 주님을 바라보며 "주여 무리가 밀려들어 미나이다"(눅 8:45)라고 대답했다.

예수께서는 "내게 손을 댄 자가 있도다 이는 내게서 능력이 나간 줄 앎이로다"(눅 8:46)라고 말씀하셨다. 그분은 부주의한 무리의 우연한 접촉과 믿음의 접촉을 분간하셨다. 누군가 특별한 목적을 가지고 그분을 만졌고 응답을 받았던 것이다.

그리스도께서는 그분 자신이 알기 위해 질문하지 않으셨다. 그분은 사람들과 그분의 제자들과 그녀에게 줄 교훈을 생각하고 계셨다. 그분은 고통 당하는 사람들을 희망으로 고무시키기를 원하셨다. 그분은 치유 능력을 가져온 것이 믿음이라는 사실을 알려 주기를 원하셨다. 그녀의 신뢰는 언급 없이 지나쳐서는 안 되었다. 하나님께서는 그녀의 감사한 고백으로 영광을 받으셔야 했다. 그리스도께서는 그분이 그녀의 믿음의 행위를 인정하셨다는 사실을 그녀가 이해하기를 원하셨다. 그분은 단지 절반만 축복한 채 그녀를 보내기를 원치 않으셨다. 그녀의 고통을 주님께서 알고 계셨다는 것, 그분의 자비로운 사랑, 그분께 나오는 모든 사람을 구원하시는 그분의 능력을 믿는 그녀의 믿음을 그분께서 인정하셨다는 것에 대해 그녀가 모르는 채 남아 있어서는 안 되었다.

그녀를 바라보시면서 그리스도께서는 누가 자신을 만졌는지 알고 계신다고 말씀하셨다. 더 이상 숨길 수 없음을 알고 그녀는 떨면서 앞으로 나와 그분의 발 앞에 엎드렸다. 그녀는 감사의 눈물을 머금고 모든 사람 앞에서 그녀가 그분의 겉옷을 만진 이유와 즉시 고침을 받은 과정을 그분께 이야기했다. 그녀는 그분의 겉옷을 만진 행위가 주제넘은 행위가 아니었는지 두려워했다. 그러나 그리스도의 입에서는 한마디 책망도 나오지 않았다.

그분은 다만 승인의 말씀만을 하셨다. 그 말씀은 인류의 불행에 대한 동정으로 가득한 사랑의 마음에서 나왔다. 그분은 "딸아 네 믿음이 너를 구원하였으니 평안히 가라"(눅 8:48)라고 부드럽게 말씀하셨다. 그 말씀이 그녀에게 얼마나 큰 격려가 되었을까. 이제 자신이 예수님의 기분을 상하게 하지는 않았을까 하는 두려움은 더 이상 그녀의 기쁨을 저해할 수 없었다.

우연한 접촉 vs. 믿음의 접촉

예수님 주위에서 밀던 호기심에 찬 군중은 생명력을 나누어 받지 못했다. 그러나 믿음으로 그분을 만진 병든 여인은 고침을 받았다. 그처럼 영적인 일에서도 우연한 접촉은 믿음의 접촉과 다르다. 그리스도를 단지 세상의 구주로 믿는 것은 결코 영혼에 치유를 가져다주지 못한다. 구원에 이르는 믿음은 단지 복음의 진리에 동의하는 것이 아니다. 참된 믿음은 그리스도를 개인의 구주로 받아들이는 것이다. 하나님께서 그분의 독생자를 주셨으므로 내가 그분을 믿음으로 "멸망하지 않고 영생을"(요 3:16) 얻는 것이다. 그분의 말씀에 따라 그리스도께 나올 때 내가 그분의 구원의 은혜를 받는다는 것을 믿어야 한다. 내가 이제 사는 생애는 "나를 사랑하사 나를 위하여 자기 자신을 버리신 하나님의 아들을 믿는 믿음 안에서 사는 것"(갈 2:20)이어야 한다.

많은 사람이 믿음을 하나의 선택 사항으로 생각한다. 구원하는 믿음은 일종의 계약으로 그리스도를 받아들인 사람들은 그것을 통해 자기 자신을 하나님과 언약 관계로 결합시키는 것이다. 산 믿음은 활력, 곧 신뢰의 증가를 의미하며 이를 통해 영혼은 그리스도의 은혜로 승리하는 능력이 된다.

믿음은 죽음보다 더 강한 정복자이다. 만일 믿음으로 병자들의 눈을 강력한 치료자에게 고정하도록 그들을 인도할 수만 있다면 우리는 놀라운 결과를 목격할 것이다. 그것은 육체와 심령에 생명을 가져다줄 것이다.

절망과 파멸을 향해 서둘러 가고 있는 악습의 희생자들을 위해 일할 때 그들에게 그 절망과 파멸을 지적하는 대신 그들의 눈을 예수께로 향하게 하라. 그들로 하늘의 영광을 주목하게 하라. 무력하고 희망이 없는 사람들 앞에 분명히 제시될 때 이것은 무덤의 모든 공포가 몸과 심령의 구원을 위해 할 수 있는 것보다 훨씬 더 큰일을 하게 될 것이다.

자신의 선행 대신 구주의 자비를 신뢰한 백부장

한 백부장의 하인이 중풍으로 누워 있었다. 로마인들에게 하인은 시장에서 사고파는 노예였으므로 흔히 학대를 받고 잔인하게 취급되었다. 그러나 그 백부장은 그의 하인에게 부드러운 애정을 가지고 있었으며 그가 회복되기를 간절히 바랐다. 그는 예수께서 그를 고쳐 주실 수 있다고 믿었다. 구주를 보지 못했지만 그가 들은 소문은 그의 믿음을 고취시켰다. 유대인들의 형식주의에도 불구하고 이 로마인은 그들의 종교가 자신의 종교보다 우월하다는 것을 확신했다. 이미 그는 정복자들과 피정복자들을 분리한 민족적 편견과 증오의 장벽을 초월하였다. 그는 하나님께 드리는 예배에 존경을 표했으며 그분께 예배하는 유대인들에게 친절을 나타냈다. 그에게 보고된 그리스도의 교훈에서 그는 영혼의 필요를 채워 주는 무언가를 발견했다. 그의 속에 있는 모든 영적인 것이 구주의 말씀에 반응했다. 그러나 그는 자신이 예수께 접근할 가치가 없다고 생각했으므로 종을 치료해 달라는 요청을 대신해 줄 것을 유대의 장로들에게 호소했다.

장로들은 그 사정을 예수께 제시하면서 "이 일을 하시는 것이 이 사람에게는 합당하니이다 그가 우리 민족을 사랑하고 또한 우리를 위하여 회당을 지었나이다"(눅 7:4~5)라고 힘주어 말했다.

그리고 백부장의 집으로 가시던 도중 예수께서는 백부장이 친히 보낸 기별, 곧 "주여 수고하시지 마옵소서 내 집에 들어오심을 나는 감당하지 못하겠나이다"(눅 7:6)라는 기별을 받으셨다.

그러나 그리스도께서는 계속해서 길을 가셨으므로 백부장이 직접 나와 그 기별을 마저 전했다. "내가 주께 나아가기도 감당하지 못할 줄을 알았나이다"(눅 7:7). "다만 말씀으로만 하옵소서 그러면 내 하인이 낫겠사옵나이다 나도 남의 수하에 있는 사람이요 내 아래에도 군사가 있으니 이더러 가라 하면 가고 저더러 오라 하면 오고 내 종더러 이것을 하라 하면 하나이다"(마 8:8~9).

"나는 로마의 권세를 대표하며 나의 군사들은 나의 권위를 최고의 것으로 인정합니다. 그와 마찬가지로 당신은 무한하신 하나님의 능력을 대표하시며 모든 피조물은 당신의 말씀에 순종합니다. 당신은 질병을 떠나도록 명령할 수 있으시며 질병은 당신께 순종할 것입니다. 다만 말씀으로만 하여 주십시오. 그러면 내 하인이 낫겠습니다."

그리스도께서는 "네 믿은 대로 될지어다"라고 말씀하셨으며 "그 즉시 하인이"(마 8:13) 나았다.

유대의 장로들은 "우리 민족"에게 보여 준 호의 때문에 백부장을 그리스도께 추천했다. 그들은 "그가 우리를 위하여 회당을" 지었기 때문에 "합당"한 사람이라고 했다. 그러나 백부장은 자신에 대해 "주께 나아가기도 감당하지" 못할 사람이라고 했다. 그런데도 그는 예수께 도움 구하기를 두려워하지 않았다. 그는 자신의 선행을 신뢰하지 않고 구주의 자비를 신뢰했다. 그가 유일하게 주장한 것은 자신의 큰 필요였다.

**산 믿음은 활력, 곧 신뢰의 증가를 의미하며
이를 통해 영혼은 그리스도의 은혜로 승리하는 능력이 된다.**

우리는 하나님께 내놓을 것이 아무것도 없음

같은 방법으로 모든 사람은 그리스도께 나올 수 있다. 그분은 "우리를 구원하시되 우리가 행한바 의로운 행위로 말미암지 아니하고 오직 그의 긍휼하심을 따라"(딛 3:5) 하신다. 죄인이기 때문에 하나님께 복 받기를 바랄 수 없다고 생각하는가? 그리스도께서 죄인들을 구원하려고 이 세상에 오셨다는 사실을 기억하라. 우리에게는 하나님께 내놓을 것이 아무것도 없다. 우리가 지금 그리고 앞으로도 간절히 드릴 수 있는 탄원은 전혀 무력한 우리의 상태, 곧 그분의 구원의 능력을 필요로 하는 상태에 대한 것이다. 우리는 모든 자아 의존을 버리고 갈보리의 십자가를 바라보면서 다음과 같이 말할 수 있다.

"내 손에는 드릴 만한 가치 있는 것이 없어서
다만 당신의 십자가에 매달립니다."
"In my hand no price I bring;
simply to Thy cross I cling."

"믿는 자에게는 능히 하지 못할 일이 없느니라"(막 9:23). 우리를 하늘과 연결시키고 우리에게 흑암의 세력에 대항할 수 있는 능력을 주는 것은 믿음이다. 하나님께서는 그리스도 안에 모든 악한 기질을 정복하고 아무리 강할지라도 모든 유혹에 저항할 수 있는 길을 마련하셨다. 그러나 많은 사람이 자신의 믿음이 부족하다고 생각하여 그리스도로부터 떨어져 있다. 이런 영혼들은 어쩔 수 없이 무가치한 그대로 자비하신 구주의 긍휼에 자신을 맡겨야 한다. 자아를 보지 말고 그리스도를 보라. 사람들 사이에 다니면서 병든 자를 고치고 귀신을 쫓아내셨던 분은 지금도 여전히 강한 구속주이시다. 생명나무에서 따는 잎사귀처럼 그분의 약속을 붙잡으라. "내게 오는 자는 내가 결코 내쫓지 아니하리라"(요 6:37). 그대가 그분께 나아갈 때 그분이 그대를 받아 주실 것을 믿으라. 왜냐하면 그분께서 약속하셨기 때문이다. 그대가 믿고 나아갈 때 그대는 결코 멸망당하지 않을 것이다. 결단코!

> "우리가 아직 죄인 되었을 때에 그리스도께서 우리를 위하여 죽으심으로 하나님께서 우리에 대한 자기의 사랑을 확증하셨느니라."
>
> "만일 하나님이 우리를 위하시면 누가 우리를 대적하리요
> 자기 아들을 아끼지 아니하시고 우리 모든 사람을 위하여 내주신 이가
> 어찌 그 아들과 함께 모든 것을 우리에게 주시지 아니하겠느냐."
>
> "내가 확신하노니 사망이나 생명이나 천사들이나 권세자들이나
> 현재 일이나 장래 일이나 능력이나 높음이나 깊음이나
> 다른 어떤 피조물이라도 우리를 우리 주 그리스도 예수 안에 있는
> 하나님의 사랑에서 끊을 수 없으리라."
>
> – 로마서 5장 8절; 8장 31~32, 38~39절

"부정하다 부정하다"라고 외쳐야 하는 병

동방에 알려진 모든 질병 중에 나병은 가장 무서운 병이었다. 그 불치성과 전염성 그리고 그 병이 희생자에게 끼치는 끔찍스러운 결과 등은 매우 용기 있는 사람조차 공포스럽게 했다. 유대인들 사이에 이 질병은 죄 때문에 받는 심판으로 여겨졌으므로 "하나님의 치심" 혹은 "하나님의 손가락"으로 불렸다. 그 병은 뿌리가 깊고 근절할 수 없으며 치명적이어서 죄의 상징으로 간주되었다. 의문(儀文)의 법에 의해 나병 환자는 부정하다고 선고되었다. 무엇이든지 그가 만지는 것은 부정했다. 공기는 그의 호흡에 의해 불결해졌다. 이미 죽은 사람처럼 그는 사람이 사는 곳에서 격리되었다. 이 병에 걸린 것으로 의심되는 사람은 반드시 자신을 제사장에게 보여야 했으며 제사장은 그 상태를 진단하여 결정해야 했다. 나병 환자라는 선언을 받으면 그는 가족에게서 격리되었으며 이스라엘 회중에게서 끊어져 동일

그리스도께서 봉사하시던 지역에는 이 질병으로 고통 당하는 사람들이 많았는데 그분의 사업에 대한 소식이 그들에게 전해졌을 때 마음속에서 믿음이 솟기 시작한 한 사람이 있었다.

한 고통을 당하는 자들과만 있게 되는 운명에 놓였다. 비록 왕과 통치자라도 예외가 아니었다. 이 두려운 질병에 걸린 군주는 통치하는 홀을 버리고 사회에서 격리되어야 했다.

나병 환자는 친구와 친척을 떠나 이 질병의 저주를 감당해야 했다. 그는 자신의 재앙을 공표하고, 그의 옷을 찢고, 경고의 소리를 질러 오염시키는 존재인 자신에게서 피하도록 모든 사람에게 경고해야 했다. 외로운 유배자로부터 슬픈 음조로 들려오는 "부정하다! 부정하다!"라는 외침은 공포와 혐오를 일으키는 신호였다.

그리스도께서 봉사하시던 지역에는 이 질병으로 고통 당하는 사람들이 많았는데 그분의 사업에 대한 소식이 그들에게 전해졌을 때 마음속에서 믿음이 솟기 시작한 한 사람이 있었다. 만일 그가 예수께로 갈 수 있다면 그는 고침을 받을 수 있을 것이었다. 그러나 그가 어떻게 예수님을 발견할 수 있을 것인가? 영원히 격리되는 운명에 처한 그가 어떻게 치료자에게 자신을 보일 수 있을 것인가? 그리스도께서는 그를 고쳐 주실 것인가? 주님께서도 바리새인들이나 심지어 의사들처럼 그에게 저주를 선언하고 사람들이 늘 왕래하는 곳을 피하라고 경고하지 않으실까?

"내가 원하노니 깨끗함을 받으라"

그는 예수님에 대해 그가 들은 것을 모두 생각해 본다. 그분께 도움을 구한 사람 중 한 사람도 그냥 돌아간 사람은 없었다. 그 가련한 사람은 구주를 찾고자 결심한다. 비록 마을에서 격리되어 있을지라도 산길 어딘가에 난 샛길에서 예수님과 마주칠 수도 있고 마을 밖에서 가르치고 계시는 그분을 발견할지도 모른다. 어려움이 커도 이것이 그의 유일한 소망이다.

그 나병 환자는 멀리 떨어져 서서 구주의 입에서 나오는 몇 마디 말씀을 듣는다. 그는 그분이 환자들 위에 손을 얹는 것을 본다. 그는 다리를 저는 사람, 시각 장애인, 마비성 환자와 그 외 여러 질병으로 죽어 가던 사람들이 건강하게 일어나서 구원받은 기쁨으로 하나님을 찬양하는 것을 본다. 그의 믿음은 강해진다. 그는 청중이 있는 곳으로 점점 더 가까이 접근한다. 그는 자신에게 주어진 속박, 사람들의 안전, 모든 사람이 그에 대해 가지고 있는 공포감을 모두 잊는다. 그는 오직 치료를 받아야 한다는 복스러운 희망만을 생각한다.

그의 모습은 역겹다. 질병이 무섭게 잠식했으므로 썩어 가는 그의 신체는 보기에도 끔찍스럽다. 그를 보자 사람들이 뒤로 물러간다. 공포에 질린 사람들은 그와의 접촉을 피하느라 이리저리 밀린다. 어떤 사람들은 그가 예수님께 접근하는 것을 막기 위해 노력하지만 소용이 없다. 그는 사람들을 보지도 않고 그들의 소리를 듣지도 않는다. 그는 그들이 표현하는 혐오에도 아랑곳하지 않는다. 그는 오직 하나님의 아들만 보며 죽어 가는 자에게 생명을 말하는 음성만 듣는다.

그는 예수께로 돌진하여 몸을 그분의 발 앞에 던지며 "주여 원하시면 저를 깨끗하게 하실 수 있나이다"(마 8:2)라고 부르짖는다.

예수께서는 "내가 원하노니 깨끗함을 받으라"(마 8:3)라고 말씀하시면서 그 사람 위에 손을 얹으신다.

즉시 그 나병 환자에게 변화가 생긴다. 그의 피는 깨끗해지고 신경은 감각을 얻고 근육은 단단해진다. 나병 환자의 특징인 부자연스럽게 흰, 비늘 모양의 피부는 사라지고 어린아이의 피부처럼 변화된다.

만일 제사장들이 나병 환자 치유에 대한 내력을 알면 그리스도를 증오하는 그들의 증오심 때문에 부정직한 판결을 내릴지도 모른다. 예수께서는 공정한 판결을 받기를 바라셨다. 그래서 주님은 그 사람에게 고침 받은 일을 아무에게도 말하지 말고 그 이적에 대한 소문이 퍼지기 전에 지체 말고 예물을 들고 성전에 가서 몸을 보이라고 명령하셨다.

그 예물을 받기 전에 제사장들은 예물을 바친 자를 진단하고 그의 완전한 회복을 확인해야 했다.

진단은 끝났다. 그 나병 환자에게 추방을 선고했던 제사장들이 그의 치유를 입증했다. 고침을 받은 그 사람은 가정과 사회로 돌아갔다. 그는 건강이 매우 귀중하다는 것을 느꼈다. 그는 남성의 활력을 되찾고 가정에 돌아가게 되어 기뻤다. 예수께서 주의를 주셨지만 그는 치유 사실을 더 이상 숨길 수 없어서 기쁘게 돌아다니며 그를 건강하게 고쳐 주신 분의 능력을 전했다.

예수께 왔을 때 이 사람은 "온몸에 나병이 걸린" 사람이었다. 나병의 치명적 독소가 그의 온몸에 스며 있었다. 제자들은 그들의 주님이 그 사람과 접촉하는 것을 막으려고 노력하였다. 왜냐하면 나병 환자를 만진 사람은 부정하게 되기 때문이었다. 손을 나병 환자 위에 얹으셨으나 예수께서는 부정해지지 않으셨다. 오히려 나병이 깨끗해졌다. 뿌리가 깊고 치명적이며 인간의 능력으로 깨끗하게 할 수 없는 죄의 병도 그와 같이 치료되었다. "온 머리는 병들었고 온 마음은 피곤하였으며 발바닥에서 머리까지 성한 곳이 없이 상한 것과 터진 것과 새로 맞은 흔적뿐"(사 1:5~6)이었다. 그러나 인성 안에 거하기 위해 오셨을 때 예수께서는 오염되지 않았다. 그분의 임재는 죄인에게 치료의 능력이었다. 누구든지 그분의 발 앞에 엎드려 "주여 원하시면 저를 깨끗하게 하실 수 있나이다"(마 8:2)라고 믿음으로 말하면 "내가 원하노니 깨끗함을 받으라"(마 8:3)는 대답을 들을 것이다.

지체 없이 응답받는 기도의 조건

어떤 질병의 경우 예수께서는 구한 복을 즉시 허락하지 않으셨다. 그러나 나병의 경우에는 호소하자마자 즉시 응답을 받았다. 우리가 세상의 축복을 위해 기도할 때에 기도에 대한 응답이 지체될 수도 있고 하나님께서 우리가 구하는 것 외의 다른 것을 우리에게 주실 수도 있다. 그러나 우리가 죄에서 해방되기 위해 기도할 때에는 그렇지 않다. 그분의 자녀로 만들기 위해 우리를 죄에서 깨끗하게 하시고 우리로 거룩한 삶을 살 수 있게 하시는 것이 하나님의 뜻이다. "그리스도께서 하나님 곧 우리 아버지의 뜻을 따라 이 악한 세대에서 우리를 건지시려고 우리 죄를 대속하기 위하여 자기 몸을"(갈 1:4) 주셨다. "그를 향하여 우리가 가진바 담대함이 이것이니 그의 뜻대로 무엇을 구하면 들으심이라 우리가 무엇이든지 구하는 바를

들으시는 줄을 안즉 우리가 그에게 구한 그것을 얻은 줄을 또한 아느니라"(요일 5:14~15).

예수께서는 고뇌에 지치고 마음이 눌린 자들, 희망을 잃은 자들, 세상의 기쁨으로 심령의 갈망을 진정시키려고 애쓰는 자들을 바라보시며 그분 안에서 쉼을 얻도록 모든 사람을 초청하셨다.

예수께서는 수고하는 사람들에게 "나는 마음이 온유하고 겸손하니 나의 멍에를 메고 내게 배우라 그리하면 너희 마음이 쉼을 얻으리니"(마 11:29)라고 부드럽게 명하셨다.

이 말씀을 통해 그리스도께서는 모든 사람에게 말씀하고 계셨다. 알건 모르건 모든 사람은 지쳐 있고 무거운 짐을 지고 있다. 모든 사람은 오직 그리스도만 제거하실 수 있는 무거운 짐을 지고 있다. 우리가 진 가장 무거운 짐은 죄의 짐이다. 만일 우리가 그 짐을 홀로 지도록 내버려졌다면 그것은 우리를 부쉬뜨렸을 것이다. 그러나 죄가 없으신 분이 우리 대신 그 짐을 지셨다. "여호와께서는 우리 모두의 죄악을 그에게 담당시키셨도다"(사 53:6).

우리의 짐을 대신 져 주시는 예수

그분은 우리의 죄악의 짐을 지셨다. 그분은 우리의 피곤한 어깨에서 짐을 벗겨 주실 것이다. 그분은 우리에게 안식을 주실 것이다. 근심과 슬픔의 짐 역시 그분이 지실 것이다. 그분은 우리의 모든 근심을 그분께 맡기라고 우리를 초청하신다. 왜냐하면 그분은 우리를 당신의 마음에 간직하고 계시기 때문이다.

인류의 맏형님 되시는 주님은 영원한 보좌 곁에 계신다. 그분은 그분을 구주로 쳐다보는 모든 사람을 바라보신다. 그분은 경험을 통해 인간의 약점이 무엇이며 우리의 소원이 무엇이며 우리가 당하는 시험의 힘이 어디에 있는지 아신다. 왜냐하면 그분은 "모든 일에 우리와 똑같이 시험을 받으신 이로되 죄는 없으시"(히 4:15)기 때문이다. 그분은 하나님의 떨고 있는 자녀인 그대를 지켜보고 계신다. 시험을 받고 있는가? 그분이 건져 주실 것이다. 연약한가? 그분이 강하게 하실 것이다. 지식이 부족한가? 그분이 계몽시켜 주실 것이다. 상처를 받았는가? 그분이 고쳐 주실 것이다. 주님은 "별의 수효를 세시고"(시 147:4) "상심한 자들을 고치시며 그들의 상처를 싸매"(시 147:3)신다.

염려와 시련이 무엇이든 그대의 사정을 주님 앞에 내놓으라. 정신은 인내할 수 있는 지지를 받을 것이다. 난처한 일과 어려운 일에서 벗어날 길이 열릴 것이다. 자신의 약함과 무력함을 알면 알수록 그분의 능력 안에서 그대는 더 강해질 것이다. 그대의 짐이 무거우면 무거울수록 그대의 짐을 지시는 분께 그 짐들을 맡김으로써 얻는 쉼은 더 복될 것이다.

형편 때문에 친구들과 헤어질 수도 있다. 넓은 바다의 끊임없는 파도가 우리와 그들 사이에 가로놓일 수도 있다. 그러나 어떤 환경이나 어떤 간격도 우리를 구주와 분리시킬 수 없다. 우리가 어디에 있든지 그분은 지지하고 옹호하고 붙들어 주고 격려하기 위해 우리의 우편에 계신다. 그분이 구속한 사람들에 대한 그분의 사랑은 자녀에 대한 어머니의 사랑보다 더 크다. 그분의 사랑 안에서 쉬면서 "그분께서 나를 위해 당신의 생명을 주셨으니 나는 그분을 의지하리라"라고 말하는 것은 우리의 특권이다.

인간의 사랑은 변할 수 있으나 그리스도의 사랑은 변하지 않는다. 우리가 도움을 얻기 위해 그분께 부르짖으면 그분은 구원하시기 위해 당신의 손을 펴신다.

"산들이 떠나며

언덕들은 옮겨질지라도

나의 자비는 네게서 떠나지 아니하며

나의 화평의 언약은 흔들리지 아니하리라

너를 긍휼히 여기시는 여호와께서 말씀하셨느니라."

– 이사야 54장 10절

07

마음 치료하기

Healing the Soul

그리스도께 도움을 얻기 위해 온 많은 사람이 질병을 자초한 사람들이었다. 그러나 그분은 그들을 고쳐 주기를 거절하지 않으셨다. 그분에게서 나온 능력이 이 사람들의 심령에 들어갈 때 그들은 죄를 깨달았으며 많은 사람이 신체적 질병은 물론 영적 질병도 고침을 받았다.

이들 중에 가버나움의 중풍병자가 있었다. 나병 환자처럼 이 중풍병자는 회복에 대한 모든 희망을 잃고 있었다. 그의 질병은 죄악된 생애의 결과였으며 그의 고통은 양심의 가책 때문에 더 심해졌다. 그는 구원을 받기 위해 바리새인들과 의사들에게 호소했으나 소용이 없었다. 그들은 그의 질병이 불치병이라고 공표하고 그를 죄인이라고 비난하면서 그가 하나님의 진노 아래 죽을 것이라고 선언했다.

그 중풍병자는 절망에 빠졌다. 그때 그는 예수님의 사업에 대한 이야기를 들었다. 자신처럼 죄가 크고 무력한 많은 사람이 고침을 받았으므로 그는 용기를 얻어 만일 그가 구주께로 운반될 수만 있다면 자신도 고침을 받을 수 있을 거라고 믿었다. 그러나 자신의 질병의 원인을 생각하자 희망은 사라졌다. 그런데도 그는 치유의 가능성에 대한 생각을 떨쳐 버릴 수 없었다.

그의 큰 소원은 죄의 짐에서 해방되는 것이었다. 그는 예수님을 뵙고 용서의 보증과 하늘의 화평을 얻기를 갈망했다. 그런 후에는 하나님의 뜻에 따라 살든지 죽든지 만족할 것이었다.

낭비할 시간이 없었다. 그의 쇠약해진 몸에는 이미 죽음의 증세가 나타났다. 그는 친구들에게 자기를 침대에 누인 채 예수께로 운반해 달라고 요청했으며 그들은 기꺼이 그 일을 했다. 그러나 구주께서 계신 집 안과 주위에 모인 군중이 워낙 밀집해 있었으므로 그 환자와 그의 친구들은 그분께 도달하기는커녕 그분의 음성을 들을 수 있는 범위 안으로 들어갈 수조차 없었다. 예수께서는 베드로의 집에서 가르치고 계셨다. 그들의 관례에 따라 그분의 제자들이 그분 주위에 가까이 앉아 있었고 "갈릴리의 각 마을과 유대와 예루살렘에서 온 바리새인과 율법 교사들"(눅 5:17)도 앉아 있었다. 이들 중 많은 사람이 예수님을 비난하려고 엿보는 정탐꾼이었다. 이런 군중 외에도 열성 있는 자들, 경외심을 가진 자들, 호기심을 가진 자들, 불신자들이 모여 있었다. 그들은 서로 다른 나라와 사회의 모든 계층을 대표했다. "병을 고치는 주의 능력이 예수와 함께하더라"(눅 5:17). 생명의 성령께서 회중 위를 덮었으나 바리새인들과 율법 교사들은 그분의 임재를 식별하지 못했다. 그들은 부족감을 느끼지 못했으므로 치유는 그들에게 상관이 없었다. "주리는 자를 좋은 것으로 배불리셨으며 부자는 빈손으로 보내셨도다"(눅 1:53).

지붕을 뚫고 예수님 발 앞에 놓여진 중풍병자

중풍병자를 운반하는 사람들은 군중을 뚫고 들어가려고 거듭 시도했으나 소용이 없었다. 그 환자는 이루 말할 수 없는 고민을 하며 주위를 둘러보았다. 갈망하던 도움이 이처럼 가까이 있는데 어떻게 그가 희망을 버릴 수 있겠는가? 그의 요청에 친구들은 그를 지붕으로 운반하여 지붕을 뚫고 예수님 발 앞에 그를 내려놓았다.

설교는 중단되었다. 구주께서는 슬픔에 잠긴 얼굴을 내려다보시고 그분께 고정된 애원하는 눈을 보셨다. 그분은 그 눌린 영혼의 갈망을 잘 아셨다. 그가 아직 그의 집에 있을 때 그의 양심에 죄에 대한 자각을 일으키신 분은 그리스도이셨다. 그가 자신의 죄를 회개하고 예수님의 능력이 그를 건강하게 할 것을 믿었을 때 구주의 자비가 그의 마음에 복을 주었다. 예수께서는 희미한 믿음의 빛이 자라서 그분이야말로 죄인을 도와줄 유일한 분이라는 확신을 가지고 그분 앞에 나오기 위해 온갖 노력을 다한 것을 보셨다. 그 고통 당하는 자를 그분께로 이끄신 분은 그리스도이셨다. 이제 구주께서는 듣는 자의 귀에 음악처럼 들리는 음성으로 "작은 자야 안심하라 네 죄 사함을 받았느니라"(마 9:2)라고 말씀하셨다.

죄악의 짐이 그 환자의 심령에서 떠나간다. 그는 의심할 수 없다. 그리스도의 말씀은 사람의 마음을 읽는 그분의 능력을 보여 준다. 누가 죄를 용서하는 그분의 능력을 부인할 수 있을 것인가? 희망이 절망을 대신하고 기쁨이 내리누르는 침울함을 대신한다. 그 사람의 신체적 고통은 사라지고 온몸은 변화된다. 더 이상의 요구를 하지 않고 그는 평화로운 침묵 속에 누워 있다. 말로 표현하기에는 너무 행복하다.

많은 사람이 숨을 죽이고 이 이상한 사건의 모든 움직임을 관심 있게 지켜보고 있었다. 사람들은 그리스도의 말씀이 그들에게 주어지는 초청이라고 생각했다. 그들은 죄 때문에 심령에 병이 들지 않았던가? 그들은 이 짐에서 벗어나기를 갈망하지 않았던가?

그러나 바리새인들은 군중에 대한 그들의 영향력을 잃어버릴까 염려하여 마음속으로 "신성 모독이로다 오직 하나님 한 분 외에는 누가 능히 죄를 사하겠느냐"(막 2:7)라고 하였다.

그분이 시선을 그들에게 고정시키시자 그들은 그 시선에 움츠러들며 물러섰다. 예수께서는 "너희가 어찌하여 마음에 악한 생각을 하느냐 네 죄 사함을 받았느니라 하는 말과 일어나 걸어가라 하는 말 중에 어느 것이 쉽겠느냐 그러나 인자가 세상에서 죄를 사하는 권능이 있는 줄을 너희로 알게 하려 하노라"라고 말씀하셨다. 그분은 중풍병자를 향해 "일어나 네 침상을 가지고 집으로 가라"라고 말씀하셨다(마 9:4~6).

그러자 들것에 실려서 예수께 왔던 그 사람은 젊음의 탄력과 힘을 가지고 제 발로 일어섰다. 그가 즉시 "침상을 가지고 모든 사람 앞에서 나가거늘 그들이 다 놀라 하나님께 영광을 돌리며 이르되 우리가 이런 일을 도무지 보지 못하였다 하더라"(막 2:12).

죄의 무거운 짐이 신체의 질병을 가져옴

그 썩어 가던 육체의 건강을 회복시키는 데는 창조의 능력에 버금가는 능력이 요구되었다. 땅의 흙으로 창조된 사람에게 생명을 허락한 바로 그 음성이 죽어 가던 중풍병자에게 생명을 허락했다. 그리고 몸에 생명을 준 바로 그 능력이 마음을 새롭게 했다. 창조 때에 "말씀하시매 이루어졌으며 명령하시매 견고히"(시 33:9) 서게 하신 분께서 죄와 허물로 죽은 심령에 생명을 허락하셨다. 육체의 치유는 마음을 새롭게 한 능력의 증거였다. 그리스도께서는 중풍병자에게 일어나 걸어가라고 명하시고 "인자가 땅에서 죄를 사하는 권세가 있는 줄을 너희로 알게 하리라"(마 9:6)라고 말씀하셨다.

중풍병자는 그리스도 안에서 마음과 신체의 치유를 발견했다. 그는 신체의 건강을 감지하기 전에 마음의 건강이 필요했다. 신체의 질병이 치유되기 전에 그리스도께서 마음에 안위를 주고 심령을 죄에서 정결케 하셔야 한다. 이 교훈은 무시되어서는 안 된다. 오늘날 이 중풍병자처럼 "네 죄 사함을 받았느니라"라는 기별을 갈망하는, 신체의 질병 때문에 고통을 당하는 무수한 사람이 있다. 불안한, 채워지지 않는 욕망을 수반하는 죄의 짐이 그들의 질병의 기초이다. 그들은 마음을 고쳐 주시는 분 앞에 나오기 전에는 결코 안식을 얻지 못한다. 오직 그분만이 주실 수 있는 평안이 마음에 활력과 신체에 건강을 회복시킬 것이다.

중풍병자의 치유가 사람들에게 끼친 영향은 마치 하늘이 열려 더 좋은 세상의 영광을 드러낸 것과 같았다. 고침을 받은 사람이 발걸음을 옮길 때마다 하나님을 찬양하며 그의 짐을 마치 새의 깃털처럼 가볍게 지고 군중을 뚫고 지나갈 때 사람들은 그에게 길을 내주기 위해 물러섰으며 두려움에 질린 얼굴로 그 사람을 응시하며 "오늘 우리가 놀라운 일을 보았다"(눅 5:26)라고 그들끼리 가만히 속삭였다.

불과 얼마 전에 가족들이 보는 데서 침상에 누워 천천히 실려 갔던 사람이 그 침상을 가뿐히 들고 가족에게 돌아오자 중풍병자의 집에서는 크게 기뻐하였다. 그들은 기쁨의 눈물을 흘리면서 그의 주위에 모였다. 그들

은 보는 것을 거의 믿지 못했다. 그는 성인의 완전한 활력을 가지고 그들 앞에 서 있었다. 전에는 생기가 없었던 팔들이 그의 마음대로 민첩하게 움직였다. 사지가 마비되어 구릿빛을 띠었던 살은 이제 윤기가 나고 불그스레했다. 그는 비틀거리지 않고 부축 없이 걸었다. 그의 얼굴 표정 하나하나에 기쁨과 소망이 쓰여 있었다. 순결과 화평의 표정이 죄와 고통의 흔적을 대신했다. 그 집에서는 기쁨에 넘친 감사의 기도를 드렸으며 하나님께서는 소망이 없는 자에게 소망을 주시고 불행을 당한 자에게 힘을 주신 그분의 아들을 통해 영광을 받으셨다. 그 사람과 그의 가족은 언제든지 그들의 생애를 예수께 바칠 각오를 했다. 어떤 의심도 그들의 믿음을 흐리게 하지 않았으며 어떤 불신도 어두웠던 그들의 가정에 빛을 비추신 예수께 대한 충성을 훼손하지 못했다.

"내 영혼아 여호와를 송축하라

내 속에 있는 것들아 다 그의 거룩한 이름을 송축하라

내 영혼아 여호와를 송축하며

그의 모든 은택을 잊지 말지어다

그가 네 모든 죄악을 사하시며

네 모든 병을 고치시며

네 생명을 파멸에서 속량하시고…

네 청춘을 독수리같이 새롭게 하시는도다

여호와께서 공의로운 일을 행하시며

억압당하는 모든 자를 위하여 심판하시는도다 …

우리의 죄를 따라 우리를 처벌하지는 아니하시며

우리의 죄악을 따라 우리에게 그대로 갚지는 아니하셨으니…

아버지가 자식을 긍휼히 여김같이

여호와께서는 자기를 경외하는 자를

긍휼히 여기시나니

이는 그가 우리의 체질을 아시며

우리가 단지 먼지뿐임을 기억하심이로다."

– 시편 103편 1~14절

38년간 전신 마비증으로 고생한 사람

"예루살렘에 있는 양문 곁에 히브리 말로 베데스다라 하는 못이 있는데 거기 행각 다섯이 있고 그 안에 많은 병자, 맹인, 다리 저는 사람, 혈기 마른 사람들이 누워 물의 움직임을 기다리니"(요 5:2~3).

이 못의 물은 어떤 때에 동요했는데 이것은 초자연적 능력의 결과로서 누구든지 물이 움직인 후에 제일 먼저 물속으로 들어가는 사람은 어떤 질병이 있을지라도 치유된다고 일반적으로 믿고 있었다. 아픈 사람 수백 명이 그곳에 왔으나 물이 움직일 때에는 사람들이 너무 많아 남자, 여자, 아이 할 것 없이 자신들보다 약한 자들을 발로 밟으면서 앞으로 달려 나갔다. 많은 사람이 그 못 가까이 접근조차 할 수 없었다. 또 못 가까이 가는 데 성공한 많은 사람이 그 못가에서 목숨을 잃었다. 그곳 주변에는 비바람을 피할 곳들이 세워져 있어서 환자들이 낮의 더위와 밤의 추위에서 보호를 받을 수 있었다. 이 행각에서 밤을 새우며 날마다 질병에서 치료받아야겠다는 헛된 소망을 가지고 연못가까지 기어가는 사람들이 있었다.

예수께서는 예루살렘에 계셨다. 일견 명상과 기도를 하시면서 홀로 걷던 예수님이 그 못까지 오셨다. 그분은 비참한 환자들이 고침을 받을 수 있는 유일한 기회가 될 것으로 생각하는 그때를 기다리고 있는 것을 보셨다. 그분은 치유력을 발휘하여 고통 당하는 사람마다 건강하게 해 주기를 바라셨다. 그러나 그날은 안식일이었다. 무리들이 예배를 드리기 위해 성전으로 가고 있었으며 그분은 그런 치료 행위가 유대인들의 편견을 일으켜 그분의 사업을 단축시킬 것을 아셨다.

그러나 구주께서는 가장 비참한 한 예를 보셨다. 그것은 38년 동안 무력한 환자로 지내 온 한 사람이었다. 그의 질병은 많은 부분에서 그 자신의 악습의 결과이며 하나님께서 내리신 심판인 것처럼 보였다. 홀로 친구도 없이 하나님의 자비에서 끊어졌다고 생각하며 그 환자는 오랫동안 불행한 세월을 보냈다. 물이 움직일 것으로 예상되는 때가 되면 그의 무력한 형편을 동정한 사람들이 그를 행각까지 실어다 주곤 했다. 그러나 절호의 순간이 되면 정작 그를 물속에 넣어 줄 사람이 없었다. 그는 물이 동하는 것을 보았지만 못가에서 더 이상 안으로 들어갈 수 없었다. 그보다 더 강한 다른 사람들이 먼저 뛰어 들어가곤 했다. 가련하고 무력한 그 환자는 서로 먼저 들어가려고 다투는 이기적인 무리들과 성공적으로 경쟁할 수 없었다. 한 목적을 향한 그의 끈덕진 노력, 근심과 계속되는 실망 때문에 그에게서 남은 힘이 급속히 빠져가고 있었다.

그 환자는 자리에 누워 간혹 못을 바라보려고 머리를 들어 올리곤 했다. 바로 그때 부드럽고 인자한 얼굴이 그를 굽어보면서 "네가 낫고자 하느냐"(요 5:6) 하고 말했고 그는 그분에게 주목했다. 그의 마음속에 희망이 솟았다. 그는 어떤 방법으로든 도움을 받을 수 있으리라고 생각했다. 그러나 타오르던 용기는 곧 사라졌다. 그는 자기가 얼마나 자주 못에 도달하려고 노력하였는가를 회상했으며 이제 그는 물이 다시 움직일 때까지 살아 있을 가망이 거의 없다고 생각했다. 그는 피곤한 얼굴을 돌리며 "주여 물이 움직일 때에 나를 못에 넣어 주는 사람이 없어 내가 가는 동안에 다른 사람이 먼저 내려가나이다"(요 5:7)라고 말했다.

예수께서는 "일어나 네 자리를 들고 걸어가라"(요 5:8)라고 명령하셨다. 새로운 희망을 품고 그 병자는 예수님을 바라본다. 그분의 얼굴 표정과 그분의 어조는 다른 어떤 사람과도 같지 않다. 사랑과 능력이 그분이 계신 곳에서 뿜어 나오는 것 같다. 그 병자의 믿음은 그리스도의 말씀을 붙잡는다. 그는 의심 없이 순종하기로 뜻을 정한다. 그렇게 하자 그의 온몸이 반응한다.

자기 발로 송아지처럼 뛰는 불구자

신경마다 근육마다 새로운 생명으로 전율하며 불구였던 사지는 건강하게 움직인다. 그 사람은 제 발로 뛰며 하나님을 찬양하며 새로 찾은 힘을 기뻐하면서 비틀거리지 않고 자유로운 발걸음으로 제 길을 간다.

예수께서는 그 병자에게 하나님의 도움에 대한 아무런 보증도 주지 않으셨다. 그 사람은 "주님, 만일 당신께서 나를 건강하게 해 주시면 당신의 말씀에 순종하겠습니다."라고 말할 수도 있었다. 그는 멈칫하고 의심을 품음으로써 고침을 받을 수 있는 유일한 기회를 놓칠 수도 있었다. 그러나 그는 그리스도의 말씀을 믿고 자신이 완전해졌다는 것을 믿었다. 즉시 그는 노력을 했고 하나님께서는 그에게 힘을 주셨다. 그는 걸어가고자 의지를 굳게 했다. 그리고 그는 걸었다. 그리스도의 말씀에 따라 행했을 때 그는 건강하게 되었다.

죄로 인해 우리는 하나님의 생명에서 끊어져 있었다. 우리의 심령은 마비되었다. 그 무력한 사람이 걸을 수 없었던 것처럼 우리도 우리 스스로는

거룩한 생애를 살 수 없다. 많은 사람이 그들의 무력함을 깨닫는다. 그들은 그들을 하나님과 조화되게 하는 영적 생명에 갈급하여 그것을 얻으려고 애쓰고 있다. 그러나 소용이 없다. 절망 중에 그들은 "오호라 나는 곤고한 사람이로다 이 사망의 몸에서 누가 나를 건져 내랴"(롬 7:24)라고 부르짖는다. 이 낙담하고 투쟁하는 사람들이 위를 쳐다보도록 도와주라. 구주께서는 그분의 피로 사신 사람들을 굽어보시며 말할 수 없는 부드러움과 동정을 가지고 "네가 낫고자 하느냐"라고 말씀하신다. 그분은 그대에게 건강하고 평화롭게 일어서라고 명하신다. 그대가 완전해졌다는 것을 느끼기 위해 기다리지 말라. 구주의 말씀을 믿으라. 그대의 의지를 그리스도 편에 두라. 그분을 섬기겠다고 의지를 행사하고 그분의 말씀에 따라 행동할 때 그대는 힘을 얻을 것이다. 오랫동안의 방종으로 마음과 몸을 속박하고 있는 악습과 정욕의 지배가 무엇이든 그리스도께서는 거기서 구해 내실 수 있으며 그렇게 해 주기를 바라신다. 그분은 "허물과 죄로 죽었던"(엡 2:1) 마음에 생명을 나누어 주실 것이다. 그분은 약점과 불행과 죄의 사슬에 매인 포로들을 해방하실 것이다.

내가 그대의 죄책감을 제거해 주겠다

죄책감은 생명의 샘의 물꼬를 막았다. 그러나 그리스도께서는 말씀하신다. "내가 그대의 죄를 담당하겠다. 내가 그대에게 평안을 주겠다. 나는 나의 피로 그대를 샀다. 그대는 내 것이다. 내 은혜가 그대의 약한 의지를 강하게 해 줄 것이다. 내가 그대의 죄책감을 제거할 것이다."

유혹이 공격할 때, 걱정과 난처한 일이 둘러쌀 때, 우울하고 용기가 꺾여 절망에 빠지려 할 때 예수님을 바라보라. 그러면 그대를 둘러싼 어둠이 그분의 임재의 밝은 빛에 의해 사라질 것이다. 죄가 그대의 심령을 지배하기 위해 꿈틀거리며 양심을 누를 때 구주를 바라보라. 그분의 은혜는 죄를 정복하기에 충분하다. 불확실함으로 마음이 떨릴 때 감사한 마음으로 그분께 향하라. 앞에 놓인 소망을 굳게 붙잡으라. 그리스도께서는 그대를 그분의 가족에 입적시키려고 기다리신다. 그분의 능력이 그대의 연약함을 도울 것이다. 그분은 그대를 한 걸음씩 인도하실 것이다. 그분의 손을 잡고 그분께서 그대를 인도하시게 하라.

결코 그리스도께서 먼 곳에 계시다고 생각하지 말라. 그분은 항상 가까이 계신다. 그분의 사랑스러운 임재가 그대를 둘러싼다. 그대에게 발견되기를 바라는 분인 그분을 찾으라. 그분은 그대가 그분의 옷자락을 만지기를 원하실 뿐 아니라 계속적인 교제를 통해 그분과 동행하기를 바라신다.

장막절이 막 끝났다. 예루살렘에 있는 제사장들과 랍비들이 예수님을 대적하려던 계책은 실패했으며 저녁이 되자 "다 각각 집으로 돌아가고 예수는 감람산으로"(요 7:53; 8:1) 가셨다.

"너희 중에 죄 없는 자가 먼저 돌로 치라"

도시의 흥분과 혼잡, 열렬한 군중과 믿을 수 없는 랍비들을 피해 예수께서는 하나님과만 함께 계실 수 있는 조용한 감람산으로 가셨다. 그러나 이른 아침에 그분은 성전으로 돌아오셨다. 주위에 사람들이 모여들자 그분은 앉아서 그들을 가르치셨다.

그러나 가르치는 일은 곧 중단되었다. 한 무리의 바리새인들과 서기관들이 공포에 질린 어떤 여인을 끌고 그분께 다가와서 거칠고 열띤 음성으로 그 여자가 일곱째 계명을 범했다고 고소했다. 그들은 그 여인을 예수님 앞으로 떠민 후 겉으로는 존경하는 것처럼 가장하여 말했다. "선생이여 이 여자가 간음하다가 현장에서 잡혔나이다 모세는 율법에 이러한 여자를 돌로 치라 명하였거니와 선생은 어떻게 말하겠나이까"(요 8:4~5).

그들의 가장된 존경에는 그분을 파멸시키기 위해 비밀리에 교묘히 꾸민 음모가 숨어 있었다. 예수께서 그 여인을 정죄하지 않으신다면 그분은 모세의 율법을 멸시한다는 비난을 받을 것이었다. 만일 그분이 그 여인을 마땅히 죽여야 한다고 선언하신다면 그분은 로마인들에게만 속한 권세를 제 것인 양 행사한 사람으로 로마인들에게 고소를 당할 것이었다.

예수께서는 그 장면, 곧 수치심으로 떨고 있는 희생자와 인간적인 동정조차 없는 굳은 얼굴의 고위 성직자들을 보셨다. 흠이 없이 순결한 그분의 정신은 그 광경에 움츠러들었다. 질문을 들은 기색도 보이지 않고 그분은 몸을 굽혀 땅에 시선을 고정하시고 땅 위에 글을 쓰기 시작하셨다.

예수님의 지체하심과 외견상의 무관심을 참지 못한 고소자들은 가까이 접근하여 그분의 주의를 그 문제에 집중시키도록 촉구했다. 그러나 그들의 시선이 예수님의 시선을 따라 그분의 발치에 있는 땅 위로 쏠렸을 때 그들의 음성은 조용해졌다. 그들 앞에 그려져 있는 것은 그들 생애의 죄악적인 비밀들이었다.

예수께서는 일어나셔서 음모를 꾸민 장로들에게 시선을 고정시키시고 말씀하셨다. "너희 중에 죄 없는 자가 먼저 돌로 치라"(요 8:7). 그리고 몸을 굽혀 글 쓰는 일을 계속하셨다.

그분은 모세의 율법을 무시하지도 로마의 권위를 침해하지도 않으셨다. 고소자들은 패배했다. 이제 거룩함을 가장했던 그들의 옷은 벗겨지고 무한히 순결하신 분 앞에 그들은 범죄 하고 정죄를 당한 자들로 섰다. 그들의 숨겨진 죄악이 무리 앞에 공개되지나 않을까 두려워 떨면서 그들은 머리를 숙이고 시선을 떨어뜨린 채 희생자와 불쌍히 여기시는 구주를 남겨두고 조용히 사라져 버렸다.

예수께서는 일어나서 그 여인을 보고 말씀하셨다. "여자여 너를 고발하던 그들이 어디 있느냐 너를 정죄한 자가 없느냐 대답하되 주여 없나이다 예수께서 이르시되 나도 너를 정죄하지 아니하노니 가서 다시는 죄를 범하지 말라"(요 8:10~11).

그 여인은 지금까지 두려움에 위축되어 예수님 앞에 서 있었다. "너희 중에 죄 없는 자가 먼저 돌로 치라"는 그분의 말씀은 그 여인에게 사형 선고처럼 들렸다. 그 여자는 감히 눈을 들어 구주의 얼굴을 쳐다보지 못하고 조용히 자신의 운명을 기다렸다. 그녀는 자기를 고소하던 자들이 당황하여 말없이 떠나는 것을 놀라서 바라보았다. 그러자 "나도 너를 정죄하지 아니하노니 가서 다시는 죄를 범하지 말라"라는 희망의 말씀이 그녀의 귀에

들렸다. 그녀의 마음은 부드러워졌다. 그녀는 예수님의 발 앞에 자신을 던졌으며 감사한 마음으로 흐느껴 울었다. 그리고 비통한 눈물을 흘리면서 자신의 죄를 고백했다.

순결과 평안의 New Life

이것은 그녀에게 있어서 순결과 평안의 생애, 곧 하나님께 헌신한 새로운 생애의 시작이었다. 이 타락한 영혼을 일으킴에 있어서 예수께서는 가장 심한 신체의 질병을 고치는 것보다 더 큰 이적을 행하셨다. 그분은 영원한 죽음에 이르는 영적 질병을 고치셨다. 이 회개한 여인은 예수님을 가장 확고부동하게 따르는 사람들 중 하나가 되었다. 자아 희생적 사랑과 헌신으로 그 여인은 그분의 너그러운 자비에 대한 사랑을 나타냈다. 세상은 잘못을 범한 이 여인을 다만 멸시하고 조롱하기만 했으나 이 여인의 연약함을 불쌍히 여기신 죄 없는 그분은 도움의 손길을 뻗으셨다. 위선적인 바리새인들은 공공연히 비난하며 정죄했으나 그 여인에게 예수께서는 "가서 다시는 죄를 범하지 말라"라고 명하셨다.

예수께서는 각 영혼이 처한 형편을 아신다. 죄인의 죄가 클수록 그에게는 구주가 더 필요하다. 거룩한 사랑과 동정이 가득한 그분의 마음은 누구보다도 가장 무력하게 원수의 올무에 사로잡힌 사람에게 이끌린다. 그분은 그분의 피로 인류의 해방 문서에 서명하셨다.

예수께서는 그런 값을 지불하고 사신 사람들이 원수의 유혹의 놀림감이 되는 것을 바라지 않으신다. 그분은 우리가 정복당해 멸망하는 것을 바라지 않으신다. 사자 굴의 사자들의 입에 재갈을 물리시고 불꽃 가운데서 그분의 충성스러운 증인들과 함께 거니셨던 그분은 지금도 그때처럼 우리를 위해 우리의 본성 가운데 있는 모든 악을 정복할 준비를 갖추고 계신다. 오늘날 그분은 자비의 제단 앞에 서서 그분의 도움을 바라는 자들의 기도를 하나님 앞에 올리고 계신다. 그분은 울며 회개하는 사람을 결코 외면하지 않으신다. 그분은 용서와 회복을 위해 그분께 오는 모든 사람을 값없이 용서하실 것이다. 그분은 어느 누구에게도 그분이 계시하실 수 있는 모든 것을 말씀하지 않으시나 떨고 있는 모든 영혼에게 용기를 가지라고 명하신다. 하고자 하는 사람은 누구나 하나님의 능력을 붙잡고 그분과 화목할 수 있다. 그러면 그분께서 평화롭게 해 주실 것이다.

예수께서는 피난처를 찾아 그분께로 향하는 사람들을 구설의 비난과 다툼 위로 들어 올리신다. 어떤 사람이나 악한 천사도 이 영혼들을 탄핵할 수 없다. 그리스도께서는 그들을 그분 자신의 신성과 인성에 결합시키신다. 그들은 하나님의 보좌에서 나오는 빛 가운데서 죄를 지고 가는 위대하신 분 곁에 선다.

예수 그리스도의 피는 "우리를 모든 죄에서 깨끗하게"(요일 1:7) 한다.

"누가 능히 하나님께서 택하신 자들을 고발하리요 의롭다 하신 이는 하나님이시니 누가 정죄하리요 죽으실 뿐 아니라 다시 살아나신 이는 그리스도 예수시니 그는 하나님 우편에 계신 자요 우리를 위하여 간구하시는 자시니라"(롬 8:33~34).

더러운 귀신들을 통제하시는 예수의 능력

그리스도께서는 바람과 파도 그리고 귀신 들린 자들을 완전히 지배하신다는 사실을 보여 주셨다. 폭풍을 잔잔하게 하고 거친 바다를 고요하게 하신 그분은 사탄에 의해 괴로움을 당하고 압도당한 사람들의 마음에 평안을 말씀하셨다.

가버나움의 회당에서 예수께서는 죄의 노예가 된 자들을 자유롭게 하시는 그분의 사명에 대해 말씀하고 계셨다. 그때 공포에 질린 비명이 그분의 말씀을 중단시켰다. 더러운 귀신 들린 사람이 사람들 사이에서 달려 나오며 소리 질렀다. "나사렛 예수여 우리가 당신과 무슨 상관이 있나이까 우리를 멸하러 왔나이까 나는 당신이 누구인 줄 아노니 하나님의 거룩한 자니이다"(막 1:24).

예수께서는 마귀를 꾸짖으시며 말씀하셨다. "잠잠하고 그 사람에게서 나오라 하시니 귀신이 그 사람을 무리 중에 넘어뜨리고 나오되 그 사람은 상하지 아니한지라"(눅 4:35).

이 사람의 고통의 원인 역시 그 자신의 생애에 있었다. 그는 죄의 쾌락에 매혹되어 인생을 큰 축제로 만들겠다는 생각을 했다. 부절제와 천박함이 그의 성격의 고상한 특성들을 왜곡시켰으며 사탄이 완전히 그를 지배하게 되었다. 후회는 너무 늦게 찾아왔다. 잃어버린 인간성을 다시 찾기 위해 재물과 향락을 희생하려 했으나 그는 악한 자의 손아귀에 잡혀 무력해져 있었다.

구주를 대면하자 그 사람에게 자유를 얻으려는 욕망이 일어났으나 귀신

이 그리스도의 능력에 저항했다. 그 사람이 예수께 도와달라는 호소를 하려고 할 때 악한 영이 그의 입에 말을 넣었으며 그는 공포의 고뇌 중에 소리를 질렀다. 귀신 들린 사람은 자기를 해방시켜 주실 수 있는 분 앞에 있다는 사실을 어느 정도 알았다. 그러나 그가 그 강한 손을 잡을 수 있는 범위에 들어가려고 애를 쓸 때 다른 존재의 의지가 그를 억눌렀으며 그를 통해 다른 말이 나오게 했다.

사탄의 능력과 자유에 대한 그의 욕망 사이에 일어난 투쟁은 무서운 것이었다. 괴롭힘을 당하는 그 사람은 그의 인간성을 파멸시킨 원수와의 투쟁에서 여지없이 생명을 잃어버릴 것처럼 보였다. 그러나 구주께서는 권위 있게 말씀하셨고 사로잡혔던 그 사람을 해방시키셨다. 귀신 들렸던 그 사람은 놀라는 사람들 앞에서 침착한 모습으로 자유롭게 서 있었다.

그는 기쁜 음성으로 자신을 구원해 주신 하나님을 찬양했다. 바로 얼마 전까지 광증으로 번쩍이던 눈에서는 이제 지성이 빛나고 감사의 눈물이 흘러넘쳤다. 사람들은 놀라서 말을 잃었다. 말문이 트이자 그들은 서로 "이는 어찜이냐 권위 있는 새 교훈이로다 더러운 귀신들에게 명한즉 순종하는도다 하더라"(막 1:27)라고 외쳤다.

오늘날에도 가버나움의 귀신 들린 사람처럼 악한 영의 권세에 사로잡힌 사람들이 많다. 하나님의 계명에서 고의적으로 떠나는 모든 사람은 자신들을 사탄의 지배에 맡기고 있는 것이다. 많은 사람이 그들 마음대로 벗어날 수 있다고 생각하면서 악에 손을 대지만 계속해서 미혹을 당하며 마침내 그 자신의 의지보다 더 강한 의지에 지배당하는 자신을 본다. 그는 그 신비한 능력에서 벗어날 수 없다. 은밀한 죄나 지배적인 정욕은 그를 마치 가버나움의 귀신 들린 사람처럼 무력한 포로로 만들 것이다.

어떤 힘의 지배를 받을지 선택권은 자신에게 있음

그런데도 그의 상태는 아직 절망적이지 않다. 하나님께서는 우리의 동의 없이 우리의 정신을 지배하지 않으시며 각 사람에게는 자신이 어떤 힘의 지배를 받을지 선택할 자유가 있다. 그리스도 안에서 구원을 발견할 수 없을 만큼 타락하고 악한 사람은 없다. 귀신 들린 사람은 기도 대신 사탄의 말밖에 할 수 없었으나 마음속의 말하지 못한 호소는 주님께 상달되었다. 말로 표현하지 못할지라도 궁핍하여 외치는 영혼의 부르짖음은 주목받지

못하는 일이 결코 없을 것이다. 하나님과 언약을 맺는 일에 동의하는 사람들은 사탄의 능력이나 자신의 본성의 연약한 상태에 그대로 방치되지 않는다.

"용사가 빼앗은 것을 어떻게 도로 빼앗으며 승리자에게 사로잡힌 자를 어떻게 건져 낼 수 있으랴 여호와가 이같이 말하노라 용사의 포로도 빼앗을 것이요 …이는 내가 너를 대적하는 자를 대적하고 네 자녀를 내가 구원할 것임이라"(사 49:24~25).

구주를 향해 믿음으로 마음의 문을 여는 사람 안에서 이루어지는 변화는 참으로 놀라울 것이다.

열두 사도처럼 후에 그리스도께서 파견한 70인의 제자도 그들의 사명을 인증하는 표로 초자연적 능력을 받았다. 일을 마쳤을 때 그들은 기뻐하면서 돌아와 "주여 주의 이름이면 귀신들도 우리에게 항복하더이다"(눅 10:17)라고 말했다. 그러자 예수께서는 "사탄이 하늘로부터 번개같이 떨어지는 것을 내가 보았노라"(눅 10:18)라고 대답하셨다.

그 이후로 그리스도를 따르는 사람들은 사탄을 정복당한 원수로 보아야 한다. 십자가 위에서 예수께서는 그들을 위해 승리하셨으며 그분은 그들이 그 승리를 자신들의 것으로 받아들이기를 원하신다. 그분은 "내가 너희에게 뱀과 전갈을 밟으며 원수의 모든 능력을 제어할 권능을 주었으니 너희를 해칠 자가 결코 없으리라"(눅 10:19)라고 말씀하셨다.

성령의 전능한 능력은 회개하는 각 영혼을 보호하는 요새이다. 그리스도께서는 회개와 믿음으로 그리스도의 보호를 요청한 사람은 한 사람도 사탄의 세력 아래 넘어가게 허락하지 않으실 것이다. 사탄이 강한 존재인 것은 사실이나 악한 자를 하늘에서 내어 쫓으신 강하신 구주께서 우리와 함께 계심을 하나님께 감사하자. 사탄은 우리가 그의 힘을 과장할 때 기뻐한다. 왜 예수님에 대해 이야기하지 않는가? 왜 그분의 능력과 사랑을 자랑하지 않는가?

저 높은 하늘의 보좌를 두르고 있는 언약의 무지개는 "하나님이 세상을 이처럼 사랑하사 독생자를 주셨으니 이는 그를 믿는 자마다 멸망하지 않고 영생을 얻게 하려 하심이라"(요 3:16)라고 하신 말씀에 대한 영원한 증거이다. 그것은 하나님께서 악과 투쟁하는 그분의 자녀들을 결코 버리지 않으실 것이라는 사실을 우주에 증언한다. 그것은 보좌가 존속하는 한 우리에게 능력과 보호를 약속하는 보증이다.

구주를 향해 믿음으로 마음의 문을 여는 사람 안에서 이루어지는 변화는 참으로 놀라울 것이다.

08
봉사에 부르심
Call to Service

갈릴리 바다에 아침이 왔다. 예수님과 그분의 제자들은 바다에서 폭풍이 부는 하룻밤을 보낸 후 해안에 도착했으며 떠오르는 태양 빛은 평화의 축복인 듯 바다와 육지를 어루만졌다. 그러나 그들이 바닷가에 발을 딛자 태풍으로 넘실대는 바다보다 더 무서운 광경이 그들을 맞았다. 무덤 사이에 있는 은신처에서 두 미치광이가 마치 그들을 갈기갈기 찢어 놓기라도 할 것처럼 그들에게 달려들었다. 그들의 몸에는 감금된 상태에서 벗어날 때 끊은 쇠사슬 조각이 달려 있었다. 살은 찢겨 피가 흐르고 눈은 길고 헝클어진 머리카락 사이에서 번쩍이며 인간의 형상조차 사라진 것처럼 보였다. 그들은 사람보다 야수에 더 가까운 것같이 보였다.

제자들과 그 일행은 무서워 도망친다. 그러나 그들은 이내 예수께서 그들과 함께 계시지 않은 것을 깨닫고 그분을 찾기 위해 돌아선다. 그분은 그들이 그분을 버리고 떠나간 그 자리에 서 계신다. 폭풍을 잔잔케 하시고 이미 사탄에 맞서 그를 정복하신 그분은 이 귀신들 앞에서 도망하지 않으신다. 그 사람들이 이를 갈며 입에 거품을 물고 그분께 접근할 때 예수께서 파도를 잔잔케 하신 그 손을 드시자 그들은 더 이상 가까이 접근해 오지 못한다. 그들은 그분 앞에서 사납게 날뛰지만 어쩌지 못한다.

그분은 권위를 가지고 더러운 영들에게 그들에게서 나오라고 명령하신다. 그 불행한 사람들은 그들을 괴롭히는 귀신에게서 그들을 구원해 줄 수 있는 분이 가까이 계심을 깨닫는다. 그들은 구주의 자비를 간청하기 위해 그분의 발 앞에 엎드리나 그들의 입술이 열렸을 때 귀신들이 그들을 통해 외친다. "하나님의 아들이여 우리가 당신과 무슨 상관이 있나이까 때가 이르기 전에 우리를 괴롭게 하려고 여기 오셨나이까"(마 8:29).

세속적 이익을 위해 예수를 거절하는 사람들

그 악한 영들은 그들의 희생자들을 놓아줄 수밖에 없다. 그러자 놀라운 변화가 귀신 들린 자들에게서 일어난다. 빛이 그들의 마음속에 비친다. 그들의 눈은 지성으로 빛난다. 그토록 오랫동안 사탄의 형상으로 일그러져 있던 얼굴이 갑자기 부드러워지고 피 묻은 손은 다소곳해지며 그들은 음성을 높여 하나님을 찬양한다.

한편 사람에게서 쫓겨난 귀신들은 돼지 떼로 들어가 그것들을 멸망시킨다. 돼지를 지키던 자들이 그 소식을 전하러 급히 달려간다. 온 동네 사람이 예수님을 만나기 위해 몰려든다. 귀신 들린 두 사람은 마을에서 공포의 대상이었다. 이제 이 사람들은 옷을 입고 올바른 정신으로 예수님의 발 앞에 앉아서 그분의 말씀에 귀를 기울이며 자신들을 건강하게 해 주신 예수님의 이름을 찬양하고 있다. 그러나 이 놀라운 광경을 보는 사람들은 기뻐하지 않는다. 그들에게는 돼지를 잃어버린 것이 이 사탄의 포로들이 구원받은 것보다 더 중요한 일인 것처럼 보인다. 그들은 두려운 마음으로 예수님의 주위에 모여들어 그분이 그들에게서 떠나기를 간곡히 요청한다. 예수께서는 그들의 요구대로 건너편 해안으로 가기 위해 즉시 배에 오르신다.

그러나 회복된 광인들의 생각은 아주 다르다. 그들은 그들을 구원하여 주신 분과 함께 있기를 원한다. 그들은 그분이 계실 때 그들의 삶을 고통스럽게 하고 그들의 생애를 헛되이 보내게 한 귀신들에게서 벗어나 안전하다고 느낀다. 예수께서 배에 오르려고 하실 때 그들은 예수님 곁에 가까이 있다가 그분의 발 앞에 무릎을 꿇고 그분의 말씀을 들을 수 있도록 그분 곁에 남아 있게 해 달라고 간청한다. 그러나 예수께서는 그들에게 집으로 돌아가서 주님께서 그들을 위해 얼마나 위대한 일들을 행하셨는지를 이야기하라고 명하신다.

여기에 그들이 해야 할 일이 있다. 그것은 이교도인 자신의 가정에 가서 그들이 예수께 받은 복을 이야기하는 것이다. 구주와 헤어지는 것은 그들에게 어려운 일이다. 이교도들인 동료들과 교제할 때 그들에게는 큰 어려움이 있을 것이다. 그리고 사회에서 오랫동안 격리되어 있었으므로 그들은 이 일을 할 자격이 없는 것처럼 보인다. 그러나 그분이 그들의 의무를 지적하실 때 그들은 즉시 순종한다.

데가볼리 지방의 최초의 선교사가 되다

그들은 집안사람들과 이웃 사람들에게 예수님에 관해 이야기했을 뿐 아니라 데가볼리 지방을 두루 다니며 구원하시는 그분의 능력을 선포하고 그분이 어떻게 마귀에게서 그들을 해방시켜 주셨는지에 대해 이야기했다.

거라사 사람들이 예수님을 영접하지 않았을지라도 예수께서는 그들이 선택한 흑암 가운데 그들을 버려두지 않으셨다. 예수께 떠나시기를 요청했을 때 그들은 그분의 말씀을 들은 적이 없었다. 그들은 그들이 거절하고 있는 것이 무엇인지 알지 못했다. 그러므로 그분은 그들이 듣기를 거절하지 아니할 사람들을 통해 그들에게 빛을 보내셨다.

돼지를 죽임으로써 사람들을 구주에게서 돌아서게 하고 그 지방에 복음이 전파되지 못하게 하는 것이 사탄의 목적이었다. 그러나 바로 이 사건은 그 외에 달리는 결코 성취할 수 없는 방법으로 그 지방을 각성시켰고 그리스도께 주의가 집중되었다. 비록 구주께서는 떠나셨지만 그분이 고쳐 주신 사람들은 그분의 능력에 대한 증인들로 남아 있었다. 흑암의 왕의 매개체였던 사람들은 빛의 통로, 곧 하나님의 아들의 기별자들이 되었다. 예수께서 데가볼리로 돌아오셨을 때 사람들이 그분 주위로 모여들었으며 3일 동안 주변의 모든 지방에서 모여든 수많은 사람이 구원의 기별을 들었다.

회복한 두 광인은 그리스도께서 데가볼리 지방에 복음을 가르치도록 파견한 최초의 선교사들이었다. 이 사람들은 다만 잠깐 그분의 말씀을 들었을 뿐이었다. 그들은 예수님의 입에서 나오는 설교를 제대로 들은 적이 없었다. 그들은 매일 그리스도와 함께 있었던 제자들이 가르칠 수 있는 것처럼 사람들을 가르칠 수 없었다. 그러나 그들은 그들이 아는 것, 곧 구주의 능력에 대해 그들이 직접 보고 듣고 느낀 것을 말할 수 있었다. 이것은 하나님의 은혜로 마음에 감동을 받은 각 사람이 할 수 있는 일이다. 이것은 우리 주께서 우리를 부르셔서 증언하게 하시는 증거인데 이것이 부족해서 세상은 멸망하고 있다.

복음을 '이론'이 아닌 '산 능력'으로 제시함

　복음은 생명 없는 이론으로 제시될 것이 아니라 생애를 변화시키는 산 능력으로 제시되어야 한다. 하나님께서는 그분의 은혜를 통해 사람들이 그리스도와 같은 성품을 소유할 수 있고 그분의 위대한 사랑의 보증 안에서 기뻐할 수 있다는 사실을 그분의 종들이 증언하기를 바라신다. 그분은 구원을 받아들인 모든 사람이 그분의 아들과 딸로서의 거룩한 특권을 되찾아 누리기 전에는 결코 그분이 만족하실 수 없다는 사실을 우리가 증언하기를 원하신다.

　하나님께서는 그분께 가장 무례한 노선을 걸어온 사람들이라도 너그럽게 받아 주신다. 그들이 회개할 때 그분은 거룩한 성령을 그들에게 주시고 그들을 불충실한 자들의 진영으로 보내셔서 그분의 자비를 선포하게 하신다. 사탄의 도구로 타락했던 영혼들이 지금도 여전히 그리스도의 능력을

하나님께서는 그분의 은혜를 통해 사람들이 그리스도와 같은 성품을 소유할 수 있고 그분의 위대한 사랑의 보증 안에서 기뻐할 수 있다는 사실을 그분의 종들이 증언하기를 바라신다.

통해 의의 사자로 바뀌어 주님께서 그들을 위해 얼마나 큰일을 행하시고 그들을 불쌍히 여기셨는지 말하도록 파견된다.

가버나움의 여인이 믿음으로 고침을 받은 후 예수께서는 그 여인이 받은 복을 인정하기를 원하셨다. 복음이 제공하는 선물은 몰래 간직하거나 비밀리에 즐겨서는 안 된다.

"너희는 나의 증인이요
나는 하나님이니라."
- 이사야 43장 12절

하나님의 성실하심을 우리가 고백하는 것은 그리스도를 세상에 드러내기 위해 하늘이 택한 수단이다. 우리는 옛날의 거룩한 사람들을 통해 알려진 하나님의 은혜를 인정해야 하나 가장 효과적인 것은 우리 자신의 경험에 대한 간증이다. 우리는 신성한 능력의 활동을 우리 속에 드러내는 하나님의 증인들이다. 각 개인은 다른 모든 사람과 구별되는 생애를 살며 본질적으로 그들의 경험과 다른 경험을 한다. 하나님께서는 우리 자신의 개성으로 특징지어진 찬송을 그분께 드리기를 원하신다. 그리스도와 닮은 생애를 살면서 그분의 은혜의 영광을 감사한 마음으로 찬양하게 되면 영혼 구원 사업에 강력한 능력을 발휘하게 된다.

하나님의 모든 선물을 우리의 기억 속에 생생하게 간직하는 것은 우리 자신의 유익을 위해서이다. 이를 통해 믿음이 강해져서 더 많은 것을 요청하고 받을 수 있게 된다. 다른 사람들의 믿음과 경험에 대해 읽을 수 있는 모든 이야기보다 우리 자신이 하나님께 직접 얻는 가장 작은 복 속에서 우리는 더 큰 격려를 받는다. 하나님의 은혜에 응하는 사람은 물 댄 동산과 같을 것이다. 그의 치료는 급속할 것이며 그의 빛은 흑암 중에서 발할 것이며 여호와의 영광이 그에게서 나타날 것이다.

"내게 주신 모든 은혜를
내가 여호와께 무엇으로 보답할까
내가 구원의 잔을 들고
여호와의 이름을 부르며
여호와의 모든 백성 앞에서
나는 나의 서원을 여호와께 갚으리로다."
– 시편 116편 12~14절

"내가 주를 찬양할 때에 나의 입술이 기뻐 외치며
주께서 속량하신 내 영혼이 즐거워하리이다
나의 혀도 종일토록 주의 의를 작은 소리로 읊조리오리니."
"주 여호와여…주는 내가 어릴 때부터 신뢰한 이시라 …
나는 항상 주를 찬송하리이다."
"내가 왕의 이름을 만세에 기억하게 하리니
그러므로 만민이 왕을 영원히 찬송하리로다."
– 시편 71편 22~24, 5~6절; 45편 17절

복음의 기별은 모든 사람에게 전파되어야 함

복음의 초청은 범위를 좁혀서 다만 선택된 소수의 사람, 곧 그들이 복음을 받아들이면 우리에게 영광이 될 것이라고 생각되는 사람들에게만 제시되어서는 안 된다. 그 기별은 모든 사람에게 전해져야 한다. 하나님께서 그분의 자녀들에게 복 주시는 것은 그들 자신만을 위한 것이 아니라 세상을 위한 것이다. 그분이 우리에게 선물을 주시는 대로 우리는 그것을 나누어 줌으로써 증가시켜야 한다.

야곱의 우물가에서 예수님과 이야기한 사마리아 여인은 구주를 발견하자마자 다른 사람들을 그분께 데려왔다. 그 여인은 예수님의 제자들보다 오히려 더 유능한 선교사임을 스스로 입증했다. 제자들은 사마리아가 유망한 선교지라는 것을 보여 주는 그 어떤 점도 발견하지 못했다. 그들의 생각은 장차 이루어야 할 큰 사업에 고정되어 있었다. 그들은 그들 바로 주위에 거두어야 할 수확물이 있다는 것을 깨닫지 못했다. 그러나 그들이 멸시하던 그 여인으로 말미암아 온 동네가 예수님의 말씀을 들으러 나왔다. 그 여인은 즉시 그 빛을 자기 동네 사람들에게 전했다.

이 여인은 그리스도를 믿는 실천적인 신앙의 활동을 설명해 주는 예증이다. 모든 참된 제자는 하나님의 나라에서 선교사로 태어난다. 구주를 알자마자 그는 다른 사람들에게 그분을 알려 주기를 원한다. 그는 구원하며 거룩하게 하는 진리를 그의 마음속에 숨겨 둘 수 없다. 생명수를 마시는 사람은 생명의 샘이 된다. 받는 자는 주는 자가 된다. 심령 속에 있는 그리스도의 은혜는 사막에 있는 샘과 같다. 그것은 솟아나 모든 사람을 새롭게 하며 죽어 가는 사람들로 하여금 생명수를 마시려는 간절한 소망을 갖게 한다. 이 일을 함으로써 우리는 단지 우리 자신을 유익하게 하기 위해 일하는 것보다 더 큰 복을 받게 된다. 구원의 복음을 전하기 위해 일함으로써 우리는 구주께 더 가까이 가게 되는 것이다.

그분의 은혜를 받는 사람들에 대해 주님은 다음과 같이 말씀하신다. "내가 그들에게 복을 내리고 내 산 사방에 복을 내리며 때를 따라 소낙비를 내리되 복된 소낙비를 내리리라"(겔 34:26).

"명절 끝 날 곧 큰 날에 예수께서 서서 외쳐 이르시되 누구든지 목마르거든 내게로 와서 마시라 나를 믿는 자는 성경에 이름과 같이 그 배에서 생수의 강이 흘러나오리라"(요 7:37~38).

받은 사람들은 다른 사람들에게 나누어 주어야 한다. 각 방면에서 도와 달라는 요청이 들어온다. 하나님께서는 동료 사람들에게 기쁘게 봉사하라고 사람들을 부르신다. 영생의 면류관을 얻어야 한다. 하늘나라를 소유해야 한다. 지식이 없음으로 죽어 가는 세상을 밝혀야 한다.

"너희는 넉 달이 지나야 추수할 때가 이르겠다 하지 아니하느냐 그러나 나는 너희에게 이르노니 너희 눈을 들어 밭을 보라 희어져 추수하게 되었도다 거두는 자가 이미 삯도 받고 영생에 이르는 열매를 모으나니"(요 4:35~36).

모든 사람에게는 무엇인가 할 일이 있음

3년 동안 제자들은 예수님의 훌륭한 모본을 목격했다. 날마다 그들은 수고하고 무거운 짐 진 자들을 격려하는 그분의 말씀을 들으며, 병들고 고통 당하는 자들을 위해 그분이 능력을 나타내시는 것을 보며 그분과 함께 걷고 이야기했다. 그들을 떠나실 때가 되었을 때 그분은 그들에게 그분의 이름으로 그분의 사업을 수행해 나갈 은혜와 능력을 주셨다. 그들은 그분의 사랑과 치유의 복음의 빛을 널리 비춰야 했다. 그리고 구주께서는 언제나 그들과 함께하시겠다고 약속하셨다. 그분은 성령을 통해 그분이 사람들 사이를 직접 걸어 다니셨던 때보다 그들과 더 가까이 계실 것이다.

제자들이 한 일을 우리도 해야 한다. 모든 그리스도인은 선교사가 되어야 한다. 우리는 동정과 불쌍히 여기는 마음으로 도움이 필요한 사람들에게 봉사해야 하며 이타적 열성으로 고통 당하는 인류의 불행을 가볍게 하기 위해 노력해야 한다.

모든 사람이 무엇인가 할 일을 찾을 수 있다. 어떤 사람도 그리스도를 위해 일할 곳이 없다고 생각할 필요가 없다. 구주께서는 그분 자신을 인류의 각 자녀와 동일시하신다. 우리를 하늘 가족의 일원이 되게 하시려고 그분은 지상 가족의 일원이 되셨다. 그분은 인자이시며 따라서 아담의 모든 아들딸과 형제가 되신다. 그분을 따르는 사람들은 죽어 가는 세상에서 자신들이 분리되어 있다고 생각해서는 안 된다. 그들은 인간이라는 큰 직물의 일부분이므로 하늘은 그들을 성도들의 형제로 여기는 것은 물론이요 죄인들의 형제로도 여긴다.

질병과 무지와 죄에 빠진 무수한 사람은 결코 그들을 향한 그리스도의 사랑에 대해 들어야 할 만큼 들어 본 적이 없다. 만일 우리의 입장이 그들의 입장과 바뀐다면 우리는 그들이 우리에게 무엇을 해 주기를 바랄 것인가? 그 모든 것을 우리의 힘이 자라는 대로 그들을 위해 해 주어야 한다. 심판 때에 우리 각 사람이 설 것인지 넘어질 것인지를 결정하는 그리스도의 생명의 법칙은 "그러므로 무엇이든지 남에게 대접을 받고자 하는 대로 너희도 남을 대접하라"(마 7:12)라는 것이다.

우리를 다른 사람보다 더 유리하게 하는 모든 것, 곧 교육, 품위, 품성의 고결함, 그리스도인 훈련, 종교적 경험으로 인해 우리는 우리보다 혜택을 적게 받은 사람들에게 빚을 지고 있다. 그러므로 우리는 우리의 힘이 자라는 대로 그들에게 봉사해야 한다. 우리가 강하다면 약한 자의 손을 붙들어 주어야 한다.

하늘에서 하늘 아버지의 얼굴을 항상 뵈옵는 영광의 천사들은 하나님의 어린 자녀들을 섬기는 일을 기뻐한다. 천사들은 그들이 가장 필요한 곳에 언제나 나타나며 자신과의 가장 어려운 싸움을 싸우는 자들과 함께하며 가장 실망스러운 환경에 처한 자들과 함께한다. 바람직하지 못한 성품의 특질을 많이 가진 연약하고 떠는 영혼들은 그들의 특별한 돌봄의 대상이다. 이기적인 마음을 가진 사람들은 비참하고 모든 면에서 품성이 열등한 사람들에게 봉사하는 일을 굴욕적인 봉사로 간주하지만 그것이 바로 하늘 조정에서 온 순결하고 죄 없는 천사들이 하는 사업이다.

가장 부요하신 분께서 나를 위해 가난하게 되셨음

예수께서는 우리가 잃어버린 바 되어 있는 한 천국을 머물고 싶은 곳으로 여기지 않으셨다. 그분은 비난과 모욕의 생애 그리고 수치스러운 죽음을 당하기 위해 하늘 궁정을 떠나셨다. 하늘의 무한한 보화로 부요하셨던 그분이 가난하게 되신 것은 그분의 궁핍을 통해 우리를 부요하게 하시기 위함이었다. 우리는 그분이 가신 길을 따라가야 한다.

하나님의 자녀가 되는 사람은 이제부터 자기 자신을 세상을 구원하기 위해 드리워진 사슬의 한 고리로서 그리스도의 자비로운 계획에서 그분과 하나가 되도록 해야 한다. 그리고 잃어버린 자들을 찾아 구원하기 위해 그분과 함께 나아가는 사람이 되어야 한다.

하나님의 자녀가 되는 사람은
이제부터 자기 자신을 세상을 구원하기 위해 드리워진 사슬의 한 고리로서
그리스도의 자비로운 계획에서 그분과 하나가 되도록 해야 한다.
그리고 잃어버린 자들을 찾아 구원하기 위해
그분과 함께 나아가는 사람이 되어야 한다.

많은 사람이 그리스도께서 지상에서 사셨던 장소들을 방문하여 그분이 걸으셨던 곳을 걸어보고 그분이 가르치기를 좋아하셨던 호숫가와 그분의 눈이 그처럼 자주 머물렀던 들과 골짜기를 바라보는 것이 큰 특권이라고 생각한다. 그러나 우리는 예수님의 발자취를 따라가기 위해 나사렛이나 가버나움이나 베다니로 갈 필요가 없다. 우리는 병상 곁에서, 가난한 오두막에서, 대도시의 사람이 많은 뒷골목에서 그리고 마음의 위로가 필요한 어느 곳에서든지 그분의 발자취를 발견할 수 있다.

우리는 주린 자들을 먹이고, 벗은 자들을 입히고, 고통과 괴로움을 당하는 자들을 위로해야 한다. 우리는 낙심한 사람들에게 봉사하며 절망한 사람들에게 희망을 불어넣어야 한다.

이타적인 봉사에 나타난 그리스도의 사랑은 악을 행하는 자를 개혁시키는 일에 있어서 칼이나 법정의 판결보다 더 효과적일 것이다.

오늘날 호기심에 찬 군중이 그리스도를 보고 그분의 음성을 들으려고 한적한 장소에 몰려드는 일은 없다. 그분의 음성이 변화한 거리에서 들리는 일은 없다. 길거리에서 "나사렛 예수께서 지나가신다"(눅 18:37)라고 외치지도 않는다.

그러나 이 말은 오늘날에도 해당된다. 그리스도께서는 보이지 않게 거리를 걸어 다니신다. 그분은 자비의 기별을 가지고 우리 가정을 찾아오신다. 그분은 그분의 이름으로 봉사하기 위해 노력하는 모든 사람과 협력하려고 기다리신다. 만일 우리가 그분을 영접하기만 하면 그분은 치료해 주시고 복을 주시기 위해 우리 가운데에 계실 것이다.

이타적인 봉사에 나타난 그리스도의 사랑은 악을 행하는 자를 개혁시키는 일에 있어서 칼이나 법정의 판결보다 더 효과적일 것이다.

Part Three

더욱 고상한 생활

The Higher Life

"그대는 기도하는 사람이 되어야 한다. 그대의 간구는 미약하거나 이따금씩 하는 변덕스러운 것이 아닌 진지하고 끈기 있고 변함없는 것이 되어야 한다. 도움과 빛과 힘을 조용히 간구하기 위해 그대의 마음을 계속 위로 향하게 하라. 매 호흡을 기도가 되게 하라."

You must be men and women of prayer. Your petitions must not be faint, occasional, and fitful, but earnest, persevering, and constant.

제9장 우리가 하나님을 알 수 있을까? / 제10장 진리를 탐구함 / 제11장 비교할 수 없는 책
제12장 매일의 신앙 / 제13장 대인 관계 / 제14장 최고의 경험

09 우리가 하나님을 알 수 있을까?
May We Know God?

우리 구주처럼 우리는 하나님께 봉사하기 위해 이 세상에 존재한다. 우리는 하나님의 품성을 닮고 봉사의 생애로 그분을 세상에 드러내기 위해 이곳에 있다. 하나님과 함께 일하고 그분을 닮고 그분의 품성을 나타내기 위해 우리는 그분을 올바로 알아야 한다. 우리는 그분이 자신을 계시해 주신 그대로 그분을 알아야 한다.

하나님을 아는 것이 모든 참교육과 모든 참봉사의 기초이다. 그것은 유혹을 방지해 주는 유일한 참보호막이다. 이것만이 우리를 하나님의 품성처럼 만들어 줄 수 있다.

이것은 동료 인간들을 향상시키기 위해 일하는 모든 사람에게 필요한 지식이다. 품성의 변화, 생애의 순결, 봉사의 능률, 바른 원칙의 고수는 모두 하나님을 아는 올바른 지식에 달려 있다. 그 지식은 현세와 내세의 삶을 위한 필수적인 준비이다.

"거룩하신 자를 아는 것이 명철이니라"(잠 9:10).

하나님을 아는 지식을 통해 "생명과 경건에 속한 모든 것"(벧후 1:3)이 우리에게 주어진다.

예수께서는 "영생은 곧 유일하신 참하나님과 그가 보내신 자 예수 그리스도를 아는 것이니이다"(요 17:3)라고 말씀하셨다.

> "지혜로운 자는 그의 지혜를 자랑하지 말라
> 용사는 그의 용맹을 자랑하지 말라
> 부자는 그의 부함을 자랑하지 말라
> 자랑하는 자는 이것으로 자랑할지니
> 곧 명철하여 나를 아는 것과
> 나 여호와는 사랑과 정의와 공의를
> 땅에 행하는 자인 줄 깨닫는 것이라
> 나는 이 일을 기뻐하노라 여호와의 말씀이니라."
> – 예레미야 9장 23~24절

우리는 하나님께서 자신에 관해 주신 계시를 연구할 필요가 있다.

"너는 하나님과 화목하고 평안하라

그리하면 복이 네게 임하리라

청하건대 너는 하나님의 입에서 교훈을 받고

하나님의 말씀을 네 마음에 두라 …

그리하면 전능자가 네 보화가 되시며…

이에 네가 전능자를 기뻐하여

하나님께로 얼굴을 들 것이라

너는 그에게 기도하겠고

그는 들으실 것이며

너의 서원을 네가 갚으리라

네가 무엇을 결정하면 이루어질 것이요

네 길에 빛이 비치리라

사람들이 너를 낮추거든 너는 교만했노라고 말하라

하나님은 겸손한 자를 구원하시리라."

- 욥기 22장 21~29절

자연은 지금도 하늘 파라다이스를 반사함

"창세로부터 그의 보이지 아니하는 것들 곧 그의 영원하신 능력과 신성이 그가 만드신 만물에 분명히 보여 알려졌나니"(롬 1:20).

우리가 지금 보는 천연계의 사물은 에덴동산의 영광을 그저 희미하게 보여 줄 뿐이다. 죄는 지상의 아름다움을 훼손시켰다. 모든 사물에서 죄악의 흔적을 볼 수 있다. 그러나 아직도 아름다운 것들이 많이 남아 있다. 자연계는 능력이 무한하시고 은혜와 자비와 사랑이 많으신 분이 지구를 창조하시고 그 안에 생명과 기쁨으로 충만케 하셨다는 사실을 입증한다. 비록 훼손된 상태지만 만물은 위대한 예술가이신 하나님의 솜씨를 보여 준다. 어디를 향해도 우리는 하나님의 음성을 들으며 그분의 선하신 증거를 볼 수 있다.

> 자연계는 능력이 무한하시고 은혜와 자비와 사랑이 많으신 분이 지구를 창조하시고 그 안에 생명과 기쁨으로 충만케 하셨다는 사실을 입증한다.

웅장한 천둥의 장엄한 울림과 오래된 대양의 끊임없는 파도 소리에서, 멜로디가 담긴 음성으로 숲속을 장식하는 즐거운 노래에 이르기까지 수많은 자연계의 음성은 하나님을 찬양한다. 놀라운 색조와 색깔을 띠고 화려한 대비가 다양하며 조화롭게 어우러진 땅과 바다와 하늘에서 우리는 하나님의 영광을 본다. 영원한 산들은 우리에게 하나님의 능력을 말해 준다. 햇빛 속에서 푸른 깃발을 날리는 나무들과 섬세한 아름다움을 가진 꽃들은 그것들을 만드신 창조주를 가리킨다. 갈색 대지를 덮은 싱그러운 푸른 풀은 가장 미천한 피조물까지 돌보시는 하나님의 보살핌에 대해 말해 준다. 바다의 동굴들과 땅의 깊은 곳은 그분의 보화를 드러낸다. 진주를 바닷속에, 자수정과 귀감람석을 바위 속에 두신 하나님은 아름다움을 사랑하는 분이다. 하늘에 떠오르는 태양은 만물의 생명과 빛이 되시는 하나님을 의미한다. 땅을 아름답게 꾸며 주고 하늘을 밝혀 주는 모든 광채와 아름다움은 하나님에 대해 말한다.

"그의 영광이 하늘을 덮었고."

"주께서 지으신 것들이 땅에 가득하니이다."

"날은 날에게 말하고

밤은 밤에게 지식을 전하니

언어도 없고 말씀도 없으며

들리는 소리도 없으나

그의 소리가 온 땅에 통하고

그의 말씀이 세상 끝까지 이르도다."

− 하박국 3장 3절; 시편 104편 24절; 19편 2~4절

만물은 하나님의 부드럽고 아버지 같은 보호와 자녀들을 행복하게 하시려는 그분의 소원에 대해 말한다.

모든 자연계를 통해 작용하며 만물을 유지시키는 강력한 힘은 어떤 과학자들이 말하듯이 단지 만물에 가득한 원리, 곧 동작시키는 에너지가 아니다. 하나님은 영이시다. 그리고 그분은 인격적인 존재이시다. 이는 하나님께서 그분 자신을 그렇게 계시해 주셨기 때문이다.

"오직 여호와는 참하나님이시요

살아 계신 하나님이시요

영원한 왕이시라 …

천지를 짓지 아니한 신들은 땅 위에서,

이 하늘 아래에서 망하리라 하라

야곱의 분깃은 이 같지 아니하시니

그는 만물의 조성자요

이스라엘은 그의 기업의 지파라

여호와께서 그의 권능으로 땅을 지으셨고

그의 지혜로 세계를 세우셨고 그의 명철로 하늘을 펴셨으며."

− 예레미야 10장 10, 11, 16, 12절

'예술 작품'보다는 '예술가'가 영광을 받아야 함

자연계 속에 있는 하나님의 작품들은 본질상 하나님 자신이 아니다. 자연계의 사물들은 하나님의 품성과 능력의 표현이다. 우리는 자연계를 하나님으로 생각해서는 안 된다. 인간의 예술적인 기술은 매우 아름다운 작품, 곧 사람의 눈을 즐겁게 하는 것을 만들어 낸다. 그것들은 그 작품을 구상한 사람의 생각에 대해 무엇인가를 드러낸다. 그러나 그 작품은 그것을 만든 사람이 아니다. 영광을 받아야 할 대상은 작품이 아니고 그 작품을 만든 사람이다. 그와 마찬가지로 자연계가 하나님의 생각을 표현하고 있을지라도 높임을 받아야 할 대상은 자연계가 아니라 자연계를 지으신 하나님이시다.

"오라 우리가 굽혀 경배하며

우리를 지으신 여호와 앞에 무릎을 꿇자."

"땅의 깊은 곳이 그의 손안에 있으며

산들의 높은 곳도 그의 것이로다

바다도 그의 것이라 그가 만드셨고

육지도 그의 손이 지으셨도다."

"묘성과 삼성을 만드시며

사망의 그늘을 아침으로 바꾸시고

낮을 어두운 밤으로 바꾸시며

바닷물을 불러 지면에 쏟으시는 이를 찾으라

보라 산들을 지으며 바람을 창조하며 자기 뜻을 사람에게 보이며."

"그의 궁전을 하늘에 세우시며

그 궁창의 기초를 땅에 두시며

바닷물을 불러 지면에 쏟으시는 이니

그 이름은 여호와시니라."

– 시편 95편 6, 4, 5절; 아모스 5장 8절; 4장 13절; 9장 6절

창조 사업은 과학으로 설명할 수 없다. 어떤 과학이 생명의 신비를 설명할 수 있겠는가?

"믿음으로 모든 세계가 하나님의 말씀으로 지어진 줄을 우리가 아나니 보이는 것은 나타난 것으로 말미암아 된 것이 아니니라"(히 11:3).

"나는 빛도 짓고 어둠도 창조하며…

나는 여호와라 이 모든 일을 행하는 자니라 …

내가 땅을 만들고 그 위에 사람을 창조하였으며

내가 내 손으로 하늘을 펴고

하늘의 모든 군대에게 명령하였노라

내가 그들을 부르면 그것들이 일제히 서느니라."

– 이사야 45장 7, 12절; 48장 13절

지구를 창조하실 때 하나님께서는 이미 존재하던 물질에 의존하지 않으셨다. "그가 말씀하시매 이루어졌으며 명령하시매 견고히 섰도다"(시 33:9). 물질적이거나 영적인 것을 막론하고 만물이 주 여호와께서 말씀하시자 그분 앞에 섰으며 그분의 목적대로 창조되었다. 하늘과 그 가운데 있는 모든 무리, 지구와 그 가운데 있는 만물은 그분의 입 기운에 의해 존재하게 되었다.

사람의 창조에서 인격적인 하나님의 행위가 나타났다. 하나님께서 그분의 형상대로 사람을 창조하셨을 때 인간의 형체는 그 모든 구조가 완전하였으나 생명은 없었다. 그때에 인격체이시며 스스로 존재하시는 하나님께서 그 형체에 생기를 불어넣으셨으며 사람은 생명을 가진 지성적 존재가 되었다. 인체의 모든 부분이 움직이기 시작했다. 심장, 동맥, 정맥, 혀, 손, 발, 감각, 정신 기능 등 이 모든 것이 활동을 시작했으며 모든 것이 법칙의 지배를 받게 되었다. 사람은 생령이 되었다. 인격적인 하나님께서는 말씀이신 그리스도를 통해 사람을 창조하시고 그에게 지성과 능력을 부여하셨다.

사람이 은밀하게 하나님의 마음속에서 지음을 받았을 때 우리의 형체는 하나님 앞에 드러났다. 아직 이루어지지 않았으나 그분의 눈은 우리의 형체를 보셨으며 우리의 모든 지체는 아직 아무것도 존재하기 전에 하나님의 책에 기록되었다.

하나님께서는 그분의 창조 사업의 최고의 작품인 사람을 모든 하등 생물보다 뛰어나게 하여 그분의 사상을 표현하고 그분의 영광을 나타내도록 계획하셨다. 그러나 사람은 자신을 하나님처럼 높여서는 안 된다.

"온 땅이여 여호와께 즐거운 찬송을 부를지어다

기쁨으로 여호와를 섬기며

노래하면서 그의 앞에 나아갈지어다

여호와가 우리 하나님이신 줄 너희는 알지어다

그는 우리를 지으신 이요 우리는 그의 것이니

그의 백성이요 그의 기르시는 양이로다

감사함으로 그의 문에 들어가며

찬송함으로 그의 궁정에 들어가서

그에게 감사하며 그의 이름을 송축할지어다

너희는 여호와 우리 하나님을 높이고

그 성산에서 예배할지어다

여호와 우리 하나님은 거룩하심이로다."

– 시편 100편 1~4절; 99편 9절

하나님께서는 그분이 창조하신 것들을 끊임없이 유지하시고 그분의 일꾼으로 사용하신다. 그분은 자연계의 법칙을 그분의 도구로 사용하시며 그것을 통해 일하신다. 자연계의 법칙은 스스로 작용하지 않는다. 자연계는 자신의 뜻에 따라 만물을 움직이시는 분의 지성적인 존재와 활동적인 기능에 대해 그 자체의 작용을 통해 입증한다.

"여호와여 주의 말씀은 영원히 하늘에 굳게 섰사오며

주의 성실하심은 대대에 이르나이다

주께서 땅을 세우셨으므로 땅이 항상 있사오니

천지가 주의 규례들대로 오늘까지 있음은

만물이 주의 종이 된 까닭이니이다."

"여호와께서 그가 기뻐하시는 모든 일을

천지와 바다와 모든 깊은 데서 다 행하셨도다."

"저가 명하시매 지음을 받았음이로다

저가 또 그것들을 영영히 세우시고

폐치 못할 명을 정하셨도다."

— 시편 119편 89~91절; 135편 6절; 148편 5~6절

지구가 해마다 풍성한 산물을 내고 태양의 주위를 계속해서 도는 것은 그 본래 가진 힘에 의한 것이 아니다. 무한하신 분의 손이 이 행성을 영속적으로 이끌고 있는 것이다. 지구가 제 위치에서 자전을 유지하는 것은 하나님의 능력 때문이다. 태양을 하늘에 떠오르게 하는 분은 하나님이시다. 그분이 하늘의 창문을 열고 비를 내려 주신다.

"눈을 양털같이 내리시며

서리를 재같이 흩으시며."

"그가 목소리를 내신즉

하늘에 많은 물이 생기나니

그는 땅끝에서 구름이 오르게 하시며

비를 위하여 번개 치게 하시며

그 곳간에서 바람을 내시거늘."

- 시편 147편 16절; 예레미야 10장 13절

초목을 무성하게 하고, 온갖 나뭇잎을 나게 하고, 갖가지 꽃을 피게 하고, 열매를 자라게 하는 것은 하나님의 능력이다.

지구가 해마다 풍성한 산물을 내고 태양의 주위를 계속해서 도는 것은 그 본래 가진 힘에 의한 것이 아니다.
무한하신 분의 손이 이 행성을 영속적으로 이끌고 있는 것이다.

창조주의 걸작품인 '사람'

인체 구조는 완전히 이해할 수 없다. 그것은 가장 머리 좋은 사람들도 풀지 못하는 신비를 제시한다. 맥박이 뛰고 호흡이 계속되는 것은 일단 작동시켜 놓으면 계속해서 일하는 기계 장치와 같은 것이 아니다. 우리는 하나님 안에서 살고 움직이고 존재한다. 고동치는 심장, 뛰는 맥박, 살아 있는 유기체 안에 있는 모든 신경과 근육은 항상 임재하시는 하나님의 능력에 의해 질서를 유지하고 활동을 계속한다.

성경은 높고 거룩한 곳에 계시는 하나님께서는 무활동 상태에 계시거나 침묵과 고독에 잠겨 계시지 않고 그분의 뜻을 행하기 위해 언제나 기다리고 있는 천천만만의 거룩한 천사들에게 둘러싸여 계심을 우리에게 보여 준다. 그분은 이 사자들을 통해 그분의 모든 통치 영역과 활발한 통신을 하신다. 그분의 성령을 통해 그분은 어디에나 계신다. 그분의 성령과 천사들의 활동을 통해 그분은 인간 자녀들에게 봉사하신다.

하나님께서는 지구의 혼란을 초월한 보좌에 앉아 계신다. 모든 것이 그분의 거룩한 살핌에 노출된다. 크고 조용한 영원의 관점에서 그분은 당신의 섭리를 가장 잘 볼 수 있으시다.

"사람의 길이 자신에게 있지 아니하니
걸음을 지도함이 걷는 자에게 있지 아니하니이다."
"너는 마음을 다하여 여호와를 신뢰하고…
너는 범사에 그를 인정하라

그리하면 네 길을 지도하시리라."

"여호와는 그를 경외하는 자

곧 그의 인자하심을 바라는 자를 살피사

그들의 영혼을 사망에서 건지시며

그들이 굶주릴 때에 그들을 살리시는도다."

"하나님이여 주의 인자하심이 어찌 그리 보배로우신지요

사람들이 주의 날개 그늘 아래에 피하나이다."

– 예레미야 10장 23절; 잠언 3장 5~6절; 시편 33편 18~19절; 36편 7절

"야곱의 하나님을 자기의 도움으로 삼으며

여호와 자기 하나님에게 자기의 소망을 두는 자는 복이 있도다."

"여호와여 주의 인자하심이 땅에 충만하였사오니."

"그는 공의와 정의를 사랑하심이여."

"땅의 모든 끝과 먼 바다에 있는 자가 의지할 주께서…

우리에게 응답하시리이다

주는 주의 힘으로 산을 세우시며

권능으로 띠를 띠시며

바다의 설렘과…

만민의 소요까지 진정하시나이다."

"주께서 아침 되는 것과 저녁 되는 것을 즐거워하게 하시며

주의 은택으로 한 해를 관 씌우시니

주의 길에는 기름 방울이 떨어지며."

"여호와께서는 모든 넘어지는 자들을 붙드시며

비굴한 자들을 일으키시는도다

모든 사람의 눈이 주를 앙망하오니

주는 때를 따라 그들에게 먹을 것을 주시며

손을 펴사 모든 생물의 소원을 만족하게 하시나이다."

– 시편 146편 5절; 119편 64절; 33편 5절; 65편 5~7, 8, 11절; 145편 14~16절

하나님께서는 인격적인 존재로서 그분의 아들을 통하여 그분 자신을 계시하셨다. 아버지의 영광의 광채시요 "그 본체의 형상"(히 1:3)이신 예수께서는 인격적인 구주로 이 세상에 오셨다. 인격적인 구주로 그분은 하늘로 승천하셨다. 인격적인 구주로 그분은 하늘 법정에서 중보하신다. "인자 같은 이가"(계 1:13) 우리를 위해 하나님의 보좌 앞에서 봉사하신다.

세상의 빛이신 그리스도께서는 사람들이 소멸되지 않고 그들을 창조하신 분과 알게 되도록 그분의 신성의 눈부신 광채를 감추시고 이 땅에 오셨다. 죄가 사람과 창조주 사이를 분리시킨 이후에는 아무도 그분이 그리스도를 통해 나타나신 것 외에는 하나님을 보지 못했다.

그리스도께서는 "나와 아버지는 하나이니라"(요 10:30)라고 선언하셨다. "아버지 외에는 아들을 아는 자가 없고 아들과 또 아들의 소원대로 계시를 받는 자 외에는 아버지를 아는 자가 없느니라"(마 11:27).

그리스도께서는 하나님께서 사람들에게 알리기 원하시는 것을 그들에

게 가르치기 위해 오셨다. 위로 하늘과 땅과 대양의 넓은 물에서 우리는 하나님의 솜씨를 본다. 모든 피조물은 그분의 능력과 그분의 지혜와 그분의 사랑을 입증한다. 그러나 별이나 대양이나 폭포에서는 그리스도를 통해 계시된 것과 같은 하나님의 인격을 배울 수 없다.

하나님께서는 그분의 인격과 품성 둘 다를 묘사하려면 자연계보다 더 분명한 계시가 필요함을 아셨다. 그분은 인간의 시각이 감당할 수 있는 한도에서 보이지 않는 하나님의 본성과 속성을 나타내도록 그분의 아들을 이 세상에 보내셨다.

인류의 최고, 최대의 기쁨

그리스도께서 십자가에 돌아가시기 전날 밤 다락방에서 하신 말씀을 연구해 보자. 그분에게 시련의 시간이 가까워 오자 그분은 극심한 유혹과 시험을 당하게 될 그분의 제자들을 위로하기를 바라셨다.

그분은 "너희는 마음에 근심하지 말라"라고 하셨다. "하나님을 믿으니 또 나를 믿으라 내 아버지 집에 거할 곳이 많도다 그렇지 않으면 너희에게 일렀으리라 내가 너희를 위하여 거처를 예비하러 가노니…도마가 이르되 주여 주께서 어디로 가시는지 우리가 알지 못하거늘 그 길을 어찌 알겠사옵나이까 예수께서 이르시되 내가 곧 길이요 진리요 생명이니 나로 말미암지 않고는 아버지께로 올 자가 없느니라 너희가 나를 알았더라면 내 아버지도 알았으리로다 이제부터는 너희가 그를 알았고 또 보았느니라 빌립이 이르되 주여 아버지를 우리에게 보여 주옵소서 그리하면 족하겠나이다 예수께서 이르시되 빌립아 내가 이렇게 오래 너희와 함께 있으되 네가 나를 알지 못하느냐 나를 본 자는 아버지를 보았거늘 어찌하여 아버지를 보이라 하느냐 내가 아버지 안에 거하고 아버지는 내 안에 계신 것을 네가 믿지 아니하느냐 내가 너희에게 이르는 말은 스스로 하는 것이 아니라 아버지께서 내 안에 계셔서 그의 일을 하시는 것이라"(요 14:1~10).

제자들은 그리스도와 하나님 사이의 관계에 대해 그분이 하신 말씀을 아직 이해하지 못했다. 그분의 교훈 중 많은 부분이 그들에게 여전히 모호

오순절 날 성령이 제자들에게 부어졌을 때 그들은 그리스도께서 비유로 말씀하신 진리들을 더 완전하게 이해했다. 지금껏 그들에게 신비로 남아 있던 많은 교훈이 분명해졌다.

했다. 그리스도께서는 그들이 하나님에 대해 좀 더 분명하고 뚜렷한 지식을 소유하기를 바라셨다.

그분은 "이것을 비유로 너희에게 일렀거니와 때가 이르면 다시는 비유로 너희에게 이르지 않고 아버지에 대한 것을 밝히 이르리라"(요 16:25)라고 말씀하셨다.

오순절 날 성령이 제자들에게 부어졌을 때 그들은 그리스도께서 비유로 말씀하신 진리들을 더 완전하게 이해했다. 지금껏 그들에게 신비로 남아 있던 많은 교훈이 분명해졌다. 그러나 그럴지라도 제자들은 그리스도께서 약속하신 것의 완전한 성취를 받지 못했다. 그들은 그들이 감당할 수 있는 한도 내에서 하나님에 대한 모든 지식을 받았으나 그리스도께서 아버지에 대해 그들에게 명백하게 보여 주시겠다고 하신 약속의 완전한 성취는 아직 이루어지지 않았다. 오늘날도 그렇다. 하나님에 대한 우리의 지식은 부분적이고 불완전하다. 투쟁이 끝난 충성스런 일꾼들, 곧 죄악 세상에서 그분을 위해 진실한 증언을 한 자들을 사람이신 그리스도 예수께서 하늘 아버지 앞에서 인정하실 때 그들은 지금은 그들에게 신비로 남아 있는 그것을 명백하게 이해하게 될 것이다.

그리스도께서는 영화롭게 된 그분의 인성을 하늘 조정으로 가지고 가셨다. 그분은 그분을 받아들이는 사람들에게 하나님의 자녀가 되는 권세를 주심으로써 궁극적으로 하나님께서 그들을 하나님의 것으로 영접하여 하나님과 함께 영원히 거할 수 있게 하신다. 만일 그들이 이 세상에 사는 동안 하나님께 충실하면 그들은 마침내 "그의 얼굴을 볼 터이요 그의 이름도 그들의 이마에"(계 22:4) 있게 될 것이다. 하나님을 뵙는 것 외에 또 무엇이 하늘의 행복이겠는가? 그리스도의 은혜로 구원받은 죄인에게 하나님의 얼굴을 뵙고 그분을 아버지로 아는 것보다 더 큰 기쁨이 무엇이겠는가?

인류를 위해 봉사하신 하나님의 아들

성경은 하나님과 그리스도의 관계를 분명하게 지적하며 각자의 인격과 개성을 명백히 보여 준다.

"옛적에 선지자들을 통하여 여러 부분과 여러 모양으로 우리 조상들에게 말씀하신 하나님이 이 모든 날 마지막에는 아들을 통하여 우리에게 말씀하셨으니…이는 하나님의 영광의 광채시요 그 본체의 형상이시라 그의 능력의 말씀으로 만물을 붙드시며 죄를 정결하게 하는 일을 하시고 높은 곳에 계신 지극히 크신 이의 우편에 앉으셨느니라 그가 천사보다 훨씬 뛰어남은 그들보다 더욱 아름다운 이름을 기업으로 얻으심이니 하나님께서 어느 때에 천사 중 누구에게 너는 내 아들이라 오늘 내가 너를 낳았다 하셨으며 또다시 나는 그에게 아버지가 되고 그는 내게 아들이 되리라 하셨느냐"(히 1:1~5).

아버지와 아들의 인격과 또한 그분들 사이에 존재하는 통일성은 요한복음 17장, 그리스도께서 그분의 제자들을 위해 드리신 기도에 제시되어 있다.

"내가 비옵는 것은 이 사람들만 위함이 아니요 또 그들의 말로 말미암아 나를 믿는 사람들도 위함이니 아버지여, 아버지께서 내 안에, 내가 아버지 안에 있는 것같이 그들도 다 하나가 되어 우리 안에 있게 하사 세상으로 아버지께서 나를 보내신 것을 믿게 하옵소서"(요 17:20~21).

그리스도와 그분의 제자들 사이에 존재하는 통일성은 그 어느 한쪽의 인격도 파괴하지 않는다. 그들의 목적과 마음과 품성은 하나이지만 인격은 하나가 아니다. 그렇게 하나님과 그리스도는 하나이시다.

그리스도께서는 인성을 취하시고 인간과 하나가 되기 위해 그리고 동시에 하늘에 계신 아버지를 죄 많은 사람에게 계시하기 위해 오셨다. 태초부터 하늘 아버지의 면전에 계셨던 그분, 보이지 않는 하나님의 본체의 형상이셨던 그분만이 신성의 특성을 인류에게 계시할 수 있으셨다. 그분은 모든 점에서 그분의 형제들과 같이 되셨다. 그분은 우리처럼 육신이 되셨다. 그분은 주리고 목마르고 피곤하셨다. 그분은 음식으로 생명을 지탱하시고 수면으로 활력을 되찾으셨다. 그분은 인간의 몫을 함께 나누셨으나 흠 없는 하나님의 아들이셨다. 그분은 이 땅에서 외국인이자 나그네셨다. 그분은 세상에 계셨으나 세상에 속하지 않으셨다. 그분은 오늘날의 사람들이 시험과 시련을 당하는 것처럼 시험과 시련을 당하셨으나 죄와 상관없는 삶을 사셨다. 부드럽고, 자비롭고, 동정적이며 언제나 다른 사람들을 배려하셨던 그분은 하나님의 품성을 나타내셨으며 지속적으로 하나님과 인류를 위한 봉사에 종사하셨다.

"여호와께서 내게 기름을 부으사

가난한 자에게 아름다운 소식을 전하게 하려 하심이라

나를 보내사 마음이 상한 자를 고치며

포로 된 자에게 자유를…".

"눈먼 자에게 다시 보게 함을 전파하며."

"여호와의 은혜의 해와…선포하여

모든 슬픈 자를 위로하되."

— 이사야 61장 1절; 누가복음 4장 18절; 이사야 61장 2절

그분은 우리에게 다음과 같이 명하신다. "너희 원수를 사랑하며 너희를 박해하는 자를 위하여 기도하라 이같이 한즉 하늘에 계신 너희 아버지의 아들이 되리니", "그는 은혜를 모르는 자와 악한 자에게도 인자하시니라"(마 5:44~45; 눅 6:35). "이는 하나님이 그 해를 악인과 선인에게 비추시며 비를 의로운 자와 불의한 자에게 내려 주심이라"(마 5:45). "너희 아버지의 자비로우심같이 너희도 자비로운 자가 되라"(눅 6:36).

"이는 우리 하나님의 긍휼로 인함이라

이로써 돋는 해가 위로부터 우리에게 임하여

어둠과 죽음의 그늘에 앉은 자에게 비치고

우리 발을 평강의 길로 인도하시리로다."

— 누가복음 1장 78~79절

가장 연구할 가치가 있는 학문은 그리스도의 '구원학'임

인류에 대한 하나님의 사랑의 계시는 십자가에 집중된다. 십자가의 완전한 의미는 말로 표현할 수 없고 붓으로 묘사할 수 없으며 사람의 마음으로도 깨달을 수 없다. 갈보리의 십자가를 바라볼 때 우리는 다만 "하나님이 세상을 이처럼 사랑하사 독생자를 주셨으니 이는 그를 믿는 자마다 멸망하지 않고 영생을 얻게 하려 하심이라"(요 3:16)라고 말할 수 있을 뿐이다.

우리 죄를 위해 십자가에 못 박히신 그리스도, 죽음에서 부활하신 그리스도, 하늘로 승천하신 그리스도는 우리가 배우고 가르쳐야 할 구원의 학문이다.

"그는 근본 하나님의 본체시나 하나님과 동등됨을 취할 것으로 여기지 아니하시고 오히려 자기를 비워 종의 형체를 가지사 사람들과 같이 되셨고 사람의 모양으로 나타나사 자기를 낮추시고 죽기까지 복종하셨으니 곧 십자가에 죽으심이라"(빌 2:6~8).

우리 죄를 위해 십자가에 못 박히신 그리스도,
죽음에서 부활하신 그리스도, 하늘로 승천하신 그리스도는
우리가 배우고 가르쳐야 할 구원의 학문이다.

"죽으실 뿐 아니라 다시 살아나신 이는 그리스도 예수시니 그는 하나님 우편에 계신 자요"(롬 8:34). "그러므로 자기를 힘입어 하나님께 나아가는 자들을 온전히 구원하실 수 있으니 이는 그가 항상 살아 계셔서 그들을 위하여 간구하심이라"(히 7:25).

"우리에게 있는 대제사장은 우리의 연약함을 동정하지 못하실 이가 아니요 모든 일에 우리와 똑같이 시험을 받으신 이로되 죄는 없으시니라"(히 4:15).

무한한 지혜, 무한한 사랑, 무한한 공의, 무한한 자비, 곧 심오한 "하나님의 지혜와 지식의 풍성함"(롬 11:33)이 여기 있다.

우리는 그리스도라는 선물을 통해 온갖 복을 받는다. 그 선물을 통해 매일 끊임없이 여호와의 선하심이 우리에게 흘러든다. 섬세한 색깔과 향기를 지닌 각종 꽃들은 우리가 즐길 수 있도록 하늘의 선물인 그리스도를 통해 우리에게 주어졌다. 해와 달은 그분에 의해 창조되었다. 하늘을 아름답게 수놓는 별 중에 그분이 만들지 않은 것은 하나도 없다. 떨어지는 빗방울마다, 감사할 줄 모르는 세상에 비치는 빛줄기마다 그리스도 안에 있는 하나님의 사랑을 입증한다. 모든 것이 말로 표현할 수 없는 선물, 곧 하나님의 독생자를 통해 우리에게 공급된다. 이 모든 혜택이 하나님의 피조물에게 흘러들게 하려고 그분은 십자가에 못 박히셨다.

"보라 아버지께서 어떠한 사랑을 우리에게 베푸사 하나님의 자녀라 일컬음을 받게 하셨는가"(요일 3:1).

"주 외에는 자기를 앙망하는 자를 위하여

이런 일을 행한 신을 예부터

들은 자도 없고 귀로 들은 자도 없고

눈으로 본 자도 없었나이다."

– 이사야 64장 4절

그리스도 안에 계시된 하나님에 대한 지식은 구원받은 모든 사람이 반드시 소유해야 할 지식이다. 그것은 품성을 변화시키는 일을 하는 지식이다. 받아들인 이 지식은 영혼을 하나님의 형상으로 재창조할 것이다. 그것은 하나님의 영적 능력을 온몸에 나누어 줄 것이다.

"우리가 다 수건을 벗은 얼굴로 거울을 보는 것같이 주의 영광을 보매 그와 같은 형상으로 변화하여 영광에서 영광에 이르니 곧 주의 영으로 말미암음이니라"(고후 3:18).

구주께서는 그분 자신의 생애에 대해 "내가 아버지의 계명을"(요 15:10) 지켰다고 말씀하셨다. "나는 항상 그가 기뻐하시는 일을 행하므로 나를 혼자 두지 아니하셨느니라"(요 8:29). 하나님께서는 예수께서 인성을 쓰셨을 때처럼 그분을 따르는 자들도 그렇게 되어야 한다고 말씀하신다. 그분의 능력을 통해 우리는 구주께서 사셨던 순결하고 거룩한 삶을 살아야 한다.

바울은 다음과 같이 말한다. "이러므로 내가 하늘과 땅에 있는 각 족속에게 이름을 주신 아버지 앞에 무릎을 꿇고 비노니 그의 영광의 풍성함을 따라 그의 성령으로 말미암아 너희 속사람을 능력으로 강건하게 하시오며 믿음으로 말미암아 그리스도께서 너희 마음에 계시게 하시옵고 너희가 사랑 가운데서 뿌리가 박히고 터가 굳어져서 능히 모든 성도와 함께 지식에 넘치는 그리스도의 사랑을 알고 그 너비와 길이와 높이와 깊이가 어떠함을 깨달아 하나님의 모든 충만하신 것으로 너희에게 충만하게 하시기를 구하노라"(엡 3:14~19).

"이로써 우리도 듣던 날부터 너희를 위하여 기도하기를 그치지 아니하고 구하노니 너희로 하여금 모든 신령한 지혜와 총명에 하나님의 뜻을 아는 것으로 채우게 하시고 주께 합당하게 행하여 범사에 기쁘시게 하고 모든 선한 일에 열매를 맺게 하시며 하나님을 아는 것에 자라게 하시고 그의 영광의 힘을 따라 모든 능력으로 능하게 하시며 기쁨으로 모든 견딤과 오래 참음에 이르게 하시고"(골 1:9~11).

이것이 하나님께서 우리를 부르셔서 우리에게 주시는 지식이다. 그 밖의 모든 것은 헛되고 허무할 뿐이다.

<u>그리스도 안에 계시된 하나님에 대한 지식은 구원받은 모든 사람이 반드시 소유해야 할 지식이다. 그것은 품성을 변화시키는 일을 하는 지식이다. 받아들인 이 지식은 영혼을 하나님의 형상으로 재창조할 것이다. 그것은 하나님의 영적 능력을 온몸에 나누어 줄 것이다.</u>

10

진리를 탐구함
The Quest for Truth

우리는 우리가 참가하고 있는 큰 투쟁에서 문제가 되는 것들을 우리가 알고 있는 것보다 더 분명하게 이해할 필요가 있다. 우리는 하나님의 말씀이 지닌 진리의 가치 그리고 큰 기만자에 의해 우리의 마음이 거기서 떠나도록 허용하는 것의 위험을 더 충분히 이해할 필요가 있다.

우리의 구속을 위해 요구된 희생의 무한한 가치는 죄가 엄청난 악이라는 사실을 드러낸다. 죄로 말미암아 인간의 모든 육체적 조직이 손상을 입고 정신은 왜곡되고 생각은 부패했다. 죄는 인간의 기능을 퇴화시켰다. 밖에서 오는 유혹은 마음속에서 공명을 얻고, 발길을 부지중에 죄악으로 향하게 한다.

우리를 위한 희생이 완전하였던 것처럼 죄의 더러움에서 회복되는 것도 완전해야 한다. 하나님의 계명은 어떤 악행도 용납하지 않을 것이며 어떠한 불의도 그 정죄에서 벗어날 수 없을 것이다. 복음의 윤리는 하나님의 품성의 완전성 외에는 그 어떤 표준도 인정하지 않는다. 그리스도의 생애는 율법의 모든 교훈에 대한 완전한 성취였다. 그분은 "내가 아버지의 계명을"(요 15:10) 지켰다고 말씀하셨다. 그분의 생애는 순종과 봉사에서 우리의 모본이다. 하나님만이 마음을 새롭게 할 수 있으시다. "너희 안에서 행하시는 이는 하나님이시니 자기의 기쁘신 뜻을 위하여 너희에게 소원을 두고 행하게 하시나니"(빌 2:13). 그리고 우리는 "너희 구원을 이루라"(빌 2:12)라는 명령을 받는다.

미약하고 이따금씩 이루어지는 노력 몇 번으로 잘못이 바로잡히거나 행동의 개혁이 이루어질 수는 없다. 품성 형성은 하루나 일 년의 일이 아니고 평생의 일이다. 자아를 정복하기 위한, 거룩함과 하늘을 얻기 위한 투쟁은 필생의 싸움이다. 끊임없는 노력과 계속적인 활동이 없으면 거룩한 삶에서 진보가 있을 수 없고 승리자의 면류관도 얻을 수 없다.

사람이 더 고상한 상태에서 타락했다는 가장 명백한 증거는 다시 돌아가는 데 그처럼 많은 희생이 요구된다는 사실을 통해 알 수 있다. 돌아가는 길은 매 걸음 매 시간 힘든 싸움을 통해서만 나아갈 수 있다. 조급하고 부주의한 행동으로 인해 우리는 한순간에 우리 자신을 악의 세력 아래 둘 수 있다. 그러나 그 사슬을 끊고 성결한 생애로 들어가는 데는 순간 이상의 시간이 요구된다. 목적을 설정하고 일을 시작할 수 있을 것이나 그 일을 성취하는 데는 노력과 시간과 인내와 희생이 요구될 것이다.

그대 또한 '선한 싸움'을 싸우라

우리는 충동에 의해 행동하도록 자신을 용납해서는 안 된다. 우리는 잠시도 방심할 수 없다. 무수한 유혹에 둘러싸여 있는 우리는 단호하게 저항해야만 하며 그렇게 하지 않으면 정복당할 것이다. 우리의 사업을 마치지 못한 채 생의 끝을 맞는다면 영원히 잃어버린 바 될 것이다.

사도 바울의 생애는 자아와의 끊임없는 싸움이었다. 그는 "나는 날마다 죽노라"(고전 15:31)라고 말했다. 그의 뜻과 욕망은 날마다 의무와 그리고 하나님의 뜻과 충돌했다. 자신의 본성을 십자가에 못 박는 일이 아무리 힘들지라도 그는 자신의 성향대로 하는 대신 하나님의 뜻을 행했다.

투쟁의 생애가 끝날 무렵 그는 그 투쟁과 승리를 회고하면서 "나는 선한 싸움을 싸우고 나의 달려갈 길을 마치고 믿음을 지켰으니 이제 후로는 나를 위하여 의의 면류관이 예비되었으므로 주 곧 의로우신 재판장이 그날에 내게 주실 것이며"(딤후 4:7~8)라고 말할 수 있었다.

그리스도인의 생애는 투쟁과 전진의 생애이다. 이 투쟁에서 벗어날 길은 없다. 계속해서 끈기 있게 노력해야 한다. 사탄의 유혹에 계속해서 승리하는 것은 끊임없는 노력을 통해서 이루어진다. 그리스도인의 성실성을 강력한 힘으로 추구해야 하며 목적을 변치 않는 결연한 자세로 유지해야 한다.

누구든지 자신을 위해 엄격하고 끈질기게 노력하지 않으면 향상하지 못할 것이다. 모든 사람은 혼자 힘으로 이 싸움에 참전해야 한다. 어느 누구도 우리의 싸움을 대신 싸워 줄 수 없다. 우리는 개인적으로 이 싸움을 감당할 책임이 있다. 비록 노아, 욥, 다니엘이 이 땅에 살아 있을지라도 그들은 그들의 의로써 그 아들도 딸도 구원할 수 없다.

정통해야 할 그리스도인 과학, 곧 하늘이 땅보다 높은 것처럼 어떤 인간의 과학보다 더 깊고, 넓고, 높은 과학이 있다. 마음을 단련하고 교육하고 훈련할 필요가 있다. 왜냐하면 우리는 타고난 경향과 맞지 않는 방법으로 하나님을 섬겨야 하기 때문이다. 악으로 기우는 선천적 혹은 후천적 성향을 극복해야 한다. 그리스도의 학교에서 배우는 사람이 되기 위해 흔히 한 평생 받은 교육과 훈련을 버리지 않으면 안 된다. 우리의 마음은 하나님 안에서 확고해지도록 교육받아야 한다. 우리는 생각하는 방식을 유혹에 저항할 수 있도록 만들어야 한다. 우리는 위를 쳐다보는 법을 배워야 한다. 우리는 하나님의 말씀의 원칙, 곧 하늘처럼 높고 영원한 원칙이 우리의 일상생활에서 어떤 의미인지 이해해야 한다. 모든 행동, 모든 말, 모든 생각은 이 원칙에 일치해야 한다. 모든 것은 그리스도와 조화를 이루어야 하며 그분께 복종해야 한다.

그리스도인이 된다는 것은 '마라톤'과 같다

성령의 귀한 장점들은 한순간에 계발되지 않는다. 용기, 불굴의 정신, 온유, 믿음, 구원하는 하나님의 능력을 확고하게 신뢰하는 일은 여러 해에 걸친 경험을 통해 얻어진다. 거룩한 노력을 기울이며 옳은 일을 굳게 붙드는 삶을 통해 하나님의 자녀들은 그들의 운명을 결정한다.

우리에게는 낭비할 시간이 없다. 우리는 우리에게 주어진 은혜의 시기가 얼마나 빨리 끝날지 알지 못한다. 가장 오래 산다 해도 우리가 이 세상에서 사는 것은 짧은 일생일 뿐이며 얼마나 신속하게 사망의 화살이 우리의 심장을 통과할지 알지 못한다. 우리는 얼마나 가까운 미래에 세상과 세상의 관심사를 포기하라는 요청을 받을지 모른다. 영원이 우리 앞에 펼쳐져 있다. 휘장이 이제 오르려 하고 있다. 불과 몇 해만 지나면 생존해 있는 모든 사람에게 다음과 같은 운명의 선고가 내릴 것이다.

"불의를 행하는 자는 그대로 불의를 행하고 더러운 자는 그대로 더럽고 의로운 자는 그대로 의를 행하고 거룩한 자는 그대로 거룩하게 하라"(계 22:11).

그대는 준비가 되어 있는가? 하늘의 통치자이시며 입법자이신 하나님께서 그분의 대표자로 세상에 보내신 예수 그리스도를 잘 알고 있는가? 우리의 일생 사업이 마쳐질 때 우리는 우리의 모본이신 그리스도께서 말씀하셨던 것처럼 말할 수 있을 것인가? "아버지께서 내게 하라고 주신 일을 내가 이루어 아버지를 이 세상에서 영화롭게 하였사오니…내가 아버지의 이름을 나타내었나이다"(요 17:4~6).

하나님의 천사들은 우리 자신과 세속적인 사물에서 우리의 주의를 돌리려고 노력하고 있다. 그들의 노력을 헛된 것으로 만들지 말자.

느슨한 생각을 해 온 마음은 바뀔 필요가 있다. "그러므로 너희 마음의 허리를 동이고 근신하여 예수 그리스도께서 나타나실 때에 너희에게 가져다 주실 은혜를 온전히 바랄지어다 너희가 순종하는 자식처럼 전에 알지 못할 때에 따르던 너희 사욕을 본받지 말고 오직 너희를 부르신 거룩한 이처럼 너희도 모든 행실에 거룩한 자가 되라 기록되었으되 내가 거룩하니 너희도 거룩할지어다 하셨느니라"(벧전 1:13~16).

생각을 하나님께 집중해야 한다. 우리는 타고난 마음의 악한 성향을 극복하기 위해 열렬히 노력하지 않으면 안 된다. 우리의 노력, 우리의 극기와 인내는 우리가 추구하는 대상의 무한한 가치와 정비례해야 한다. 오직 그리스도께서 승리하신 것처럼 승리함으로써만 우리는 생명의 면류관을 얻게 될 것이다.

인간의 큰 위험은 자신에게 기만당하고 자기만족에 도취되어 그의 능력의 근원이신 하나님으로부터 분리되는 것이다. 우리의 본성적인 성향은 하나님의 성령에 의해 교정되지 않으면 그 속에 도덕적인 죽음의 씨앗을 가지게 된다. 하나님과 참으로 연결되지 못한다면 우리는 자아 방종과 자기 사랑과 죄에 대한 유혹의 부정한 영향에 저항할 수 없다.

죄를 고백하고 구원자를 영접할 때 안전함

그리스도께 도움을 받으려면 우리의 필요를 깨달아야 한다. 우리는 우리 자신에 대한 참된 지식을 지녀야 한다. 그리스도께서 구원하실 수 있는 사람은 자신이 죄인이라는 사실을 아는 사람뿐이다. 우리가 철저하게 무력하다는 것을 깨닫고 자기 신뢰를 모두 버릴 때에만 우리는 하나님의 능력을 붙들게 될 것이다.

이 자아 포기는 그리스도인 생애의 초기에만 해야 하는

것이 아니다. 하늘을 향해 옮겨 놓는 발걸음마다 자아 포기를 새롭게 해야 한다. 우리의 모든 선행은 우리의 외부에서 오는 힘에 달려 있다. 그러므로 마음으로 끊임없이 하나님을 찾는 일과 지속적으로 열렬하게 죄를 고백하고 그분 앞에서 심령을 겸비하게 하는 일이 필요하다. 위험이 우리를 둘러싸고 있으므로 자신의 연약함을 느끼고 믿음의 손으로 강하신 우리의 구원자를 붙들 때에만 우리는 안전하다.

우리는 우리의 주의를 끄는 수많은 논제에서 돌아서야 한다. 시간을 허비하게 하고 의문을 일으키나 끝에 가서는 아무것도 남는 것이 없는 문제들이 있다. 최고의 관심사는 면밀한 주의와 힘을 요구한다. 그러나 사람들은 흔히 상대적으로 중요하지 않은 사물에 그것을 쏟는다.

새로운 이론을 받아들이는 것 그 자체는 심령에 새 생명을 가져오지 못한다. 중요한 사실과 이론을 안다 할지라도 실제로 이용하지 않으면 가치가 없다. 우리는 영적인 삶을 살지게 하고 자극하는 양식을 우리의 심령에 공급할 책임을 느낄 필요가 있다.

> "네 귀를 지혜에 기울이며
> 네 마음을 명철에 두며…
> 은을 구하는 것같이 그것을 구하며
> 감추어진 보배를 찾는 것같이 그것을 찾으면
> 여호와 경외하기를 깨달으며
> 하나님을 알게 되리니…

그런즉 네가 공의와 정의와 정직

곧 모든 선한 길을 깨달을 것이라

곧 지혜가 네 마음에 들어가며

지식이 네 영혼을 즐겁게 할 것이요

근신이 너를 지키며

명철이 너를 보호하여."

"지혜는 그 얻는 자에게 생명나무라

지혜를 가진 자는 복되도다."

- 잠언 2장 2~11절; 3장 18절

우리가 연구해야 할 문제는 "무엇이 진리, 곧 마음에 간직하고 사랑하고 높이고 순종해야 할 진리인가?"라는 문제이다. 과학에 전념하는 사람들은 하나님을 발견하려는 그들의 노력에서 실패하고 실망해 왔다. 이 시점에서 그들이 질문해야 할 것은 "우리로 하여금 우리의 영혼을 구원할 수 있게 해 주는 진리가 무엇이냐?"라는 것이다.

"우리는 그리스도에 대하여 어떻게 생각하는가?" 이것은 가장 중요한 질문이다. 그대는 그분을 개인의 구주로 받아들이는가? 그분을 받아들이는 모든 사람에게 그분은 하나님의 자녀가 되는 권세를 주신다.

그리스도께서는 제자들에게 특별한 방식으로 하나님을 보여 주셨으며 우리의 마음속에서도 그렇게 하고 싶어 하신다. 이론에 너무 집중한 나머지 구주의 모본의 산 능력을 보지 못하는 사람이 많다. 그들은 겸손한, 자아를 부정하는 일꾼이신 그분을 보지 못한다. 그들에게 필요한 것은 예수님을 바라보는 것이다. 우리는 매일 그분의 임재의 새로운 계시를 필요로 한다. 우리는 그분의 자아 부정과 자아 희생의 모본을 더 가까이 따를 필요가 있다.

최고의 교육, 최고의 가치는 '품성'이다

우리에게는 바울이 "내가 그리스도와 함께 십자가에 못 박혔나니 그런즉 이제는 내가 사는 것이 아니요 오직 내 안에 그리스도께서 사시는 것이라 이제 내가 육체 가운데 사는 것은 나를 사랑하사 나를 위하여 자기 자신을 버리신 하나님의 아들을 믿는 믿음 안에서 사는 것이라"(갈 2:20)라고 기록할 당시에 겪었던 그런 경험이 필요하다.

품성 가운데 나타난 하나님과 예수 그리스도에 대한 지식은 땅과 하늘에서 가치 있게 여겨지는 그 어떤 것보다 더 가치 있다. 그것이 바로 최고의 교육이다. 그것은 하늘 도성 문을 여는 열쇠이다. 그리스도로 옷 입는 모든 사람이 이 지식을 소유하는 것이 하나님의 목적이다.

11
비교할 수 없는 책
The Incomparable Book

성경 전체는 그리스도를 통해 주어진 하나님의 영광의 계시이다. 받아들이고 믿고 순종하면 성경은 품성 변화에 큰 도구가 된다. 그것은 신체적, 정신적, 영적 힘을 일깨우며 생애를 올바른 길로 인도해 주는 큰 자극제이며 강권하는 힘이다.

젊은이들 심지어 장년들까지도 너무 쉽게 유혹과 죄에 빠지는 이유는 그들이 마땅히 해야 할 만큼 하나님의 말씀을 연구하지 않고 그것을 명상하지 않기 때문이다. 생애와 품성에 나타나는 견고하고 단호한 의지력의 결핍은 하나님의 말씀의 신령한 교훈을 등한히 한 결과이다. 그들은 열렬한 노력을 기울여 순결하고 거룩한 사상을 고취시키는 것에 마음을 돌리지 않으며 불순하고 진실하지 못한 것에서 마음을 돌리지 않는다. 거룩한 교사에게 배우기 위해 마리아가 한 것처럼 예수님의 발아래에 앉아 더 좋은 편을 선택하는 사람이 흔하지 않다. 그분의 말씀을 마음에 간직하고 생애에서 그 말씀을 실천하는 사람이 별로 없다.

성경의 진리는 그것을 받아들이면 마음과 심령을 향상시킬 것이다. 하나님의 말씀을 마땅히 분별해야 할 만큼 분별하면 노소를 무론하고 유혹에 저항할 수 있는 내적 강직함, 곧 원칙의 힘을 소유하게 될 것이다.

사람들로 하여금 성경의 귀중한 것들을 가르치고 기록하게 하라. 생각과 재능과 두뇌의 힘의 예민한 활동을 하나님의 사상을 연구하는 데 바치라. 사람의 추측에서 나온 철학을 연구하지 말고 진리이신 하나님의 철학을 연구하라. 어떤 다른 문헌도 이것과 가치를 비교할 수 없다.

세속적인 마음은 하나님의 말씀을 명상하는 데서 기쁨을 발견하지 못한다. 그러나 성령으로 새로워진 마음에는 거룩한 미와 하늘의 빛이 성경에서 비쳐 온다. 세속적인 마음에는 거친 광야와 같았던 것이 영적인 마음에서는 생명의 샘이 흐르는 땅이 된다.

하나님의 말씀에 계시된 그분에 대한 지식이 우리 자녀들이 받아야 할 지식이다. 논리적인 생각이 열리는 가장 초기부터 그들은 예수님의 이름과 생애에 친숙해져야 한다. 첫 과제로 그들은 하나님께서 그들의 아버지라는 사실을 배워야 한다. 첫 훈련은 사랑으로 순종하는 훈련이어야 한다. 그들에게 하나님의 말씀 곧 그들의 이해력에 적합하며 흥미를 일으키도록 각색된 부분을 읽어 주고 반복해서 들려주라. 무엇보다 그리스도를 통해 나타난 그분의 사랑과 그 위대한 교훈을 그들에게 가르치라.

"하나님이 이같이 우리를 사랑하셨은즉 우리도 서로 사랑하는 것이 마땅하도다"(요일 4:11).

젊은이들이여! 예수를 그대의 친구로 삼으라

젊은이들은 하나님의 말씀을 마음과 심령의 양식으로 삼아야 한다. 그리스도의 십자가가 모든 교육의 학문이 되고 모든 가르침과 연구의 중심이 되어야 한다. 그것을 실생활에서 매일 경험해야 한다. 그러면 구주께서 날마다 젊은이들의 동료와 친구가 되실 것이다. 모든 생각은 어김없이 그리스도께 순종하게 될 것이다. 그들은 사도 바울처럼 말할 수 있게 될 것이다.

"그러나 내게는 우리 주 예수 그리스도의 십자가 외에 결코 자랑할 것이 없으니 그리스도로 말미암아 세상이 나를 대하여 십자가에 못 박히고 내가 또한 세상을 대하여 그러하니라"(갈 6:14).

이렇게 그들은 체험적인 지식을 통해 믿음으로 하나님을 알게 된다. 그들은 하나님의 말씀의 진실성과 그분의 약속의 확실성을 스스로 입증했다. 그들은 여호와의 선하심을 맛보아 알았다.

사랑의 사도 요한은 자신의 경험을 통해 지식을 얻었다. 그는 다음과 같이 증언할 수 있었다.

"태초부터 있는 생명의 말씀에 관하여는 우리가 들은 바요 눈으로 본 바요 자세히 보고 우리의 손으로 만진 바라 이 생명이 나타내신 바 된지라 이 영원한 생명을 우리가 보았고 증언하여 너희에게 전하노니 이는 아버지와 함께 계시다가 우리에게 나타내신 바 된 이시니라 우리가 보고 들은 바를 너희에게도 전함은 너희로 우리와 사귐이 있게 하려 함이니 우리의 사귐은 아버지와 그의 아들 예수 그리스도와 더불어 누림이라"(요일 1:1~3).

이렇게 각 사람은 자신의 경험을 통해 "하나님이 참되시다"(요 3:33) 하여 인(印) 칠 수 있다. 그는 그리스도의 능력에 대해 자신이 보고 듣고 느낀 것을 입증할 수 있다. 그는 다음과 같이 증언할 수 있다.

"나는 도움이 필요했다. 나는 그것을 예수님 안에서 발견했다. 모든 필요는 채워지고 내 심령의 굶주림은 해소되었다. 성경은 내게 그리스도의 계시이다. 나는 예수님이 내게 거룩한 구주이시기 때문에 그분을 믿는다. 나는 성경이 내 심령에 말씀하시는 하나님의 음성이라는 사실을 발견했기 때문에 그것을 믿는다."

　개인적인 경험을 통해 하나님과 그분의 말씀에 대한 지식을 얻은 사람은 자연 과학을 연구할 준비가 된 사람이다. 그리스도에 대해 "그 안에 생명이 있었으니 이 생명은 사람들의 빛이라"(요 1:4)라고 기록되어 있다. 죄가 들어오기 전에 에덴동산에 있었던 아담과 하와는 밝고 아름다운 빛, 곧 하나님의 빛에 둘러싸여 있었다. 이 빛은 그들이 접근하는 모든 것을 밝혀 주었다. 하나님의 품성이나 일에 대한 그들의 지각을 어둡게 하는 것은 아무것도 없었다. 그러나 그들이 유혹자에게 굴복했을 때 그 빛은 그들에게서 떠났다. 거룩한 옷을 잃었을 때 그들은 자연계를 밝혀 주던 빛을 잃었다. 그들은 더 이상 자연계를 올바로 이해할 수 없었다. 그들은 하나님의 작품에서 그분의 품성을 인식할 수 없었다. 마찬가지로 오늘날 사람은 자신의 힘으로 천연계의 교훈을 올바로 깨달을 수 없다. 하나님의 지혜로 인도되지 않으면 그는 자연계와 자연계의 법칙을 하나님보다 더 높이게 된다. 이것이 과학에 대한 인간의 미미한 이론이 하나님의 말씀의 교훈과 자주 충돌하는 이유이다. 그러나 그리스도의 생명의 빛을 받아들이는 사람들에게는 자연계가 다시 빛을 비추어 준다. 십자가에서 흘러나오는 빛을 통해 우리는 자연계의 교훈을 올바로 해석할 수 있다.

이렇게 그들은 체험적인 지식을 통해 믿음으로 하나님을 알게 된다. 그들은 하나님의 말씀의 진실성과 그분의 약속의 확실성을 스스로 입증했다. 그들은 여호와의 선하심을 맛보아 알았다.

성경과 과학은 '모순'되지 않음

개인적인 경험을 통해 하나님과 그분의 말씀에 대한 지식을 얻은 사람은 성경의 신성함을 믿는 확고한 믿음을 가진다. 그는 하나님의 말씀이 진리임을 입증했으며 진리 그 자체는 결코 모순될 수 없다는 사실을 안다. 그는 사람들의 과학적인 사고 방식에 따라 성경을 시험하지 않고 이런 생각을 오류가 없는 표준(성경)으로 가져간다. 그는 진정한 과학에는 하나님의 말씀의 교훈과 반대가 되는 것이 있을 수 없음을 안다. 둘 다 같은 창시자로부터 나왔으므로 둘 다 올바로 이해한다면 그것들이 조화를 이루고 있다는 사실이 입증될 것이다. 소위 과학의 가르침에 하나님의 말씀의 증거와 모순되는 것이 있다면 그것은 무엇이나 인간의 억측에 지나지 않는다.

그런 학생에게 과학적인 연구는 사상과 정보의 넓은 분야를 열어 줄 것이다. 천연계의 사물을 명상할 때 그에게 진리에 대한 새로운 인식이 이르러 온다. 천연계의 책과 기록된 말씀은 서로 빛을 비춘다. 둘 다 하나님의 품성과 그분께서 활동하시는 법칙에 대해 가르쳐 주므로 하나님을 더 잘 알게 된다.

시편 기자의 경험은 모든 사람이 자연계와 계시를 통해 하나님의 말씀을 받아들임으로써 얻을 수 있는 경험이다. 그는 말한다.

"여호와여 주께서 행하신 일로 나를 기쁘게 하셨으니
주의 손이 행하신 일로 말미암아 내가 높이 외치리이다."

"여호와여 주의 인자하심이 하늘에 있고

주의 진실하심이 공중에 사무쳤으며

주의 의는 하나님의 산들과 같고

주의 심판은 큰 바다와 같으니이다 …

하나님이여 주의 인자하심이 어찌 그리 보배로우신지요

사람들이 주의 날개 그늘 아래에 피하나이다 …

주께서 주의 복락의 강물을 마시게 하시리이다

진실로 생명의 원천이 주께 있사오니

주의 빛 안에서 우리가 빛을 보리이다."

"행위가 온전하여 여호와의 율법을 따라 행하는 자들은 복이 있음이여

여호와의 증거들을 지키고 전심으로

여호와를 구하는 자는 복이 있도다

청년이 무엇으로 그의 행실을 깨끗하게 하리이까

주의 말씀만 지킬 따름이니이다

내가 성실한 길을 택하고

주의 규례들을 내 앞에 두었나이다."

- 시편 92편 4절; 36편 5~9절; 119편 1, 2, 9, 30절

"내가 주께 범죄 하지 아니하려 하여

주의 말씀을 내 마음에 두었나이다

내가 주의 법도들을 구하였사오니

자유롭게 걸어갈 것이오며

내 눈을 열어서 주의 율법에서 놀라운 것을 보게 하소서

주의 증거들은 나의 즐거움이요 나의 충고자니이다

주의 입의 법이 내게는 천천 금은보다 좋으니이다

내가 주의 법을 어찌 그리 사랑하는지요

내가 그것을 종일 작은 소리로 읊조리나이다

주의 증거들은 놀라우므로

내 영혼이 이를 지키나이다."

– 시편 119편 11, 45, 18, 24, 72, 97, 129절

"내가 나그네 된 집에서

주의 율례들이 나의 노래가 되었나이다

주의 말씀이 심히 순수하므로

주의 종이 이를 사랑하나이다

주의 말씀의 강령은 진리이오니

주의 의로운 모든 규례는 영원하리이다

내 영혼을 살게 하소서 그리하시면 주를 찬송하리이다

주의 규례들이 나를 돕게 하소서."

"주의 법을 사랑하는 자에게는

큰 평안이 있으니

그들에게 장애물이 없으리이다

여호와여 내가 주의 구원을 바라며

주의 계명들을 행하였나이다

내 영혼이 주의 증거들을 지켰사오며

내가 이를 지극히 사랑하나이다."

"주의 말씀을 열면 빛이 비치어

우둔한 사람들을 깨닫게 하나이다."

"주의 계명들이 항상 나와 함께하므로

그것들이 나를 원수보다 지혜롭게 하나이다

내가 주의 증거들을 늘 읊조리므로

나의 명철함이 나의 모든 스승보다 나으며

주의 법도들을 지키므로

나의 명철함이 노인보다 나으니이다

주의 법도들로 말미암아 내가 명철하게 되었으므로

모든 거짓 행위를 미워하나이다

주의 증거들로 내가 영원히 나의 기업을 삼았사오니

이는 내 마음의 즐거움이 됨이니이다."

– 시편 119편 54, 140, 160, 175, 165~167, 130, 98~100, 104, 111절

그리스도 안에서 원대한 포부를 품음

하나님의 품성에 대한 좀 더 분명한 계시를 얻기 위해 높이 더 높이 향상하는 것이 우리의 특권이다. 모세가 "주의 영광을 내게 보이소서"(출

33:18)라고 기도했을 때 여호와께서는 그를 책망하지 않으시고 그의 기도를 들어주셨다. 여호와께서는 그분의 종에게 "내가 내 모든 선한 것을 네 앞으로 지나가게 하고 여호와의 이름을 네 앞에 선포하리라"(출 33:19)라고 선포하셨다.

우리의 마음을 어둡게 하고 우리의 지각을 흐리게 하는 것은 죄이다. 죄가 우리의 마음에서 제거되고 예수 그리스도의 얼굴에 나타난 하나님의 영광을 알리는 빛이 그분의 말씀을 밝히며 천연계에서 반사될 때 그분에 대해 점점 더 충만하게 "여호와라 여호와라 자비롭고 은혜롭고 노

그분이 비춰 주시는 빛을 통해 우리는 빛을 보며 마침내 정신과 마음과 심령은 그분의 거룩한 형상으로 변화할 것이다.

하기를 더디 하고 인자와 진실이 많은 하나님이라"(출 34:6)라고 선포하게 될 것이다.

그분이 비춰 주시는 빛을 통해 우리는 빛을 보며 마침내 정신과 마음과 심령은 그분의 거룩한 형상으로 변화할 것이다.

그렇게 하나님의 말씀의 거룩한 보증을 붙드는 사람들에게는 놀라운 가능성이 열린다. 그들 앞에는 진리의 넓은 평원과 능력의 큰 자원(資源)이 놓이게 된다. 영광스러운 것들이 계시될 것이다. 성경에 있으리라고 생각조차 못한 특권과 의무가 드러나게 될 것이다. 겸손하게 순종의 길을 걸으면서 하나님의 목적을 이루는 모든 사람은 하나님의 거룩한 말씀을 더욱더 많이 알게 될 것이다.

학생으로 하여금 성경을 지침으로 삼고 원칙에 굳게 서게 하라. 그러면 그는 어떤 높은 학식도 얻을 수 있으리라는 포부를 품을 수 있을 것이다. 하나님을 모든 것에서 최고로 인정하지 않을 때 인간적인 성격의 모든 철학은 혼란과 수치를 당한다. 그러나 하나님께서 고취하신 귀중한 믿음은 품성의 힘과 고귀함을 나누어 준다. 하나님의 선하심과 자비와 사랑에 집중할 때 진리에 대한 지각은 훨씬 더 분명해지고 마음의 순결과 사상의 명확함을 얻으려는 욕망은 더 높고 거룩해질 것이다. 거룩한 생각의 순결한 분위기 가운데 거하는 심령은 하나님의 말씀 연구를 통해 하나님과 교통함으로 변화한다. 진리는 워낙 크고 널리 미치며 워낙 깊고 넓기 때문에 자아는 보이지 않게 된다. 마음은 부드러워지고 겸손과 친절과 사랑에 순복하게 된다.

거룩한 순종으로 선천적 능력이 확대된다. 생명의 말씀 연구를 통해 학생들은 넓고 고상하고 숭고한 마음을 갖게 될 것이다. 만일 그들이 다니엘처럼 하나님의 말씀을 듣고 실천한다면 그들 역시 다니엘처럼 학문의 모든 분야에서 향상할 수 있을 것이다. 마음이 순결해질 때 그들의 마음은 강해질 것이다. 모든 지적 기능이 소생할 것이다. 지혜와 능력이 많으신 하나님과 연결될 때 사람이 어떻게 되며 어떤 일을 할 수 있는지 그들의 영향권 안에 있는 모든 사람이 볼 수 있도록 그들은 자신을 교육하고 훈련해야 한다.

이곳에서 우리가 하는 평생 사업은 영생을 위한 준비이다. 이곳에서 시작된 교육은 현세에서 끝나지 않을 것이다. 그것은 영원히 계속될 것이며 계속해서 향상할 것이나 결코 끝나지 않을 것이다. 구속의 계획에 나타난 하나님의 지혜와 사랑은 더욱더 충만하게 드러날 것이다. 구주께서는 그분의 자녀들을 생명의 샘으로 인도하실 때 풍성한 지식을 나누어 주실 것이다. 날마다 하나님의 놀라운 일, 곧 우주를 창조하시고 유지하시는 그분의 능력에 대한 증거가 새로운 아름다움으로 마음에 다가올 것이다. 보좌에서 흘러나오는 빛이 비칠 때 신비는 사라지고, 심령은 전에 결코 깨닫지 못했던 것들이 단순하다는 것을 알고 놀라움으로 충만해질 것이다.

"우리가 지금은 거울로 보는 것같이 희미하나 그때에는 얼굴과 얼굴을 대하여 볼 것이요 지금은 내가 부분적으로 아나 그때에는 주께서 나를 아신 것같이 내가 온전히"(고전 13:12) 알게 될 것이다.

12

매일의 신앙
Everyday Religion

순결하고 진실한 그리스도인의 조용하고 일관성 있는 생애는 말로 하는 웅변보다 더 강력한 힘이 있다. 사람의 됨됨이는 그의 말보다 더 큰 영향력이 있다.

예수를 감시하기 위해 파견되었던 관원들은 돌아와서 그분처럼 말하는 사람은 없었다고 보고했다. 그 이유는 그분이 사신 것처럼 산 사람이 없었기 때문이다. 만일 그분의 생애가 사실과 달랐다면 그분은 그렇게 말씀하실 수 없었을 것이다. 그분의 말씀에는 그들에게 확신을 주는 능력이 있었는데 이는 그 말씀들이 순결하고 거룩하며 사랑과 동정심이 충만하고 자비와 진리가 풍성한 마음에서 나왔기 때문이다.

우리가 다른 사람들에게 끼치는 감화를 결정짓는 것은 우리 자신의 품성과 경험이다. 다른 사람들에게 그리스도의 은혜의 능력을 확신시키려면 우리는 그 능력을 우리 자신의 마음과 삶에서 알아야 한다. 영혼들을 구원하기 위해 제시하는 복음은 우리 자신의 영혼을 구원한 복음이어야만 한다. 오직 그리스도를 개인의 구주로 믿는 산 믿음을 통해서만 회의적인 세상으로 하여금 우리의 감화력을 느끼게 할 수 있다. 빠른 물살에서 죄인들을 건져 내려면 우리 자신의 발이 반석이신 예수 그리스도 위에 단단히 놓여 있어야 한다.

그리스도교의 휘장은 외부에 장식품으로 다는 표지가 아니며 십자가나 면류관을 달고 다니는 것이 아니라 사람이 하나님과 연합한 것을 보여 주는 것이다. 품성의 변화에 나타난 하나님의 은혜의 능력을 통해 세상은 하

나님께서 그분의 아들을 세상의 구속주로 보내셨다는 사실을 확신하게 된다. 인간의 심령을 두를 수 있는 다른 어떤 감화력도 이타적인 삶이 가지는 감화력과 같은 그런 힘을 가질 수는 없다. 복음을 위한 가장 강력한 논증은 사랑하며 사랑받는 그리스도인이다.

그런 삶을 살며 그런 감화를 끼치는 데는 발걸음마다 노력과 자아 희생과 훈련이 필요하다. 많은 사람이 그리스도인 생애에서 그렇게 쉽게 낙심하는 것은 이것을 이해하지 못하기 때문이다. 하나님께 봉사하는 일에 신실하게 그들의 삶을 바친 많은 사람이 전에는 경험하지 못한 장애물을 만나고 시련과 당혹스런 일에 둘러싸이게 되면 놀라고 실망한다. 그들은 그리스도와 같은 품성을 갖기 위해 그리고 주님의 사업에 적합한 사람이 되기 위해 기도하지만 그들의 본성의 모든 악을 불러일으키는 것처럼 보이는 환경에 처한다. 그런 것이 존재하리라고는 생각조차 해 보지 못한 그런 결점들이 드러난다. 그들은 고대의 이스라엘처럼 "하나님이 우리를 인도하고 계신다면 왜 이 모든 일이 우리에게 일어나는가?"라고 묻는다.

시련과 고난은 하나님께서 사용하시는 도구임

이런 일이 그들에게 닥치는 것은 하나님께서 그들을 인도하고 계시기 때문이다. 시련과 방해물은 주님이 택하신 훈련 방법이며 그분이 정하신 성공 조건이다. 사람들의 마음을 아시는 하나님께서는 그들의 성품을 그들 자신이 아는 것보다 더 잘 아신다. 그분은 어떤 사람들에게는 올바르게 지도만 받으면 그분의 사업을 발전시키는 데 사용될 수 있는 능력과 감수성이 있다는 것을 아신다. 하나님께서는 그분의 섭리를 통해 이런 사람들을 서로 다른 입장과 다양한 환경에 처하게 하심으로써 그들 자신이 알지 못했던 결점을 그들의 품성에서 발견하게 하신다. 그분은 그들에게 이런 결점들을 교정하고 그들 자신을 그분의 사업에 적합한 사람으로 만들 기회를 주신다. 흔히 그분은 그들이 정결하게 되도록 고난의 불이 그들을 공격하게 허락하신다.

주 예수께서 우리에게 시험을 견디라고 요청하시는 이유는 그분께서 계발하기를 원하시는 어떤 귀중한 것을 우리 속에서 보셨기 때문이다. 그분이 우리 속에서 그분의 이름을 영화롭게 할 수 있는 것을 보지 못한다면 그분은 우리를 연단하는 데 시간을 쓰지 않으실 것이다. 그분은 무가치한 돌을 용광로 속에 던져 넣지 않으신다. 그분이 연단하는 것은 가치 있는 광석이다. 대장장이가 쇠와 강철을 불 속에 던져 넣는 것은 그것들이 어떤 종류의 금속인지 알기 위해서이다. 하나님께서는 그분이 선택한 사람들이 어떤 기질의 사람들인지 그들이 그분의 사업에 적합한 자들이 될 수 있을 것인지의 여부를 시험하기 위해 그들이 고난의 풀무에 들어가는 것을 허락하신다.

토기장이는 진흙을 가지고 자기의 뜻대로 형체를 만든다. 그는 흙을 이기고 빚는다. 그는 그것을 떼어 찢고 눌러 뭉친다. 그는 그것을 물로 축이고 다시 말린다. 그는 얼마 동안 그것에 손을 대지 않고 놓아둔다. 그것이 완전히 말랑말랑해지면 그는 그것으로 그릇을 만드는 일을 계속한다. 그는 그것으로 모양을 만들고 녹로에서 깎고 다듬는다. 그는 그것을 햇볕에 말리고 가마에 굽는다. 그렇게 그것은 사용하기에 알맞은 그릇이 된다. 이처럼 장인(匠人)의 으뜸이 되시는 분께서는 우리를 빚어 모양내기를 원하신다. 마치 진흙이 토기장이의 손안에 있는 것처럼 우리는 그분의 손안에 있어야 한다. 토기장이가 하는 일을 우리가 하려고 시도해서는 안 된다. 우리가 할 일은 우리를 꼴 지으시도록 우리 자신을 장인의 으뜸이 되시는 분께 맡기는 것이다.

"사랑하는 자들아 너희를 연단하려고 오는 불 시험을 이상한 일 당하는 것같이 이상히 여기지 말고 오히려 너희가 그리스도의 고난에 참여하는 것으로 즐거워하라 이는 그의 영광을 나타내실 때에 너희로 즐거워하고 기뻐하게 하려 함이라"(벧전 4:12~13).

밝은 대낮에 그리고 다른 목소리가 내는 음악을 들을 때 새장에 있는 새는 주인이 가르치려고 애쓰는 노래를 부르지 않는다. 새는 이 노래의 한 소절이나 지저귐의 일부를 배울 뿐 결코 전곡을 다 배우지는 않는다. 주인은 새장을 가리고 그 새가 불러야 할 한 노래만을 들을 수 있는 곳에 새장을 둔다. 어둠 속에서 그 새는 그 노래를 배워 완전한 멜로디로 부를 때까지 그 노래를 부르는 시도를 되풀이한다. 그런 후에 그 새를 밝은 곳에 내어 놓으면 그 이후 줄곧 밝은 곳에서 그 노래를 부를 수 있게 된다. 이와 같이 하나님께서는 그분의 백성을 취급하신다. 그분께서는 우리에게 가르치실 노래가 있으며 우리가 고통의 그늘에서 그것을 배우면 우리는 그 이후 언제나 그 노래를 부를 수 있게 된다.

하나님이 파견하는 곳으로 감

많은 사람이 그들이 평생 하는 일에 만족하지 못한다. 아마도 그들의 환경이 쾌적하지 않기 때문일 것이다. 그들은 자신들이 좀 더 높은 책임을 감당할 수 있다고 생각하는데 일상적인 일에 시간을 빼앗기고 있다. 흔히 그들의 노력은 아무도 알아주지 않거나 결과가 없는 것처럼 보인다. 그들의 미래는 불확실하다.

우리가 해야 할 일을 우리가 선택하는 것은 아니지만 하나님께서 우리를 위해 선택해 주시는 것으로 받아들여야 한다는 것을 기억하자. 즐겁든지 즐겁지 않든지 우리는 가장 가까이에 놓여 있는 의무를 이행해야 한다. "네 손이 일을 얻는 대로 힘을 다하여 할지어다 네가 장차 들어갈 스올에는 일도 없고 계획도 없고 지식도 없고 지혜도 없음이니라"(전 9:10).

주께서 우리가 니느웨에 기별을 전하기를 바라시는데 욥바나 가버나움으로 간다면 그분께 기쁨이 되지 못할 것이다. 우리의 발걸음이 이끌린 곳으로 그분이 우리를 보내시는 데는 이유가 있다. 바로 그곳에 우리가 줄 수 있는 도움을 필요로 하는 누군가가 있을 것이다. 빌립을 구스의 내시에게, 베드로를 로마의 백부장에게, 이스라엘의 작은 소녀를 수리아의 장군 나아만에게 보내셔서 돕게 하신 하나님께서는 오늘날 남녀들과 젊은이들을 하나님의 도움과 지도를 필요로 하는 자들에게 그분의 대표자로 보내신다.

우리의 계획이 항상 하나님의 계획과 일치하는 것은 아니다. 하나님께서는 다윗의 경우처럼 우리와 그분의 목적을 위하여 우리가 가장 바라는 것

우리가 확신할 수 있는 한 가지는 하나님께서 그분의 영광을 위해 자기 자신과 소유하고 있는 모든 것을 진정으로 바치는 자들에게 복 주시고 그분의 사업을 발전시키는 데 사용하신다는 사실이다.

을 거절하는 것이 최선이라고 보실 수도 있다. 그러나 우리가 확신할 수 있는 한 가지는 하나님께서 그분의 영광을 위해 자기 자신과 소유하고 있는 모든 것을 진정으로 바치는 자들에게 복 주시고 그분의 사업을 발전시키는 데 사용하신다는 사실이다. 만일 하나님께서 그들의 소원을 허락하는 것이 최선이 아니라고 보신다면 그분은 사랑의 증거를 주심으로써 그리고 그들에게 다른 사업을 맡기심으로써 거절에 대해 보상하신다.

흔히 우리가 우리 자신을 이해하는 것보다 우리를 더 잘 이해하시는 하나님께서는 우리에 대한 사랑의 돌봄과 관심 때문에 우리가 자신의 야망을 채우기 위해 이기적으로 구하는 것을 허락하지 않으신다. 그분은 우리 곁에 놓여 있는 평범하면서도 신성한 의무를 지나쳐 버리도록 허락하지 않으신다. 이런 의무는 더 중요한 사업을 위해 우리를 준비시키는 데 필수적인 바로 그 훈련을 우리에게 제공한다. 흔히 우리를 위한 하나님의 계획이 이루어지도록 우리의 계획은 실패한다.

사실 우리는 결코 하나님을 위해 희생하도록 요청받지 않는다. 그분이 그분께 바치라고 우리에게 요구하는 것이 많으나 그것들을 포기하는 것은 다만 하늘로 가는 길에서 우리를 방해하는 것들을 포기하는 것일 뿐이다. 심지어 그 자체가 좋은 것들을 버리라는 요청을 받을 때에라도 우리는 하나님께서 그렇게 하심으로써 우리를 위해 더 훌륭한 일을 해 주신다는 것을 확신할 수 있다.

이 땅에서 우리를 괴롭히고 실망시켰던 신비가 미래의 삶에서 밝혀질 것이다. 응답을 받지 못했던 것처럼 보였던 기도와 좌절된 희망이 우리에게 가장 큰 복이었다는 것을 알게 될 것이다.

필요한 지식과 훈련을 갖출 때 하나님께 calling을 받음

우리에게 찾아오는 모든 의무는 하나님께 드리는 봉사의 일부이므로 아무리 비천해도 신성하게 여겨야 한다. 우리는 매일 다음과 같이 기도해야 한다. "주님, 최선을 다하도록 도와주소서. 일을 더 잘하는 법을 가르쳐 주소서. 힘과 격려를 주소서. 구주의 사랑의 봉사가 제 봉사가 되게 도우소서."

모세의 경험을 생각해 보라. 왕의 손자로서 또한 장차 왕위를 계승할 후계자로서 그가 애굽에서 받은 교육은 매우 철저했다. 지혜를 알고 있던 애굽 사람들은 그를 현명하게 해 줄 것이라고 생각했던 것은 아무것도 무시하지 않았다. 그는 문무(文武)를 겸한 최고의 훈련을 받았다. 그는 이스라엘을 속박에서 해방시키는 일을 위해 자신이 충분히 준비되었다고 생각했다. 그러나 하나님께서는 달리 판단하셨다. 그분의 섭리는 모세에게 양을 치는 목자로 40년간 광야에서 훈련을 받도록 지정했다.

모세가 애굽에서 받은 교육은 여러 모로 그에게 도움이 되었다. 그러나 평생의 사업을 위해 그가 한 가장 가치 있는 준비는 목자로 일하는 동안에 받은 교육이었다. 모세는 천성적으로 성질이 급한 사람이었다. 애굽에 있을 때 성공적인 군대의 지도자였으며 왕과 국민들의 총애를 받았기 때문에 그는 칭찬과 아첨을 받는 일에 익숙해 있었다. 그는 국민의 인기를 끌었다. 그는 그 자신의 힘으로 이스라엘을 해방시키는 일을 성취하기를 희망했다. 그러나 하나님의 대표자로서 그가 배워야 할 교훈은 아주 다른 것이었다. 산속의 광야를 통과하여 골짜기의 푸른 초장으로 양 떼를 인도하면서 그는 믿음과 온유와 인내와 겸손과 무아(無我)의 정신을 배웠다. 그는 약한 양을 돌봐 주고 병든 양을 치료해 주고 길 잃은 양을 찾아내고 제멋대로 구는 양을 감당하고 어린양들을 보호하고 늙고 쇠약한 양들을 간호하는 법을 배웠다.

  이 일을 통해 모세는 목자장 되시는 그리스도께로 더 가까이 이끌렸다. 그는 이스라엘의 거룩하신 분과 밀접하게 연합했다. 그는 더 이상 큰일을 하려고 계획하지 않았다. 그는 자신에게 맡겨진 일을 하나님께 하듯이 성실하게 하려고 힘썼다. 그는 그를 둘러싸고 있는 주위의 환경에 하나님께서 함께하심을 인식했다. 모든 천연계가 보이지 않는 하나님을 그에게 말해 주었다. 그는 하나님을 인격적인 하나님으로 알았으며 그분의 품성에 대해 명상하는 중에 그분이 임재해 계심을 충분히 깨달았다. 그는 영원한 팔 안에서 피난처를 찾았다.

  이 경험 후에 모세는 목자의 지팡이를 권능의 지팡이로 바꾸고 양 떼를 떠나 이스라엘의 지도자가 되라는 하늘의 요청을 들었다. 하나님의 명령을 받았을 때 그는 자신(自信)이 없고 말이 느리고 수줍은 사람이었다. 그는 자신은 하나님의 대변자가 될 능력이 없다는 생각에 압도되었다. 그러나 그는 주님을 완전히 신뢰하고 그 일을 받아들였다. 그가 받은 사명의 위대함은 그에게 최선의 정신력을 사용할 것을 요구했다. 하나님께서는 그의 준비된 순종에 복을 주셨으며 그는 설득력 있고 희망적이고 침착하고 일찍이 사람에게 위탁된 사업 중 최고의 사업에 적합한 사람이 되었다. 성경에는 그에 대해 "그 후에는 이스라엘에 모세와 같은 선지자가 일어나지 못하였나니 모세는 여호와께서 대면하여 아시던 자요"(신 34:10)라고 기록되어 있다.

세상이라는 '연극 무대'에서 하나님이 지정해 주시는 '배우'

자신의 사업이 인정을 받지 못한다고 생각하는 사람들과 더 큰 책임이 부여된 지위를 갈망하는 사람들로 하여금 "무릇 높이는 일이 동쪽에서나 서쪽에서 말미암지 아니하며 남쪽에서도 말미암지 아니하고 오직 재판장이신 하나님이 이를 낮추시고 저를 높이시느니라"(시 75:6~7)라는 말씀을 기억하게 하라. 각 사람은 하나님의 영원한 계획 안에 각자의 자리가 있다. 우리가 그 자리를 채울 수 있는가에 대한 여부는 하나님과 협력하는 우리 자신의 성실성에 달려 있다.

우리는 자신을 동정하는 일을 경계할 필요가 있다. 그대가 마땅히 존경을 받아야 할 만큼 존경을 받지 못한다는 생각, 그대의 노력이 인정을 받지 못한다는 생각, 그대의 사업이 너무 어렵다는 생각에 결코 빠지지 말라. 그리스도께서 우리를 위해 참으신 것을 기억하고 일체의 불평을 버리라. 우리는 우리 주님께서 받으신 것보다 더 좋은 대접을 받고 있다. "네가 너를 위하여 큰일을 찾느냐 그것을 찾지 말라"(렘 45:5). 주님은 십자가를 지는 것보다 면류관을 얻는 것을 더 갈망하는 자들을 위해서는 그분의 사업에 자리를 마련해 두지 않으셨다. 그분은 보수를 받는 것보다 의무를 다하는 일에 더 뜻을 둔 사람들, 곧 승진보다 원칙을 위해 더 열심인 사람들을 원하신다.

겸손하고 하나님께 하듯이 자신의 일을 행하는 사람들은 소란을 피우며 교만한 사람들처럼 크게 보이지 않을 수도 있다. 그러나 그들의 일이 더 가치가 있다. 흔히 크게 과시하는 자들은 사람들과 하나님 사이에 끼어들어 자신에게 주의를 집중시킨다. 그러므로 그들의 일은 실패하게 된다. "지혜가 제일이니 지혜를 얻으라 네가 얻은 모든 것을 가지고 명철을 얻을지니라 그를 높이라 그리하면 그가 너를 높이 들리라 만일 그를 품으면 그가 너를 영화롭게 하리라"(잠 4:7~8).

많은 사람이 그들 자신을 제어하고 개혁할 결심을 하지 않으므로 잘못된 행동을 판에 박은 듯이 되풀이한다. 그러나 그럴 필요가 없다. 그들은 최선의 봉사를 하도록 그들의 능력을 계발시킬 수 있으며 그렇게 하면 항상 봉사 요청을 받게 될 것이다. 그들은 그들이 지닌 모든 가치를 그대로 인정받게 될 것이다.

만일 어떤 사람들이 더 높은 지위에서 일할 자격을 갖추면 주님은 그 짐을 그들뿐 아니라 그들을 시험해 본 자들, 곧 그들의 가치를 알며 그들을 전진하도록 분별력 있게 권할 수 있는 자들에게도 지우신다. 하나님께서 정하신 시간에 "더 높이 올라오라"라는 부르심을 들을 사람들은 지정된 일을 매일 충실하게 수행하는 자들이다.

하나님의 평가 방법 vs. 세상의 평가 방법

하늘에서 온 천사들이 목자들을 방문한 것은 그들이 베들레헴의 언덕에서 양 떼를 지키고 있을 때였다. 그처럼 오늘날도 하나님을 위해 일하는 겸손한 일꾼이 그에게 맡겨진 일을 하는 동안 하나님의 천사들이 그의 곁에 서서 그의 손에 더 큰 책임을 맡길 수 있는지의 여부를 알려고 그의 말을 들으며 그의 일하는 방법에 주목한다.

하나님께서는 사람들의 재산이나 그들의 교육이나 그들의 지위로 그들을 평가하지 않으신다. 그분은 동기의 순결성과 품성의 아름다움으로 그들을 평가하신다. 그분은 그들이 그분의 성령을 얼마나 소유하고 있으며 그들의 삶이 그분의 형상을 얼마나 나타내고 있는지를 보신다. 하나님 왕국에서 크게 되는 것은 겸손과 믿음의 단순성과 사랑의 순결성에서 어린 아이처럼 되는 것이다.

그리스도께서는 "이방인의 집권자들이 그들을 임의로 주관하고 그 고관들이 그들에게 권세를 부리는 줄을 너희가 알거니와 너희 중에는 그렇지 않아야 하나니 너희 중에 누구든지 크고자 하는 자는 너희를 섬기는 자"(마 20:25~26)가 되어야 한다고 말씀하셨다.

하나님께서 사람들에게 주실 수 있는 선물 중에서 가장 무게 있는 신임이며 가장 큰 영예는 그리스도와 함께 고난을 받는 것이다. 하늘로 옮겨진 에녹이나 불수레를 타고 승천한 엘리야도 옥에서 홀로 죽어 간 침례자 요한보다 더 위대하거나 더 영화롭지 못했다. "그리스도를 위하여 너희에게 은혜를 주신 것은 다만 그를 믿을 뿐 아니라 또한 그를 위하여 고난도 받게 하려 하심이라"(빌 1:29).

많은 사람이 장래를 위해 분명한 계획을 세우지 못한다. 그들의 생애는 불안하다. 그들은 일의 결과를 식별하지 못하며 그것 때문에 흔히 염려하고 불안해한다. 이 세상에서 하나님의 자녀들이 사는 생애는 순례자의 생애임을 기억하자. 우리 자신의 삶을 계획할 지혜가 우리에게는 없다. 우리가 우리의 미래를 꼴 짓는 것이 아니다. "믿음으로 아브라함은 부르심을 받았을 때에 순종하여 장래의 유업으로 받을 땅에 나아갈새 갈 바를 알지 못하고"(히 11:8) 나아갔다.

지상에서 사시는 동안 그리스도께서는 그분 자신을 위한 계획을 세우지 않으셨다. 그분은 그분을 위한 하나님의 계획을 받아들이셨고 하늘 아버지께서는 날마다 그분의 계획을 펼쳐 보이셨다. 그처럼 우리도 우리의 삶이 그분의 뜻을 단순하게 이루는 생애가 되도록 하나님을 의지해야 한다. 우리의 길을 그분께 맡기면 그분은 우리의 발걸음을 인도해 주실 것이다.

구주께서 부르실 때 머뭇거림

찬란하게 빛나는 미래를 꿈꾸는 이들 중 많은 사람이 철저히 실패한다. 하나님께서 그대를 위해 계획하시게 하라. 작은 아이처럼 "거룩한 자들의 발을 지키실"(삼상 2:9) 분의 지도를 신뢰하라. 하나님께서는 만일 그분의 자녀들이 처음부터 끝까지를 볼 수 있고 그분과 협력하는 자로서 그들이 성취하고 있는 목적의 영광스러움을 식별할 수 있다면 인도받기를 선택하게 될 길 이외에 다른 길로는 그분의 자녀들을 인도하지 않으신다.

그분을 따르라고 제자들을 부르셨을 때 그리스도께서는 그들에게 현세의 가망성 있는 전망을 제공하지 않으셨다. 그분은 그들에게 이득이나 세속적 명예를 약속하지 않으셨으며 그들 역시 그들이 받을 보수를 조건으로 요구하지 않았다. 세관에 앉아 있는 마태를 향해 구주께서는 "나를 따르라"라고 말씀하셨으며 마태는 "모든 것을 버리고 일어나"(눅 5:27~28) 따랐다. 마태는 봉사에 들어가기 전에 이전 직장에서 받았던 액수와 동일한 일정 금액의 급여를 요구하는 일로 지체하지 않았다. 의심하거나 주저하지 않고 그는 예수님을 따라갔다. 구주와 함께 있는 것과 그분의 말씀을 듣는 것과 그분의 사업에 그분과 연합할 수 있는 것으로 만족하였다.

이전에 부르심을 받은 제자들도 동일하였다. 예수께서 베드로와 그의 동료들에게 그분을 따르라고 명하셨을 때 그들은 즉시 배와 그물을 버려두고 떠났다. 이 제자들 가운데 어떤 사람들에게는 생계를 그들에게 의존하고 있는 사람들이 있었다. 그러나 구주의 초청을 받았을 때 그들은 주저하지 않았으며 "나는 어떻게 살며 내 가족을 어떻게 부양할 수 있는가?"라고 질문하지 않았다. 그들은 부르심에 순종했다. 그 후 예수께서 그들에게 "내가 너희를 전대와 배낭과 신발도 없이 보내었을 때에 부족한 것이 있더냐"(눅 22:35)라고 질문하실 때 그들은 "없었나이다"라고 대답할 수 있었다.

마태와 요한과 베드로를 그분의 사업에 부르셨던 것처럼 오늘날 구주께서는 우리를 부르신다. 만일 우리의 마음이 그분의 사랑에 감동한다면 보수 문제는 우리의 마음에 중요한 문제가 되지 않을 것이다. 우리는 그리스도와 함께 일하는 자가 되는 것을 즐거워할 것이며 그분의 돌보심을 신뢰하는 것을 두려워하지 않을 것이다. 만일 우리가 하나님을 우리의 힘으로 삼는다면 의무에 대한 분명한 인식과 이타적인 욕망을 갖게 될 것이다. 우리의 생애는 탐욕스런 동기를 초월한 고상한 목적으로 활성화될 것이다.

그리스도를 따른다고 공언하는 많은 사람이 그들 자신을 하나님께 맡기기를 두려워하기 때문에 근심스럽고 불안한 마음을 갖는다. 그들은 하나님께 완전히 굴복하지 않는다. 왜냐하면 그들은 그런 굴복에 따르는 결과를 두려워하기 때문이다. 이 굴복이 이루어지지 않는 한 그들에게 평화는 없다.

가장 어두울 때에 하나님을 신뢰함

세상 표준에 도달하려고 애쓰느라 근심의 짐을 지고 마음에 고통을 받는 사람들이 많다. 그들은 세상의 봉사를 선택했고 세상의 당혹스런 일을 받아들였으며 세상의 관습을 채택했다. 그리하여 그들의 품성은 손상되고 그들의 생애는 근심에 눌리게 되었다. 계속적인 근심은 생명력을 소모시킨다. 우리 주님은 그들이 이 속박의 멍에를 벗어 버리기를 바라신다. 그분은 그들에게 그분의 멍에를 메라고 초청하신다. 그분은 "내 멍에는 쉽고 내 짐은 가벼움이라"(마 11:30)라고 말씀하신다. 근심은 눈을 가리기 때문에 미래를 식별하지 못하게 한다. 그러나 예수는 처음부터 끝을 보신다. 어려울 때마다 그분은 그것을 해결할 수 있는 방법을 준비하고 계신다. 하나님께서는 "정직하게 행하는 자에게 좋은 것을 아끼지 아니하실 것"(시 84:11)이다.

우리 하늘 아버지께서는 우리에게 제공하실, 우리가 알지 못하는 수많은 길을 가지고 계신다. 하나님을 섬기는 일을 가장 중요한 일로 받아들이는 자들은 당혹스런 일이 사라지고 발 앞에 분명한 길이 있음을 발견하게 될 것이다.

오늘의 의무를 성실히 이행하는 것이 내일의 시련을 위한 최선의 준비이다. 내일의 부담과 염려를 모두 모아 오늘의 짐에 보태지 말라. "한 날의 괴로움은 그날로 족하니라"(마 6:34).

희망과 용기를 갖자. 하나님의 봉사에서 실망하는 것은 죄스럽고 터무니없는 일이다. 그분은 우리의 온갖 필요를 아신다. 언약을 지키시는 우리 하나님, 곧 만왕의 왕이신 전능하신 하나님은 부드러운 목자의 친절과 돌봄을 겸비한 분이시다. 그분의 능력은 절대적이며 그 능력은 그분을 신뢰하

**그분의 사랑은 마치 하늘이 땅에서 높음같이
다른 어떤 사랑보다 훨씬 더 뛰어난 사랑이다.
그분은 측량할 수 없는 영원한 사랑으로 그분의 자녀들을 돌보신다.**

는 모든 사람에게 그분의 약속을 성취시켜 주겠다는 분명한 보증이다. 그분에게는 모든 어려움을 제거할 방법이 있다. 그러므로 그분을 섬기며 그분이 채택하시는 방법을 존중하는 자들은 맡은 일을 훌륭히 해낼 수 있다. 그분의 사랑은 마치 하늘이 땅에서 높음같이 다른 어떤 사랑보다 훨씬 더 뛰어난 사랑이다. 그분은 측량할 수 없는 영원한 사랑으로 그분의 자녀들을 돌보신다.

가장 어려운 상황으로 보이는 가장 어두운 때에 하나님을 믿으라. 그분은 그분의 뜻을 이루고 계시며 그분의 사람들을 위해 모든 것을 훌륭하게 이행하고 계신다. 하나님을 사랑하며 섬기는 사람들의 힘은 날마다 새로워질 것이다.

그분은 그분의 종들에게 그들이 필요로 하는 온갖 도움을 주실 수 있고 기꺼이 주려고 하신다. 그분은 그들의 여러 가지 필요에 요구되는 지혜를 그들에게 주실 것이다.

시련을 견뎌 낸 사도 바울은 다음과 같이 말했다. "나에게 이르시기를 내 은혜가 네게 족하도다 이는 내 능력이 약한 데서 온전하여짐이라 하신지라 그러므로 도리어 크게 기뻐함으로 나의 여러 약한 것들에 대하여 자랑하리니 이는 그리스도의 능력이 내게 머물게 하려 함이라 그러므로 내가 그리스도를 위하여 약한 것들과 능욕과 궁핍과 박해와 곤고를 기뻐하노니 이는 내가 약한 그때에 강함이라"(고후 12:9~10).

13
대인 관계
Living With Others

살아가면서 사람을 사귈 때마다 자제와 인내와 동정이 요구된다. 우리는 성격, 습관, 교육에서 워낙 다르기 때문에 사물을 보는 방법도 다양하다. 우리는 서로 다르게 판단한다. 진리에 대한 우리의 이해와 삶의 행동에 대한 우리의 생각은 모든 면에서 동일하지 않다. 경험에서 세세한 점까지 똑같은 사람이란 있을 수 없다. 어떤 사람에게는 시련이 되는 것이 다른 사람에게는 시련이 되지 않는다. 어떤 사람에게는 가벼운 의무가 다른 사람에게는 가장 큰 어려움과 당혹스런 일이 된다.

인간의 본성은 워낙 연약하고 무지하고 오해를 잘하므로 다른 사람을 평가하는 일에 주의해야 한다. 우리는 우리 자신의 행동이 다른 사람들의 경험에 어떤 영향을 주는지 거의 알지 못한다. 우리가 하는 행동이나 말이 우리에게 거의 중요하지 않은 것처럼 보일 때 만일 우리의 눈이 열린다면 우리는 선하거나 악한 가장 중요한 결과가 우리의 언행에 달려 있음을 보게 될 것이다.

많은 사람이 짐을 거의 져 보지 않았으며 진정한 고뇌를 잘 알지 못하며 다른 사람들을 위해 당혹스런 일과 고통을 거의 당해 보지 않았기 때문에 참으로 무거운 짐을 진 사람의 일을 이해하지 못한다. 그들이 그의 짐을 이해할 수 없는 것은 마치 어린아이가 짐을 지고 있는 아버지의 걱정과 수고를 이해할 수 없는 것과 같다. 어린아이는 아버지가 두려워하고 당혹스러워하는 것을 보고 이상하게 생각한다. 그럴 필요가 없는 것처럼 보인다. 그러나 살아가면서 여러 해 동안 경험이 쌓이고 그 자신이 생애의 짐을

> 우리가 하는 행동이나 말이 우리에게 거의 중요하지 않은 것처럼 보일 때 만일 우리의 눈이 열린다면 우리는 선하거나 악한 가장 중요한 결과가 우리의 언행에 달려 있음을 보게 될 것이다.

지게 될 때 그는 아버지의 생애를 돌아보게 되고 한때는 도무지 이해할 수 없었던 것을 깨닫게 된다. 쓰라린 경험이 그를 깨우친다.

짐을 진 사람의 많은 일이 이해를 받지 못하며 마침내 죽음이 그를 넘어뜨리기까지 그의 노고는 인정을 받지 못한다. 그러나 다른 사람들이 그가 내려놓은 짐을 지고 그가 당했던 어려움을 당하게 되면 그들은 그의 믿음과 용기가 어떻게 시험을 받았는지 이해할 수 있게 된다. 흔히 그때에 가서야 그들은 신속히 비난하는 잘못을 버린다. 경험이 그들에게 동정을 가르친다. 하나님께서는 사람들이 책임 있는 지위에 임명되는 것을 허락하신다. 그들이 잘못할 때 그분은 그들을 바로잡거나 제거할 수 있는 권한을 행사하신다. 우리는 하나님께 속한 심판을 우리 손으로 하지 않도록 주의해야 한다.

다윗의 예의 바르고 관대한 행동을 본받으라

다윗이 사울에게 한 행동에는 교훈이 담겨 있다. 하나님의 명령에 따라 사울은 이스라엘을 다스리는 왕으로 기름 부음을 받았다. 그의 불순종 때문에 주님은 그에게서 나라를 빼앗을 것이라고 선언하셨다. 그런데도 사울에게 한 다윗의 행동은 얼마나 부드럽고 예의 바르고 관대했던가! 사울은 다윗의 생명을 뺏으려고 광야로 왔으며 수행원도 없이 다윗과 그의 용사들이 숨어 있는 바로 그 동굴로 들어왔다. "다윗의 사람들이 이르되 보소서 여호와께서 당신에게 이르시기를 내가 원수를 네 손에 넘기리니 네 생각에 좋은 대로 그에게 행하라 하시더니 이것이 그날이니이다 …다윗이 자기 사람들에게 이르되 내가 손을 들어 여호와의 기름 부음을 받은 내 주를 치는 것은 여호와께서 금하시는 것이니 그는 여호와의 기름 부음을 받은 자가 됨이니라"(삼상 24:4~6). 구주께서는 우리에게 "비판을 받지 아니하려거든 비판하지 말라 너희가 비판하는 그 비판으로 너희가 비판을 받을 것이요 너희가 헤아리는 그 헤아림으로 너희가 헤아림을 받을 것이니라"(마 7:1~2)라고 명하신다. 머지않아 그대의 삶의 기록이 하나님 앞에서 재검토될 것임을 기억하라. 또한 그분이 "남을 판단하는 사람아…네가 핑계하지 못할 것은 남을 판단하는 것으로 네가 너를 정죄함이니 판단하는 네가 같은 일을 행함이니라"(롬 2:1)라고 말씀하신 것을 기억하라.

우리는 우리에게 행해진 어떤 실제적 혹은 가상적 잘못 때문에 분노해서는 안 된다. 자아(自我)는 우리가 가장 두려워해야 할 적이다. 성령의 통제를 받지 않는 인간의 정욕보다 품성에 더 나쁜 영향을 미치는 악의 형태는 없다. 우리가 얻을 수 있는 어떤 승리도 자아를 이기는 승리보다 더 귀한 승리는 없다.

우리는 우리의 감정이 쉽게 상처를 받도록 허용해서는 안 된다. 우리는 우리의 감정이나 명성을 지키기 위해서가 아니라 영혼을 구원하기 위해 살아야 한다. 영혼 구원에 관심을 가지게 되면 우리는 서로 사귈 때 흔히 발생하는 작은 차이를 마음에 두지 않게 된다. 다른 사람들이 우리에 대해 생각하는 것과 우리에게 행하는 것이 무엇이든 간에 우리는 그리스도와 하나가 되는 일, 성령과 교제하는 일에 방해를 받을 필요가 없다. "죄가 있어 매를 맞고 참으면 무슨 칭찬이 있으리요 그러나 선을 행함으로 고난을 받고 참으면 이는 하나님 앞에 아름다우니라"(벧전 2:20).

복수하지 말라. 할 수 있는 대로 오해의 원인이 되는 모든 것을 제거하라. 악은 모양이라도 버리라. 원칙을 희생하지 않는 한 할 수 있는 모든 것을 다하여 다른 사람들과 화목하라. "그러므로 예물을 제단에 드리려다가 거기서 네 형제에게 원망들을 만한 일이 있는 것이 생각나거든 예물을 제단 앞에 두고 먼저 가서 형제와 화목하고 그 후에 와서 예물을 드리라"(마 5:23~24).

'화'가 날 때 '침묵'하라

누군가 그대에게 성급한 말을 하거든 결코 같은 정신으로 대답하지 말라. "유순한 대답은 분노를 쉬게"(잠 15:1) 한다는 말을 기억하라. 침묵에는 놀라운 힘이 있다. 화난 사람에게 대답으로 한 말은 때때로 사태를 악화시킬 뿐이다. 그러나 부드럽고 오래 참는 정신으로 지키는 침묵을 만나면 분노는 신속하게 사라진다.

날카로운 말, 헐뜯는 말이 폭풍처럼 불 때 마음을 하나님의 말씀에 두라. 마음과 정신에 하나님의 약속을 채우라. 학대를 받거나 애매한 비난을 당할 경우 성난 대답으로 응수하는 대신 다음과 같은 귀중한 약속들을 자신에게 상기하라.

"악에게 지지 말고 선으로 악을 이기라."

"네 길을 여호와께 맡기라 그를 의지하면 그가 이루시고 네 의를 빛같이 나타내시며 네 공의를 정오의 빛같이 하시리로다."

"감추인 것이 드러나지 않을 것이 없고
숨긴 것이 알려지지 않을 것이 없나니."

– 로마서 12장 21절; 시편 37편 5~6절; 누가복음 12장 2절

주께서 "사람들이 우리 머리를 타고 가게 하셨나이다 우리가 불과 물을 통과하였더니 주께서 우리를 끌어내사 풍부한 곳에 들이셨나이다"(시 66:12).

동정과 격려를 얻기 위해 예수를 바라보는 대신 우리는 동료 인간들을 바라보기 쉽다. 자비하고 성실하신 하나님께서는 사람을 의지하고 육신을 무기로 삼는 것이 어리석은 일임을 알려 주시기 위해 흔히 우리가 신뢰하는 사람에게서 우리가 실망을 당하도록 허락하신다.

완전히 겸손하게 이기심 없이 하나님을 신뢰하자. 그분은 가슴속 깊은 곳에서 느껴지나 말로 표현할 수 없는 우리의 슬픔을 아신다. 모든 것이 어둡고 설명할 수 없는 것처럼 보일 때 "내가 하는 것을 네가 지금은 알지 못하나 이후에는 알리라"(요 13:7)라고 하신 그리스도의 말씀을 기억하라.

하나님은 원수의 음모를 사용하여 '역전극'을 펼치심

요셉과 다니엘의 역사를 연구하라. 하나님께서는 그들을 해하려는 자들의 음모를 막지 않으셨다. 그러나 그분은 그 모든 계책이 시련과 투쟁 속에서도 믿음과 충절을 지킨 그분의 종들에게 유익하게 작용하도록 하셨다.

세상에 있는 한 우리는 반대 세력을 만날 것이다. 성질을 시험하는 도발들이 있을 것이다. 이것들을 올바른 정신으로 대할 때에 그리스도인의 미덕이 계발된다. 그리스도께서 우리 안에 거하시면 우리는 안달이 나고 화가 나는 경우에도 인내하고 친절하고 오래 참게 될 것이다. 매일 그리고 매년 우리는 자아를 정복하고 고상한 영웅으로 성장할 것이다. 이것이 우리에게 주어진 일이다. 그러나 예수의 도움과 확고한 결심과 흔들리지 않는 목적과 끊임없는 경성과 계속적인 기도가 없으면 그 일은 성취할 수 없다. 각자에게는 개인적으로 싸워야 할 싸움이 있다. 우리가 하나님과 협력하는 자가 되지 않으면 하나님이라도 우리의 성품을 고상하게 하거나 우리의 생애를 유용하게 하실 수 없다. 투쟁을 사양하는 자들은 힘과 승리의 기쁨을 잃을 것이다.

시련과 곤란과 비애와 슬픔에 대해 우리 자신이 기록할 필요는 없다. 이 모든 것은 책에 기록되며 하늘이 그것을 돌볼 것이다. 불쾌한 일들을 일일이 세는 동안 회상하기에 즐거운 많은 것, 곧 매 순간 우리를 둘러싸고 있는 하나님의 자비로운 친절, 하나님께서 우리를 위해 그분의 아들을 죽도록 내어 주신, 천사들도 경탄하는 사랑과 같은 것들이 우리의 기억에서 사라진다.

부정적인 감정을 표현하지 말고 예수님의 약속에 대해 이야기함

마음이 가볍지 않고 기쁘지 않을 경우 그대의 감정을 이야기하지 말라. 다른 사람들의 생애에 그늘을 던지지 말라. 냉랭하고 볕이 들지 않는 신앙은 결코 영혼들을 그리스도께로 이끌지 못한다. 그것은 사람들을 그분에게서 떠나게 하여 사탄이 탈선한 자들의 발 앞에 펴놓은 그물에 걸리게 한다. 낙망을 생각하는 대신 그리스도의 이름으로 요구할 수 있는 능력을 생각하라. 보이지 않는 것에 생각을 두라. 그대에게 베푸신 하나님의 큰 사랑의 증거를 생각하라. 믿음은 시련을 견디고 유혹에 저항하고 실망을 견뎌낼 수 있다. 예수께서는 우리를 옹호하시는 분으로 살아 계신다. 그분의 중보로 확보한 것은 모두 우리의 것이다.

그대는 그리스도께서 전적으로 그분을 위해 사는 사람들을 귀하게 여기신다고 생각하지 않는가? 유배 생활을 하던 사랑하는 요한처럼 그분을 위해 어렵고 괴로운 곳에 있는 사람들을 주님께서 방문하신다고 생각하지 않는가? 하나님께서는 그분의 성실한 일꾼들 중 한 사람도 역경과 싸워 정복당하도록 홀로 버려두지 않으신다. 그분께서는 당신 안에 그리스도와 함께 숨겨진 각 사람을 귀중한 보석처럼 보존하신다. 하나님께서는 그런 사람에 대해 "내가 너를 세우고 너를 인장으로 삼으리니 이는 내가 너를 택하였음이니라"(학 2:23)라고 말씀하신다.

또한 약속에 대해 이야기하라. 기꺼이 복을 주시는 예수님에 대해 이야기하라. 그분은 단 한순간도 우리를 잊지 않으신다. 불쾌한 환경에 처했더라도 그분의 사랑 안에서 확신을 가지고 쉬며 그분과만 함께 지내면 그분의 임재에 대한 생각이 깊고 조용한 기쁨을 일으킬 것이다. 그리스도께서는 그분 자신에 대해 "내가 스스로 아무것도 하지 아니하고 오직 아버지께서 가르치신 대로 이런 것을 말하는 줄도 알리라 나를 보내신 이가 나와

**그리스도를 사랑하는 사람들은
품성을 통해 그분을 나타내야 한다는 것을 결코 잊지 말라.**

함께하시도다 나는 항상 그가 기뻐하시는 일을 행하므로 나를 혼자 두지 아니하셨느니라"(요 8:28~29)라고 말씀하셨다.

하늘 아버지의 임재가 그리스도를 두르고 있었으며 무한한 사랑이 세상을 축복하기 위해 허락한 것 외에는 아무것도 그분에게 일어나지 않았다. 여기에 그리스도께서 받은 위로의 근원이 있었으며 그것은 또한 우리를 위한 것이다. 그리스도의 영으로 고취된 사람은 그리스도 안에 거한다. 그에게 오는 것은 무엇이든 그분의 임재로 그를 두르고 계시는 구주로부터 온다. 주님의 허락 없이는 그 어떤 것도 그를 건드릴 수 없다. 우리의 모든 고난과 슬픔, 우리의 모든 유혹과 시련, 우리의 모든 슬픔과 비애, 우리의 모든 핍박과 결핍, 요컨대 모든 것은 합동하여 선을 이룬다. 모든 경험과 환경은 우리에게 선한 것을 가져오는 하나님의 일꾼들이다.

그대의 '품성'이 그리스도를 '반사'함

만일 우리가 하나님께서 우리에 대해 오래 참으신다는 것을 안다면 우리는 다른 사람들을 판단하거나 비난하지 않을 것이다. 그리스도께서 지상에 계셨을 때에 그분의 동료들이 그분을 알게 된 후 그분이 비난의 말이나 흠잡는 말이나 조급한 말을 하는 것을 한마디라도 들었다면 얼마나 크게 놀랐을 것인가. 그리스도를 사랑하는 사람들은 품성을 통해 그분을 나타내야 한다는 것을 결코 잊지 말라.

"형제를 사랑하여 서로 우애하고 존경하기를 서로 먼저"(롬 12:10) 하라.

"악을 악으로, 욕을 욕으로 갚지 말고 도리어 복을 빌라 이를 위하여 너희가 부르심을 받았으니 이는 복을 이어받게 하려 하심이라"(벧전 3:9).

주 예수께서는 우리에게 모든 사람의 권리를 인정할 것을 요구하신다. 사람들의 사회적 권리와 그리스도인으로서의 권리를 고려해야 한다. 모든 사람은 하나님의 아들과 딸로서 고상하고 세심한 대우를 받아야 한다.

기독교는 사람을 신사로 만들 것이다. 그리스도께서는 그분을 핍박하는 자들에게까지 예의를 지키셨다. 그분을 진정으로 따르는 사람들은 동일한 정신을 나타낼 것이다. 통치자들 앞에 소환된 바울을 보라. 아그립바 앞에서 한 그의 말과 설득력 있는 웅변은 참된 예의에 대한 예증이다. 복음은 세상에서 유행하는 형식적인 공손을 권장하지 않고 마음의 진정한 친절에서 솟아나는 예절을 권장한다.

살아가면서 외형적 예의범절을 가장 잘 계발하는 일은 모든 성내는 것과 가혹한 판단과 부적절한 말을 배제한다고 해서 충분하게 이루어지지 않는다. 자아를 최고의 목적으로 생각하는 한 참된 품위는 결코 나타나지 않을 것이다. 사랑이 마음속에 있어야 한다. 철저한 그리스도인은 마음속 깊은 곳에 있는 주님에 대한 사랑에서 그의 행동의 동기를 이끌어 낸다. 그리스도에 대한 그의 애정의 뿌리를 통해 형제들에 대한 이기심 없는 관심이 솟아난다. 사랑은 그것을 소유한 사람에게 우아함과 예모와 품행의 아름다움을 준다. 그것은 얼굴을 빛나게 하고 음성을 부드럽게 한다. 그것은 전인적(全人的)으로 사람을 세련되게 하고 고상하게 한다.

생애는 주로 큰 희생과 놀라운 업적으로 이루어지는 것이 아니라 작은 것들로 이루어진다. 흔히 주목할 만한 가치조차 없는 듯 보이는 작은 것들을 통해 우리의 삶에 큰 선이나 악이 초래된다. 잘못된 습관이 형성되고 품성이 일그러지는 것은 작은 것들을 통해 우리에게 이르러 오는 시험들을 견디지 못하기 때문이다. 그리고 더 큰 시험이 이르러 올 때에 그들은 준비하지 못한 것을 깨닫는다. 매일 당하는 삶의 시험에서 오직 원칙에 따라 행함으로써만 우리는 가장 위험하고 가장 어려운 입장에서도 확고하고 성실하게 서는 능력을 얻을 수 있다.

우리는 그리스도와 '동행(同行)' 중임

우리는 결코 혼자가 아니다. 우리가 하나님을 선택하든지 그렇게 하지 않든지 하나님께서는 우리와 동행하신다. 어디에 있든지 무엇을 하든지 하나님께서 거기 계심을 기억하라. 말하고 행동하고 생각하는 것 중에 하나님께서 주의하지 않으시는 것은 하나도 없다. 모든 말과 행동을 지켜보는 분이 계시는데 그분은 거룩하고 죄를 미워하는 하나님이시다. 말하거나 행동하기 전에 항상 그것을 생각하라. 그리스도인으로서 그대는 왕족의 한 사람, 곧 하늘 왕의 자녀이다. "너희에게 대하여 일컫는바 그 아름다운 이름"(약 2:7)을 더럽힐 말이나 행동을 하지 말라.

신성(神性)과 인성(人性)을 겸하여 갖춘 분의 품성을 주의 깊이 연구하며 "만일 예수께서 나의 입장에 계신다면 어떻게 하실까?"라고 끊임없이 물어보라. 이것이 우리의 의무를 재는 척도가 되어야 한다. 그들의 술책으

로 옳은 일을 하려는 그대의 목적을 약화시키고 그대의 양심에 오점을 남길 무리와 쓸데없이 어울리지 말라. 낯선 사람들 사이에서, 거리에서, 차 안에서, 가정에서 악의 모양이라도 되는 일은 아무것도 하지 말라. 날마다 무엇인가 그리스도께서 그분의 피로 사신 생명을 향상시키고 아름답게 하고 고상하게 하는 일을 하라.

항상 원칙에 따라 행동하고 결코 충동에 따라 행동하지 말라. 타고난 본성적인 성급함을 온유와 부드러움으로 진정시키라. 경박한 일이나 하찮은 일에 탐닉하지 말라. 저열한 농담이 입술에서 새어나오지 못하게 하라. 심지어 생각까지도 제멋대로 분출되지 않게 해야 한다. 그것들을 제어해야 하며 그리스도께 복종해야 한다. 그것들을 거룩한 사물에 집중시키라. 그러면 그리스도의 은혜를 통해 순결하고 진실해질 것이다.

우리는 순결한 생각 속에 있는 고상하게 하는 힘을 계속해서 느낄 필요가 있다. 어떤 사람이든지 그를 위한 유일한 안전책은 올바른 생각이다. "그 마음의 생각이 어떠하면 그 위인도"(잠 23:7) 그러하기 때문이다. 자제의 힘은 사용할수록 강해진다. 처음에는 어려워 보이는 것도 계속해서 반복하면 쉬워지고 마침내 올바로 생각하고 행동하는 것이 습관이 된다. 만일 우리가 뜻하기만 하면 우리는 값싸고 저열한 모든 것에서 돌아서 높은 표준에 오를 수 있다. 우리는 사람에게 존경받고 하나님께 사랑받을 수 있다.

'비난' 대신 다른 사람을 '칭찬'하라

다른 사람들에 대해 좋게 말하는 습관을 배양하라. 그대와 사귀는 사람들의 좋은 특성들을 많이 생각하고 할 수 있는 대로 그들의 잘못과 실패를 적게 보라. 어떤 사람이 말한 것이나 행동한 것에 대해 불평하고 싶은 유혹을 받을 때에는 반대로 그 사람의 생애나 품성에서 무엇인가를 칭찬하라. 감사의 정신을 배양하라. 우리를 위해 돌아가시도록 그리스도를 주신 그분의 놀라운 사랑에 대해 하나님을 찬양하라. 우리의 슬픔에 대해 생각하는 것에는 아무런 보상이 없다. 하나님께서는 우리가 감사의 정신으로 고양되도록 그분의 자비와 그분의 비할 데 없는 사랑을 생각하라고 요청하신다.

열심 있는 일꾼들은 다른 사람들의 결점을 생각할 시간이 없다. 우리는 다른 사람들의 결점과 실패의 찌꺼기를 먹고 살 수 없다. 악담(惡談)은 듣는 사람보다 말하는 사람에게 더 크게 임하는 이중의 저주이다. 분열과 분쟁의 씨를 뿌리는 자는 그 자신의 심령에 치명적인 열매를 거두게 된다. 다른 사람들에게서 악을 찾아내는 바로 그 행동이 찾아내는 그 사람들 속에 악을 키운다. 늘 남의 결점을 생각하면 우리도 그와 동일한 모습으로 바뀐다. 그러나 예수를 바라보고 그분의 사랑과 품성의 완전함에 대해 말하면 우리는 그분의 형상으로 변화한다. 그분이 우리 앞에 두신 높은 이상을 명상하면 우리는 순결하고 거룩한 분위기로 끌어올려져 마침내 하나님께서 계신 곳까지 이르게 된다. 우리가 지상에 사는 동안 우리에게서 우리와 관련된 모든 사람을 비추는 빛이 나간다.

남을 비판하거나 정죄하는 대신 다음과 같이 말하라. "나는 내 자신의 구원을 이뤄야 한다. 내 영혼을 구원하기 원하시는 분과 협력하려면 나는 내 자신을 부지런히 감시해야 한다. 나는 내 삶에서 모든 악을 버리지 않으면 안 된다. 나는 모든 결점을 극복해야 한다. 나는 그리스도 안에서 새로운 피조물이 되어야만 한다. 그런 후에야 나는 악에 대항해 투쟁하는 자들을 약화시키는 대신 용기를 주는 말을 통해 그들을 강하게 할 수 있다." 우리는 서로에게 너무 무관심하다. 우리는 자주 동료 일꾼들에게 힘과 격려가 필요하다는 사실을 잊어버린다. 그들이 그대의 관심과 동정에 대해 확신을 가지도록 보살피라. 기도로 그들을 돕고 그대가 기도하고 있음을 그들로 알게 하라.

하나님의 자녀라고 공언하는 모든 사람은 자신들이 선교사로서 모든 계층의 사람과 접촉해야 한다는 사실을 마음에 간직해야 한다. 거기에는 세련된 사람과 거친 사람, 겸손한 사람과 교만한 사람, 신앙적인 사람과 회의적인 사람, 교육받은 사람과 무지한 사람, 부유한 사람과 가난한 사람들이 있다. 이 다양한 사람들을 동일하게 취급할 수는 없다. 그러나 모두에게 친

절과 동정이 필요하다. 서로 접촉함으로써 우리의 마음은 다듬어지고 순화되어야 한다. 우리는 인간 형제라는 끈으로 밀접하게 묶여 있으며 서로 의존한다.

"하늘은 서로가 서로를 의지하게 만든다.
주인으로, 고용인으로 또는 친구로
타인의 도움 요청에 응하라고 명령하신다.
나의 약점이 모든 사람에게 힘이 될 때까지."

기독교는 사교 관계를 통해 세상과 접촉한다. 하늘의 빛을 받은 모든 사람은 더 나은 길을 알지 못하는 자들의 어두운 앞길에 빛을 비춰야 한다. 그리스도의 영으로 거룩하게 된 사교적 힘을, 사람들을 구주께로 인도하는 일에 활용해야 한다. 그리스도는 탐나는 보배, 신성하고 아름다운 보배로 오직 그 소유자만 즐기도록 마음에 숨겨져서는 안 된다. 우리는 그리스도를 우리와 접촉하는 모든 사람에게 새로운 활력을 주는, 영원토록 솟아나는 샘물로 우리 속에 간직해야 한다.

14
최고의 경험
The Highest Experience

우리에게는 그리스도에 대한 새로운 계시, 곧 그분의 가르침과 일치하는 매일의 경험이 끊임없이 필요하다. 우리는 고상하고 거룩한 경지에 도달할 수 있다. 지식과 미덕에서 계속 향상하는 것이 우리에 대한 하나님의 목적이다. 하나님의 율법은 모든 사람에게 "더 높이 올라오라. 거룩하게 되라. 더 거룩하게 되라."라고 초청하는 그분의 음성의 메아리이다. 우리는 매일 그리스도인 품성의 완성을 향해 전진할 수 있다.

이미 하나님의 큰 가족의 일원이 된 사람들 중 많은 사람이 그분의 영광을 바라보는 것과 영광에서 영광으로 변화하는 것이 무엇을 의미하는지 거의 알지 못하고 있다. 많은 사람은 그리스도의 탁월하심에 대해 희미하게 깨닫고서도 기쁨으로 감격한다. 그들은 구주의 사랑을 좀 더 완전하고 깊게 인식하기를 원한다. 이들이 하나님을 향한 영혼의 모든 소망을 고이 간직하게 하라. 성령께서는 성령의 역사를 받아들이는 사람들에게 역사하시고, 꼴 지어지려는 사람들을 꼴 지으시고, 형성되려는 사람들을 형성하신다. 신령한 생각과 거룩한 교제로 그대 자신을 계발하라. 그대는 밝아 오는 하나님 영광의 첫 광선을 보았을 뿐이다. 주님을 알기 위해 따라갈 때 그대는 "의인의 길은 돋는 햇살 같아서 크게 빛나 한낮의 광명에"(잠 4:18) 이르는 것을 알게 될 것이다.

그리스도께서는 "내가 이것을 너희에게 이름은 내 기쁨이 너희 안에 있어 너희 기쁨을 충만하게 하려 함이라"(요 15:11)라고 말씀하셨다.

그리스도께서는 항상 자신의 사명의 결과를 바라보셨다. 그분의 지상 생애는 수고와 자아 희생으로 가득했으나 그분은 이 모든 수고가 헛되지 않으리라는 생각에 격려를 받으셨다. 사람들의 생명을 대신하여 자신의 생명을 주심으로써 그분은 사람들에게 하나님의 형상을 회복시켜 주셨다. 그분은 우리를 진토에서 끌어올려 자신의 품성에 따라 우리의 품성을 재형성하고 자신의 영광으로 우리를 아름답게 하셨다.

그리스도께서는 자신의 심령의 고통을 보고 만족하셨다. 그분은 영원한 미래를 보고 자신의 굴욕을 통해 용서와 영생을 받을 사람들의 행복을 보셨다. 그분은 우리의 허물 때문에 찔리고 우리의 죄악 때문에 상하셨다. 그분이 징계를 받음으로 우리가 평화를 누리고 그분이 채찍에 맞음으로 우리가 나음을 입었다. 그분은 구속받은 자들의 환호를 들으셨다. 그분은 속량받은 사람들이 모세와 어린양의 노래를 부르는 것을 들으셨다. 비록 피의 침례를 먼저 받아야만 했고 세상의 죄가 그분의 순결한 심령을 무겁게 눌러야 했으며 말할 수 없는 비애의 그림자가 그분을 덮었을지라도 그분은 자신 앞에 놓인 기쁨을 위해 십자가에 달리는 것을 참아 내시고 부끄러움을 개의치 않으셨다.

그분을 따르는 모든 사람은 이 기쁨을 나누어 가져야 한다. 그러나 내세의 상급이 아무리 크고 영광스러울지라도 우리의 상급을 모두 최후의 구원받는 그 순간을 위하여 간직해 두어서는 안 된다. 현세에서도 우리는 믿음으로 구주의 기쁨에 참여할 수 있다. 모세처럼 우리는 보이지 않는 분을 보이는 것처럼 바라보며 인내해야 한다.

'선'과 '악'의 큰 싸움 중에 있는 세상

지금 교회는 투쟁 중에 있다. 지금 우리는 어둠에 덮인 세상, 곧 거의 전적으로 우상 숭배에 빠져 있는 세상과 직면하고 있다. 그러나 싸움은 끝나고 승리를 얻을 날이 가까이 오고 있다. 하나님의 뜻이 하늘에서 이룬 것 같이 땅에서도 이루어질 것이다. 구원받은 사람들은 하늘의 계명 외에 다른 계명은 알지 못할 것이다. 모두가 찬양과 감사의 옷, 곧 그리스도의 의의 옷을 입은 행복하고 화목한 가족을 이룰 것이다. 모든 천연계는 극히 사랑스런 모습으로 하나님께 찬양과 경배를 드릴 것이다. 세상은 하늘빛으로 환해질 것이다. 달빛이 햇빛처럼 되고 햇빛은 지금보다 일곱 배나 더 밝아질 것이다. 기쁨 중에 세월이 흐를 것이다. 하나님과 그리스도께서 함께 "더 이상 죄가 없고 죽음도 없으리라"라고 선포하실 때, 그 광경을 보고 새벽별들은 함께 노래하고 하나님의 자녀들은 기쁨으로 소리치게 될 것이다.

장래의 영광에 대한 이 계시들, 곧 하나님의 손으로 묘사한 장면들을 하나님의 자녀들은 소중히 여겨야 한다.

현세에서 그리스도를 위해 고난을 받는 것을 특권과 영광으로 생각하며 그리스도와 협력한 사람들에게 주어지는 은혜로운 환영의 말을 영원한 나라의 문턱에 서서 들어 보라. 그들은 천사들과 함께 그들의 면류관을 벗어 구주의 발 앞에 던지면서 "죽임을 당하신 어린양은 능력과 부와 지혜와 힘과 존귀와 영광과 찬송을 받으시기에 합당하도다 …보좌에 앉으신 이와 어린양에게 찬송과 존귀와 영광과 권능을 세세토록 돌릴지어다"(계 5:12~13)라고 부르짖는다.

구속받은 사람들은 십자가에 달리신 구주께로 그들을 인도해 준 사람들을 그곳에서 만나게 된다. 그들은 함께 구주를 찬양한다. 그분은 인간이 하나님의 생명처럼 영원한 생명을 갖게 하기 위해 돌아가신 분이다. 쟁투는 끝났다. 모든 고난과 투쟁은 끝났다. 구속함을 받은 사람들이 하나님의 보좌에 둘러설 때 온 하늘은 승리의 노래로 가득 찬다. 모든 사람은 죽임을 당하시고 우리를 하나님께 구속하신 "어린양이…찬송을 받으시기에 합당하도다"(계 5:12)라는 기쁜 노래를 부른다.

"내가 보니 각 나라와 족속과 백성과 방언에서 아무도 능히 셀 수 없는 큰 무리가 나와 흰옷을 입고 손에 종려 가지를 들고 보좌 앞과 어린양 앞에 서서 큰 소리로 외쳐 이르되 구원하심이 보좌에 앉으신 우리 하나님과 어린양에게 있도다"(계 7:9~10).

"이는 큰 환난에서 나오는 자들인데 어린양의 피에 그 옷을 씻어 희게 하였느니라 그러므로 그들이 하나님의 보좌 앞에 있고 또 그의 성전에서 밤낮 하나님을 섬기매 보좌에 앉으신 이가 그들 위에 장막을 치시리니 그들이 다시는 주리지도 아니하며 목마르지도 아니하고 해나 아무 뜨거운 기운에 상하지도 아니하리니 이는 보좌 가운데에 계신 어린양이 그들의 목자가 되사 생명수 샘으로 인도하시고 하나님께서 그들의 눈에서 모든 눈물을 씻어 주실 것임이라"(계 7:14~17).

"다시는 사망이 없고 애통하는 것이나 곡하는 것이나 아픈 것이 다시 있지 아니하리니 처음 것들이 다 지나갔음이러라"(계 21:4).

'일시적 사물'보다 '영원한 사물'의 가치

우리는 항상 이 보이지 않는 사물에 대한 계시를 우리 앞에 둘 필요가 있다. 그렇게 함으로써 우리는 영원한 사물과 일시적인 사물의 가치를 올바로 평가할 수 있다. 이것이 더 고상한 삶을 위해 다른 사람에게 영향을 미칠 수 있도록 우리에게 힘을 주는 것이다.

하나님께서는 우리에게 "산에 올라 내게로 나아"(신 10:1)오라고 명하신다. 이스라엘을 구원하는 일에 하나님의 도구가 될 수 있기 전에 한적한 산

에서 40년간 그분과 교제하도록 하나님께서 모세를 부르셨다. 바로에게 하나님의 기별을 전하기 전에 그는 불붙는 떨기나무 사이에서 천사와 대화했다. 하나님 백성의 대표자로 하나님의 율법을 받기 전에 그는 산으로 올라오라는 요청을 받았으며 하나님의 영광을 보았다. 우상 숭배자들에게 공의를 시행하기 전에 그는 바위틈에 숨겨졌으며 여호와께서는 "여호와의 이름을 네 앞에 선포하리라", "자비롭고 은혜롭고 노하기를 더디 하고 인자와 진실이 많은 하나님이라 …벌을 면제하지는 아니"(출 33:19; 34:6~7)하신다고 말씀하셨다. 모세가 그의 생명과 함께 이스라엘을 위해 진 그의 짐을 내려놓기 전에 하나님께서는 그를 비스가산 꼭대기로 부르시고 약속의 땅의 영광을 그의 앞에 펼쳐 보이셨다.

사명을 수행하러 나가기 전에 제자들은 예수님과 함께 산에 오르라는 요청을 받았다. 오순절의 능력과 영광이 있기 전에 구주와 교제를 나누던 밤, 갈릴리의 산에서 가진 집회, 감람산에서의 이별의 장면과 천사들의 약속, 다락방에서의 기도와 교제 등이 있었다.

큰 시련이나 중요한 사업을 위해 준비하실 때에 예수께서는 한적한 산에 들어가셔서 하늘 아버지께 기도하면서 밤을 지새우곤 하셨다. 열두 사도의 안수와 산상 설교, 변화산의 경험, 심판정과 십자가의 고뇌, 부활의 영광이 있기 전에도 기도로 밤을 새우는 일이 있었다.

우리 또한 명상과 기도를 위해 그리고 영적인 새로움을 얻기 위해 시간을 별도로 가져야 한다. 우리는 기도의 능력과 효력의 가치를 마땅히 평가해야 할 만큼 평가하지 못하고 있다. 기도와 믿음은 지상의 어떤 능력도 성취할 수 없는 것을 이룰 것이다. 우리는 모든 면에서 동일한 입장에 두 번 처하는 일이 드물다. 우리에게는 통과해야 할 새로운 장면과 새로운 시험이 계속해서 밀려오므로 그럴 때에 과거의 경험은 충분한 지침이 될 수 없다. 우리는 하나님으로부터 오는 빛을 계속해서 받아야 한다.

하늘 주파수에 그대의 채널을 고정시킴

그리스도께서는 그분의 음성에 귀를 기울이는 사람들에게 언제나 기별을 보내 주신다. 겟세마네에서의 고뇌의 밤에 잠을 자던 제자들은 예수님의 음성을 듣지 못했다. 그들은 천사의 임재를 희미하게 인식했으나 그 장면의 능력과 영광은 인식하지 못했다. 졸음과 혼수상태에 빠져 있었기 때문에 그들은 그들 앞에 있는 두려운 사건들을 위해 그들의 심령을 강하게 해 줄 수 있었던 증거를 얻지 못했다. 그와 같이 오늘날도 하나님의 지도가 가장 크게 필요한 바로 그 당사자들이 흔히 그것을 받지 못한다. 왜냐하면 그들은 하늘과 교제하지 않기 때문이다.

우리에게 매일 밀려오는 유혹 때문에 기도가 필요하다. 통로마다 위험이 놓여 있다. 악과 멸망에서 다른 사람들을 구해 내려는 사람들은 특히 유혹에 노출된다. 악과 계속해서 접촉할 때 그들 자신이 부패하지 않도록 하나님을 강하게 붙들 필요가 있다. 사람들을 높고 거룩한 곳에서 낮은 차원으로 떨어뜨리는 계단은 가파르고 결정적이다. 사람의 상태를 영원히 고정시키는 결정을 한순간에 내릴 수 있다. 승리하는 일에서 한 번 실패하는 것이 심령을 무방비 상태로 방치하게 한다. 하나의 악습이라도 그것에 단호히 저항하지 않으면 마치 쇠사슬처럼 강하게 되어 전신을 결박할 것이다.

많은 사람이 스스로 자신을 유혹의 장소에 노출시키는 이유는 그들이 주님을 자신들 앞에 항상 모시지 않기 때문이다. 하나님과의 교통이 깨어질 때 우리를 보호하는 방어막이 우리로부터 떠나게 된다. 그대의 모든 좋은 목적과 의도가 항상 그대에게 죄악을 물리치도록 해 주지는 않는다. 그대는 기도하는 사람이 되어야 한다. 그대의 간구는 미약하거나 이따금씩 하는 변덕스러운 것이 아닌 진지하고 끈기 있고 변함없는 것이 되어야 한다. 기도하기 위해 항상 그대의 무릎을 꿇을 필요는 없다. 그대는 홀로 있을 때나, 길을 걸어갈 때나, 매일의 업무로 바쁠 때라도 구주와 이야기하는 습관을 조성(助成)하라. 도움과 빛과 힘을 조용히 간구하기 위해 그대의 마음을 계속 위로 향하게 하라. 매 호흡을 기도가 되게 하라.

하나님을 신뢰하면 수치를 당하지 않을 것이다. 마음속에 계시는 그리스도, 삶 속에 계시는 그리스도, 이것만이 우리의 안전책이다. 그분의 임재의 분위기는 심령에 악한 모든 것을 혐오하는 마음을 채울 것이다. 생각과 목적에서 우리가 그분과 하나가 될 수 있을 만큼 우리의 정신이 그분의 정신과 일치할 수 있을 것이다.

더 힘들고 걱정이 더 많을 때 예수님을 더 많이 찾으라

야곱이 연약하고 죄 많은 인간의 상태에서 하나님의 왕자가 된 것은 믿음과 기도를 통해서였다. 그대 역시 그렇게 할 때 높고 거룩한 목적을 지닌 고귀한 삶을 사는 사람, 곧 어떤 이유로도 진리와 정의와 공의에서 떠나지 않는 사람이 될 수 있다. 모두가 긴급한 걱정거리와 무거운 짐과 의무에 눌려 있다. 그러나 입장이 어려울수록 그리고 짐이 무거울수록 우리는 더욱 예수님이 필요할 것이다.

하나님께 드리는 공중 예배를 등한히 하는 것은 심각한 잘못이다. 하나님께 드리는 예배의 특권을 가볍게 여기지 말아야 한다. 병자를 간호하는 사람들에게 흔히 이 특권을 누리지 못하는 경우가 생기지만 불필요하게 예배에 결석하지 않도록 주의해야 한다.

우리는 두 가지 삶, 곧 생각하는 삶과 행동하는 삶, 조용히 기도하는 삶과 열렬히 일하는 삶을 살아야 한다. 하나님과 교제하는 일을 통해 얻는 능력은 사려 깊은 마음, 돌보는 마음을 훈련하려는 열렬한 노력과 합하여 일상의 의무를 감당할 수 있도록 사람을 준비시키며 아무리 견디기 어려울지라도 모든 환경에서 평안한 마음을 유지하게 해 준다.

마음속에 계시는 그리스도,
삶 속에 계시는 그리스도 이것이 우리의 안전책이다.

어려운 일을 당할 때에 사람들은 세상의 친구들에게 그들의 당혹스러운 일을 이야기하면서 도움을 구해야 한다고 생각한다. 견디기 어려운 환경에 처할 때 그들의 마음은 불신으로 가득 차고 길은 암담하게 보인다. 그러나 언제나 그들 곁에는 장구한 세월 동안 일해 오신 강력한 상담자께서 그분을 신뢰하라고 초청하며 서 계신다. 무거운 짐을 져 주시는 예수께서는 "다 내게로 오라 내가 너희를 쉬게 하리라"(마 11:28)라고 말씀하신다. 우리가 그분에게서 돌아서서 우리 자신처럼 하나님께 의존할 수밖에 없는 불확실한 사람들에게로 가야 할 것인가?

사업의 크기와 비교할 때 그대는 자신의 품성이 부족하고 능력이 적음을 느낄 것이다. 또한 그대가 일찍이 사람에게 주어진 지능 중에 가장 뛰어난 지능을 가졌다 해도 그것은 그대의 사업에 충분하지 못할 것이다. 우리 주님, 곧 우리의 구주께서는 "나를 떠나서는 너희가 아무것도 할 수 없음이라"(요 15:5)라고 말씀하신다. 우리가 하는 모든 일의 결과는 하나님의 손에 달려 있다. 무슨 일이 일어나든 확고하고 꾸준한 믿음으로 그분을 굳게 붙잡으라.

용기가 꺾일 때 기도하라 Pray when you are fainthearted!

사업에서, 여가를 위한 친구를 사귐에서, 평생 지속되는 결혼에서, 그대가 하는 모든 교제를 열렬하고 겸손한 기도로 시작하라. 그렇게 하면 그대는 그대가 하나님을 존중한다는 것을 보여 주게 될 것이며 하나님께서는 그대를 존중하실 것이다. 용기가 꺾일 때 기도하라. 낙담 중에 있을 때에는 입을 굳게 다물고 사람들에게 말하지 말라. 다른 사람들의 길에 그림자를 드리우지 말라. 모든 것을 예수께 말하라. 도움을 받기 위해 손을 뻗으라. 연약할 때 무한한 능력을 붙잡으라. 하나님의 빛 가운데서 빛을 보고 그분의 사랑 안에서 기뻐할 수 있도록 겸손과 지혜와 용기와 믿음이 자라도록 간구하라.

겸손한 마음과 뉘우치는 마음을 가지게 될 때 우리는 하나님께서 그분 자신을 우리에게 나타내실 수 있는 곳 그리고 나타내시려는 곳에 서게 된다. 우리가 과거에 받은 자비와 복을 그분이 우리에게 더 큰 복을 주셔야 할 근거로 주장할 때 하나님께서는 기뻐하신다. 그분은 그분을 완전히 신뢰하는 자들에게 기대 이상의 것을 성취해 주실 것이다. 주 예수께서는 그분의 자녀들에게 필요한 것과 우리가 사람들을 축복하기 위해 얼마나 많이 하나님의 능력을 활용할지 정확히 아신다. 그리고 그분은 다른 사람들에게 복을 주시고 우리 자신의 심령을 고상하게 하는 데 필요한 모든 것을 우리에게 주신다.

우리는 우리 자신이 할 수 있는 것을 더 적게 신뢰하고 주님께서 우리를 위해 그리고 우리를 통해 하실 수 있는 것을 더 많이 신뢰해야 한다. 그대는 그대 자신의 일을 하고 있는 것이 아니라 하나님의 일을 하고 있다. 그대의 뜻과 길을 그분께 맡기라. 자신을 위해 단 한 가지도 남겨 두지 말고 자신과 단 한 가지도 타협하지 말라. 그리스도 안에서 자유롭게 되는 것이 무엇인지를 배우라.

성경의 진리를 우리 개인의 경험에서 실천하지 않는다면 안식일마다 그저 설교를 듣고, 성경을 계속해서 통독하거나 성경을 구절구절 설명하는 것이 우리나 우리의 말을 듣는 사람들에게 유익하지 않을 것이다. 이해력과 뜻과 애정은 하나님 말씀의 통제를 받아야만 한다. 그럴 때에 성령의 활동을 통해 말씀의 교훈들은 생애의 원칙이 될 것이다.

주님께 도와달라고 요청할 때에는 그분의 복을 받을 것이라고 진정으로 믿고 구주께 영광을 돌리라. 모든 능력, 모든 지혜를 우리가 다 사용할 수 있다. 우리는 다만 요청하기만 하면 된다.

하나님의 빛 가운데서 계속해서 걸으라. 그분의 품성을 밤낮으로 명상하라. 그렇게 하면 그분의 아름다움을 볼 것이며 그분의 선하심 안에서 기뻐할 것이다. 마음은 그분의 사랑을 인식하게 되어 불타오를 것이다. 그대는 영원한 팔에 안긴 것처럼 들어 올려질 것이다. 하나님께서 나누어 주시는 능력과 빛을 통해 그대는 그대가 이전에 할 수 있으리라고 생각했던 것보다 더 많이 이해하고 더 많이 성취하게 될 것이다.

푯대를 향하여 달려감

그리스도께서 우리에게 명하신다. "내 안에 거하라 나도 너희 안에 거하리라 가지가 포도나무에 붙어 있지 아니하면 스스로 열매를 맺을 수 없음 같이 너희도 내 안에 있지 아니하면 그러하리라 …그가 내 안에, 내가 그 안에 거하면 사람이 열매를 많이 맺나니 나를 떠나서는 너희가 아무것도

할 수 없음이라 …너희가 내 안에 거하고 내 말이 너희 안에 거하면 무엇이든지 원하는 대로 구하라 그리하면 이루리라 너희가 열매를 많이 맺으면 내 아버지께서 영광을 받으실 것이요 너희는 내 제자가 되리라 아버지께서 나를 사랑하신 것같이 나도 너희를 사랑하였으니 나의 사랑 안에 거하라 …너희가 나를 택한 것이 아니요 내가 너희를 택하여 세웠나니 이는 너희로 가서 열매를 맺게 하고 또 너희 열매가 항상 있게 하여 내 이름으로 아버지께 무엇을 구하든지 다 받게 하려 함이라"(요 15:4~16).

"볼지어다 내가 문밖에 서서 두드리노니 누구든지 내 음성을 듣고 문을 열면 내가 그에게로 들어가 그와 더불어 먹고 그는 나와 더불어 먹으리라"(계 3:20).

"귀 있는 자는 성령이 교회들에게 하시는 말씀을 들을지어다 이기는 그에게는 내가 감추었던 만나를 주고 또 흰 돌을 줄 터인데 그 돌 위에 새 이름을 기록한 것이 있나니 받는 자밖에는 그 이름을 알 사람이 없느니라"(계 2:17).

"이기는 자에게 내가…새벽 별을 주리라"(계 2:26, 28).

"내가 하나님의 이름과 하나님의 성 곧 하늘에서 내 하나님께로부터 내려오는 새 예루살렘의 이름과 나의 새 이름을 그이 위에 기록하리라"(계 3:12).

하나님을 신뢰하는 사람은 바울처럼 "내게 능력 주시는 자 안에서 내가 모든 것을 할 수 있느니라"(빌 4:13)라고 말할 수 있을 것이다. 과거의 잘못과 실패가 무엇이든지 간에 우리는 하나님의 도우심을 받아 그것들을 딛고 일어설 수 있다. 우리는 사도 바울처럼 다음과 같이 말할 수 있다.

"오직 한 일 즉 뒤에 있는 것은 잊어버리고 앞에 있는 것을 잡으려고 푯대를 향하여 그리스도 예수 안에서 하나님이 위에서 부르신 부름의 상을 위하여 달려가노라"(빌 3:13~14).

행복한
가정과 건강 ❷

증보개정판 2018년 8월 27일 발행
지은이 엘렌 G. 화잇 | 편집인 박재만 | 발행인 황춘광 | 인쇄인 엄길수 | 발행처 시조사
출판등록 1955년 1월 29일, 제5-2호, 02461 서울 동대문구 이문로1길 11
홈페이지 http://www.sijosa.com | 전자우편 bookeditor@sijosa.com
대표전화 (02)3299- 5300
정가 15,000원

ISBN 978-89-6375-302-7-04200
　　　978-89-6375-300-3-04200(세트)

이 책에 실린 글과 사진의 무단 전재와 무단 복제를 금합니다.
Copyright ⓒ 2018, Korean Publishing House

행복한
가정과 건강 ❶

행복한 가정과 건강 ①

KPH

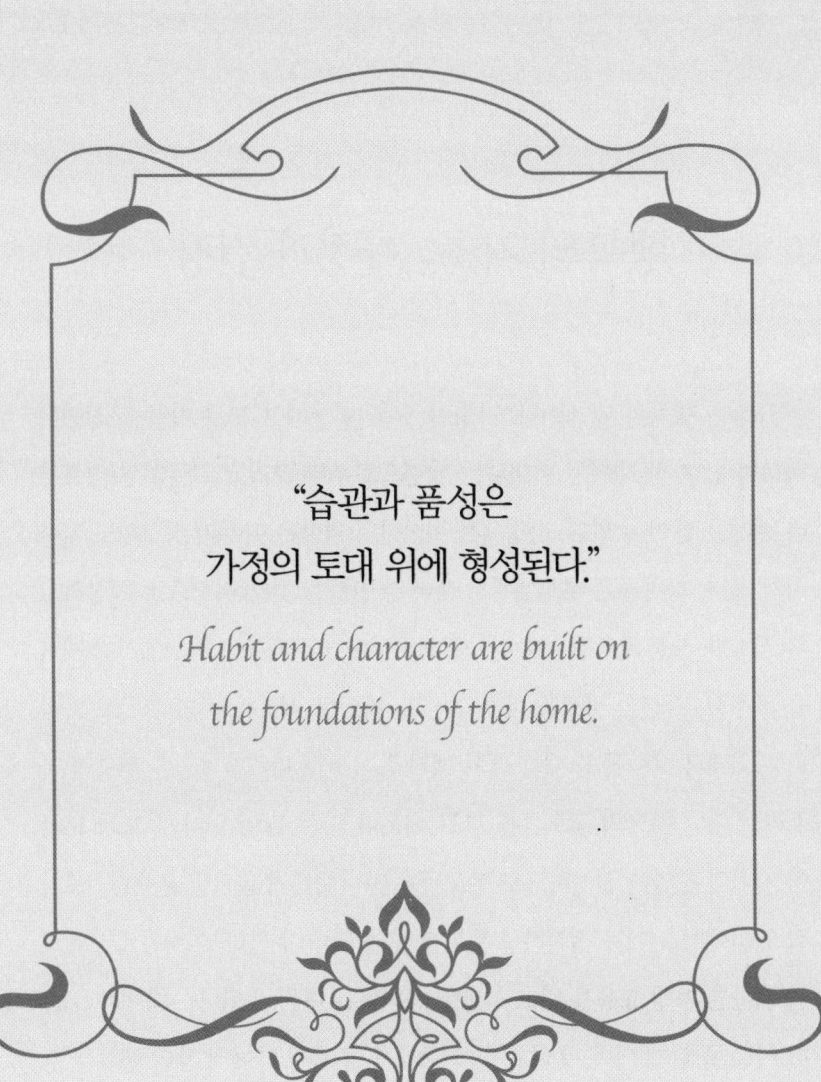

"습관과 품성은
가정의 토대 위에 형성된다."

Habit and character are built on
the foundations of the home.

머리말

Your Home & Health

행복의 기초: 가정과 건강

'가정은 행복의 기초'이다. 가정이 두루 평안해야 모든 가족 구성원이 행복하다. 가정 내에서 어머니는 남편으로부터 그리고 그들의 자녀로부터 존경을 받아야 한다. 가정에서 어머니의 역할은 아무리 강조해도 지나치지 않다. 자녀들은 부모에게서 올바른 인성을 갖춘 사람으로 성장하도록 적절한 가정 교육을 받는다. 자녀들은 어렸을 때부터 가정에서 자제력을 배우고, 자신의 감정을 다스리는 법, 타인을 배려하는 법 그리고 가정과 사회에서 사람들을 대할 때의 예절 등을 배운다. "자녀들은 부모의 잔소리가 아닌 부모의 뒷모습을 보고 배운다."라는 말이 있다. 부모의 모본이 자녀의 운명을 결정하므로 부모들은 자녀들에게 말로만 훈육하기보다 집 안팎에서 언제나 정직하고 성실한 삶을 살아야 한다. 이처럼 부모에게서 올바른 가정 교육을 받고 성장한 자녀들은 어른이 되어도 가정을 소중히 여길 줄 알게 되며, 훗날 자신이 꾸리게 될 가정 안에서 참된 행복을 경험할 수 있다.

'건강은 행복의 기초'이다. 대개 건강은 가정에서 시작된다. 행복한 삶을 살고, 행복한 가정을 이루는 데 있어서 건강은 매우 중요한 요소이다. 건강에 유익한 음식을 먹고, 적절한 운동을 하며, 적당한 휴식을 취함으로 건강한 삶을 누릴 수 있다. 술이나 담배 등 부절제한 음식물을 삼가고 규칙적인 생활 습관을 실천해야 질병을 예방하고 건강을 유지할 수 있다. 또한 스트레스가 많은 세상에서 상처 받은 마음에 치유를 얻고, 마음에 참된 평안을 찾으면 더욱 건강하고 행복한 삶을 기대할 수 있다. 이 책을 읽는 독자들이 여기서 소개하는 '행복한 가정의 비결'을 배우고, '건강한 삶의 비결'을 배우게 되길 바란다. 부디 행복의 든든한 두 기초인 '가정'과 '건강'을 소중히 여기고, 그 토대 위에서 모두가 진정으로 행복한 삶을 살게 되기를 소망한다.

"네 부모를 공경하라
그리하면 너의 하나님 나 여호와가 네게 준 땅에서 네 생명이 길리라"
- 출애굽기 20장 12절

시조사 편집국장 박 재 만

책을
열며

Your Home & Health

인생의 길은 단 한 번밖에 걸을 수 없다. 기껏 해야 불과 몇 년 만을 그대 자신의 시간이라고 간주할 수 있다. 그 시간에서 어떻게 하면 최상의 것을 얻을 수 있겠는가? 그 시간은 그대를 위해 어떤 축복을 간직하고 있는가? 모든 질문 가운데 가장 타당한 질문은 "그대가 다른 사람들의 삶에 어떻게 기여할 수 있는가?"라는 질문이다.

인생의 가장 풍부한 보물 가운데는 건강, 행복한 가정, 진정한 친구들 그리고 마음의 평화가 포함된다. 삶에서의 지위나 재정 형편에 상관없이 그대는 이 모든 것을 소유할 수 있다. 열쇠는 그대의 손안에 놓여 있다.

삶에 주어진 천부적인 것들에서 가장 충실한 유익을 얻으려면 그대는 필수적인 분명한 원칙들의 통제를 받아야 한다. 그대의 행동과 태도만이 그대가 누리게 될 행복의 정도를 결정할 것이다.

이 책은 사람들의 삶을 향상시키는 책을 많이 저술하여 잘 알려진 한 저자가 기록한 책이다. 그녀는 이 책에서 실제적인 일에서 얻은 폭넓은 경험뿐 아니라 인생의 좀 더 심오한 일들에 대한 풍부하고도 보기 드문 통찰에

"그대가 다른 사람들의 삶에
어떻게 기여할 수 있는가?"

서 얻은 것들을 이야기하고 있다. 이 책에 제시된 중요한 원칙들은 여러 나라의 공개적인 강단이나 세계의 주요 언어로 인쇄된 책을 통해 공표되었으며 그 원칙들을 접한 많은 사람에게 축복이 되었다. 그녀의 기별은 이제 이 대중적인 형태의 서적으로 보급되고 있다.

본 서적의 내용 중 몇 장은 좀 더 많이 그리고 널리 읽힌 책인 〈치료봉사〉에서 발췌한 것이다. 몇몇 경우를 제외하고는 모든 장을 다 게재하였다. 유일한 예외는 이 보급판에 그 주제가 좀 더 잘 제시될 수 있도록 주제를 약간씩 재배열하거나 삭제한 것이다. 전체를 다 원할 경우에는 발행자에게서 그 내용을 확보할 수 있을 것이다.

이 책에 제시된 중요한 진리들이 이 책의 독자들을 좀 더 충만하고 풍부한 삶으로 인도하기를 간절히 바란다.

Your Home & Health

· 머리말 / 6
· 책을 열며 / 8
· 더 좋은 생활을 위한 전망 / 12

Part One

기초를 놓음

제1장 가정의 유산 / **22**

제2장 행복한 결혼의 비결 / **29**

제3장 현대 가정의 설계도 / **39**

제4장 어머니가 조심해야 할 문제들 / **47**

제5장 자녀에 대한 이해 / **56**

제6장 가족이 지켜야 할 규칙들 / **67**

제7장 교육은 가정에서 시작됨 / **76**

제8장 자녀들이 무엇을 읽을 것인가? / **88**

Part Two

건강한 신체 유지하기

제9장   건강은 가정에서 시작됨 / **104**

제10장   가족의 식사 / **112**

제11장   가장 좋은 음식물을 선택함 / **131**

제12장   균형진 식사 / **139**

제13장   가족을 위한 옷 / **148**

Part Three

건강을 위태롭게 하는 것들

제14장   자극제와 마취제 / **162**

제15장   알코올 음료와 현대 생활 / **176**

제16장   부절제는 고칠 수 있음 / **190**

제17장   건강으로 안내하는 하이웨이 / **207**

제18장   간단한 치료법 / **213**

제19장   가정 간호 방법 / **223**

제20장   마음의 시야 / **227**

서언

Your Home & Health

더 좋은 생활을 위한 전망
Horizons of Better Living

건강 원칙에 대한 교육이 현재보다 더 필요한 시대는 없었다. 생활의 안락함과 편리함 그리고 위생 문제와 질병 치료에 관련된 많은 분야에 이처럼 놀라운 발전이 있었음에도 신체의 활력과 인내심의 쇠퇴는 걱정스러울 정도다. 동료 인류의 행복을 마음에 두고 있는 모든 사람은 이 사실에 주의를 기울여야 한다.

우리의 인위적인 문명은 건전한 원칙들을 파괴하는 죄악을 장려한다. 관습과 유행은 자연과 싸우고 있다. 그것들이 강요하는 행습, 그것들이 조장하는 방종 등은 신체와 정신의 힘을 끊임없이 감소시키며, 견딜 수 없는 부담을 인류에게 안긴다. 부절제와 범죄, 질병과 불행이 어느 곳에나 있다.

많은 사람은 알지 못해 건강 법칙을 어긴다. 그들에게는 교육이 필요하다. 반면에 더 많은 사람이 그들이 행동하는 것보다 더 잘 알고 있다. 지식을 삶의 지침으로 삼는 일이 중요하다는 사실을 그들은 깨달을 필요가 있다.

건강이 우연히 이루어지지 않는다는 사실은 아무리 자주 강조해도 지나치지 않는다. 건강은 법칙에 순종한 결과이다.

일반적으로 사람들은 건강 유지에 너무도 적게 주의한다. 질병에 걸린 후에 치료법을 아는 것보다 예방하는 편이 훨씬 낫다.

사람마다 자기 자신 그리고 인류를 위한 생명의 법칙에 관해 알며 그것에 양심적으로 순종할 의무가 있다. 모든 사람은 모든 유기체 중 가장 훌륭한 인체에 대해 잘 알아야 할 필요가 있다. 그들은 여러 신체 기관의 기능과 모든 기관이 건강하게 작용하기 위해 서로 의존한다는 사실을 이해해야 한다. 그들은 정신이 신체에 미치는 영향과 신체가 정신에 미치는 영향 그리고 그것들을 다스리는 법칙들을 연구해야 한다.

여덟 가지 천연 치료제

깨끗한 공기, 햇볕, 음식의 절제, 휴식, 운동, 규칙적인 식사, 물의 사용, 하나님의 능력을 신뢰하는 일은 참으로 좋은 치료제이다. 모든 사람은 천

건강에 좋지 않은 습관은
그 어떤 것이라도 거기에 빠지면
옳고 그름을 분별하는 일이 더 어려워지므로
악에 저항하기가 더 어렵게 된다.
그것은 실패와 패배할 위험을 증가시킨다.

연 치료제에 대한 지식을 알고 있어야 하며 활용할 수 있는 방법을 알아야 한다. 환자를 치료하는 일과 관련된 원칙을 이해하고 이 지식을 올바르게 사용할 수 있도록 실제적인 훈련을 하는 일이 가장 필요하다.

천연 치료제 사용에는 매우 많은 주의와 노력이 필요하다. 천연 치료와 회복하는 과정은 점진적이므로 조급한 사람들에게 그것은 느린 것처럼 보인다. 신체에 해로운 방종을 버리는 데는 희생이 필요하다. 그러나 천연 치료제가 방해받지 않고 잘 활용된다면 치료의 역할을 지혜롭게 잘 수행한다는 것이 마침내 밝혀질 것이다. 자연 법칙을 잘 따르는 사람은 신체와 정신의 건강을 보상으로 얻게 될 것이다.

건강이 우연히 이루어지지 않는다는 사실은 아무리 자주 강조해도 지나치지 않는다. 건강은 법칙에 순종한 결과이다. 운동 경기와 힘겨루기에 참가하는 선수들은 이를 안다. 이 사람들은 가장 세심하게 준비한다. 그들은 철저한 훈련과 엄격한 규율을 따른다. 신체적 습관을 주의 깊게 통제한다. 그들은 신체의 어떤 기관이나 기능을 약하게 하거나 불구로 만드는 태만, 과도함 또는 부주의가 패배를 확실하게 한다는 사실을 안다.

　삶의 투쟁에서 확실하게 성공하기 위해 그런 세심한 주의가 얼마나 더 필요하겠는가! 우리가 싸우는 싸움은 모의전(模擬戰)이 아니다. 우리는 영원한 운명이 걸린 싸움을 하고 있다. 우리에게는 맞서야 할 보이지 않는 적이 있다. 악한 천사들은 각 사람을 지배하기 위해 애쓰고 있다. 건강을 해치는 것은 무엇이나 육체의 힘을 감소시킬 뿐 아니라 정신과 도덕의 힘을 약하게 하는 경향이 있다. 건강에 좋지 않은 습관은 그 어떤 것이라도 거기에 빠지면 옳고 그름을 분별하는 일이 더 어려워지므로 악에 저항하기가 더 어렵게 된다. 그것은 실패와 패배할 위험을 증가시킨다.

　"운동장에서 달음질하는 자들이 다 달릴지라도 오직 상을 받는 사람은 한 사람인 줄을 너희가 알지 못하느냐"(고전 9:24). 우리가 싸우는 싸움에서는 바른 원칙에 순종하여 스스로를 훈련하는 사람이 모두 승리할 것이다. 삶의 세세한 부분에서 이 원칙들을 실행하는 것이 주의를 기울이기에 너무 사소한, 중요하지 않은 일로 간주되는 일이 매우 흔하다. 그러나 성패가 걸린 문제들을 생각해 볼 때, 우리가 해야 하는 일은 전혀 작은 일이 아니다. 매 행동이 삶의 승리나 패배를 결정짓는 저울에 그 무게를 더하고 있는 것이다. 성경은 우리에게 "너희도 상을 받도록 이와 같이 달음질하라"

(고전 9:24)고 명한다.

우리의 첫 조상은 부절제한 욕망 때문에 에덴을 잃어버렸다. 모든 일에 절제하는 것은 우리가 에덴으로 회복되는 일에 있어서 사람들이 깨닫고 있는 것보다 더 중요하다.

고대 희랍 경기에 참가한 선수들이 실천한 극기를 지적하면서 바울은 다음과 같이 기록한다. "이기기를 다투는 자마다 모든 일에 절제하나니 저희는 썩을 면류관을 얻고자 하되 우리는 썩지 아니할 것을 얻고자 하노라 그러므로 내가 달음질하기를 향방 없는 것같이 아니하고 싸우기를 허공을 치는 것같이 아니하여 내가 내 몸을 쳐 복종하게 함은 내가 남에게 전파한 후에 자기가 도리어 버림이 될까 두려워함이로라"(고전 9:25~27).

개혁을 해 나가는 것은 기본 진리를 명확하게 인식하는 일에 달려 있다. 편협한 철학과 딱딱하고 냉랭한 정통주의에 위험이 도사리는 한편 부주의한 자유주의에도 큰 위험이 있다. 모든 지속적인 개혁의 기초는 하나님의 율법이다. 우리는 이 율법에 순종할 필요성을 명백하고 뚜렷하게 제시해야 한다. 그 원칙들은 사람들 앞에 계속해서 제시되어야 한다. 그것들은 하나님의 속성처럼 영원하며 변하지 않는다.

최초의 배도의 가장 처참한 영향 중 하나는 사람의 자제력 상실이다. 이 자제력을 다시 지닐 때에만 진정한 진전이 있을 수 있다.

몸은 품성 발전을 위해 정신과 심령이 계발되는 유일한 매체이다. 영혼의 원수가 육체의 힘을 약화시키고 퇴화시키는 쪽으로 유혹하는 것은 이런 이유 때문이다. 이곳에서의 그의 성공은 전 존재가 악에 굴복하는 것

최초의 배도의 가장 처참한 영향 중 하나는
사람의 자제력 상실이다.
이 자제력을 다시 가질 때에만 진정한 진전이 있을 수 있다.

을 의미한다. 우리 육체의 본성의 경향은 더 높은 힘의 지배를 받지 않으면 분명히 파멸과 죽음을 초래할 것이다.

이성이 신체를 지배하여야 함

신체는 지배를 받아야 한다. 인간의 더 높은 힘이 그것을 지배해야 한다. 감정은 의지에 따라 통제되어야 하며 의지 그 자체는 하나님의 통제 아래 놓여야 한다. 하나님의 은혜로 성화된 이성이 왕과 같은 힘으로 우리의 삶을 지배해야 한다.

하나님의 요구를 양심으로 절실히 느껴야 한다. 남녀들은 자제의 의무, 순결의 필요, 모든 저열한 식욕과 더러운 습관에서 해방되는 것에 대해 자각해야 한다. 그들은 정신과 육체의 모든 능력이 하나님의 선물이며, 그분에게 봉사하는 일을 위해 최선의 상태로 보존되어야 한다는 사실에 깊은 인상을 받아야 한다.

복음을 상징한 고대의 의식에서 흠이 있는 제물은 하나님의 제단으로 가져갈 수 없었다. 그리스도를 상징해야 하는 희생 제물은 오점이 없어야 했다. 하나님의 말씀은 당신의 자녀들이 어떤 사람이 되어야 하는지에 대한 예증으로 이것을 지적한다. "거룩하고 흠이 없는" "하나님이 기뻐하시는 거룩한 산 제물"(엡 5:27; 롬 12:1)이 그것이다.

하나님의 능력을 떠나서는 어떤 진정한 개혁도 성취될 수 없다. 타고나거나 배양된 성향을 막는 인간의 방벽은 마치 급류를 막으려는 모래 둑과 같다. 그리스도의 생명이 우리의 삶에 생기를 주는 능력이 될 때 비로소 우리는 안팎에서 우리를 공격하는 유혹에 저항할 수 있다.

그리스도께서는 심령을 부패시키는 본성의 성향을 사람이 완전히 지배할 수 있도록 이 세상에 오셔서 하나님의 율법대로 사셨다. 심령과 육체의 의사이신 그분은 투쟁적인 정욕을 이기게 해 주신다. 그분은 사람이 완전한 품성을 소유하도록 온갖 편의를 다 마련해 놓으셨다.

그리스도께 굴복할 때 사람의 마음은 율법에 통제된다. 그것은 모든 포로에게 자유를 선포하는 최고의 법이다. 그리스도와 하나가 됨으로써 사람은 자유롭게 된다. 그리스도의 뜻에 복종하는 것은 완전한 사람으로 회복되는 것을 의미한다.

하나님께 순종하는 것은 죄의 속박에서 자유, 인간의 정욕과 충동에서 해방됨을 뜻한다. 사람은 자기 자신을 정복하는 자, 자기 자신의 성향을 정복하는 자, "통치자들과 권세들과 이 어둠의 세상 주관자들과 하늘에 있는 악의 영들"(엡 6:12)에게 승리하는 자가 될 수 있다.

부모의 모본이 자녀의 운명을 결정한다

이런 교훈이 가정보다 더 필요한 곳은 없으며 가정보다 더 많은 결실을 맺을 수 있는 곳도 없다. 부모는 자녀의 습관과 품성의 기초를 놓는 일을 해야만 한다. 개혁 운동은 신체와 도덕적 건강에 영향을 미치는 하나님의 율법을 부모에게 제시하는 일로 시작되어야 한다. 하나님의 말씀에 순종하는 것이 세상을 멸망으로 휩쓸어 넣고 있는 악에 대한 유일한 보호 장치라는 사실을 보여 주라. 부모들 자신뿐 아니라 자녀들을 위해서도 부모의 책임을 분명하게 하라. 그들은 자녀들에게 순종이나 위반 중 한 가지 모본을 보여 주고 있다. 그들의 모본과 가르침이 가족의 운명을 결정한다. 자녀들은 부모들이 행하는 대로 될 것이다.

만일 부모들이 그들이 행동한 결과를 추적하든지 그들의 모본과 교훈으로 죄나 의의 세력을 어떻게 지속시키며 증가시키는지 볼 수 있다면, 분명한 변화가 있을 것이다. 많은 사람이 전통과 습관에서 돌이켜 생애의 거룩한 원칙을 받아들일 것이다.

그리스도의 생명이 우리의 삶에 생기를 주는 능력이 될 때
비로소 우리는 안팎에서 우리를 공격하는 유혹에 저항할 수 있다.

Part One
기초를 놓음
Laying the Foundation

"어린 시절부터 자녀들은 부모님을 인도해 주시고 위로해 주시고 사랑을 주시는 분으로 바라본다."

From infancy the child looks to the parent for guidance, comfort, and love.

제1장 가정의 유산 / 제2장 행복한 결혼의 비결 / 제3장 현대 가정의 설계도 / 제4장 어머니가 조심해야 할 문제들 / 제5장 자녀에 대한 이해 / 제6장 가족이 지켜야 할 규칙들 / 제7장 교육은 가정에서 시작됨 / 제8장 자녀들이 무엇을 읽을 것인가?

01
가정의 유산
The Heritage of the Home

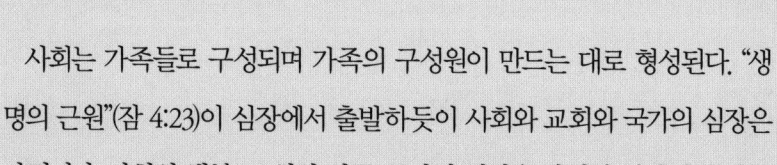

 사회는 가족들로 구성되며 가족의 구성원이 만드는 대로 형성된다. "생명의 근원"(잠 4:23)이 심장에서 출발하듯이 사회와 교회와 국가의 심장은 가정이다. 사회의 행복, 교회의 성공, 국가의 번영은 가정의 영향력에 달려 있다.
 가정생활의 중요성과 기회가 예수님의 생애 가운데 예증(例證)되어 있다. 우리의 모본과 교사가 되시기 위해 하늘에서 오신 그분은 나사렛에 있는 한 가정의 일원으로 30년을 보내셨다. 그 기간에 대한 성경의 기록은 아주 간단하다. 대단한 이적을 나타냄으로 사람들의 관심을 끄신 적이 없다. 열렬한 군중이 그분을 따라다니거나 그분의 말씀에 귀를 기울인 적도

없다. 그러나 이 모든 기간에 그분은 하늘이 주신 사명을 성취하고 계셨다. 그분은 우리처럼 생활하셨고 가정생활을 함께하셨으며 가정 규율에 따르셨고 가정의 의무를 수행하셨으며 가정의 짐을 지셨다. 보잘것없는 가정의 돌봄 아래 일상적인 생활의 경험에 동참하시면서 "지혜와 키가 자라가며 하나님과 사람에게 더욱 사랑스러워"(눅 2:52) 가셨다.

구주의 어린 시절은 젊은이들에게 예증 그 이상의 의미가 있다. 그분의 삶은 교훈이 되며 모든 부모에게 격려가 되어야 한다. 가족과 이웃에 대한 의무는 동료 사람들의 향상을 위해 일하는 사람들이 노력해야 할 바로 그 첫 번째 영역이다. 가정을 만들고 지키려는 사람들에게 위탁된 이와 같은 노력보다 더 중요한 분야는 없다. 사람에게 맡겨진 과업 중에서 아버지와 어머니가 감당해야 하는 일보다 더 위대하고 그 결과가 멀리까지 미치는 일은 아무것도 없다.

가정이 사회의 미래를 결정짓는다

미래의 사회는 오늘날의 젊은이들과 어린이들에 의해 결정되며 이런 젊은이들과 어린이들이 어떤 사람이 될지는 가정에 달려 있다. 인류를 괴롭히는 대부분의 질병과 불행과 범죄의 원인은 올바른 가정 교육의 결핍에 있다. 가정생활이 순결하고 진실하다면, 가정의 보호를 받고 나간 자녀들이 삶의 의무와 위험을 감당할 만큼 준비를 갖춘다면, 세상에는 얼마나 큰 변화가 일어날 것인가!

 암처럼 사회를 좀먹고 있는 부절제와 그 외의 악의 파급을 막기 위한 노력으로, 자녀들의 습관과 품성을 형성하는 방법을 부모들에게 알려 준다면 백배나 더 좋은 결과를 얻게 될 것이다.

악한 습관에 희생된 자들을 개혁시키기 위해 사업체와 기관들이 큰 노력을 하고 있으며 거의 무제한의 시간과 돈과 노력을 들이고 있다. 그러나 이런 노력조차 그 큰 필요를 채우기에는 역부족이다. 그 결과는 얼마나 미약한가! 완전히 회복되는 사람이 얼마나 적은가!

많은 사람이 좀 더 나은 생활을 원한다. 그러나 습관의 힘을 깨고 나올 용기와 결심이 부족하다. 필요한 노력과 투쟁과 희생을 하지 않으므로 그들의 삶은 파괴되고 망가진다. 그리하여 가장 두뇌가 명석한 사람들, 원대한 포부와 고상한 능력을 가진 사람들, 그렇지 않았다면 타고난 특질이나 교육에 의해 신임받는 지위를 차지하기에 적합했을 사람들까지 타락하여 현세와 내세의 생명을 잃어 가고 있다.

개혁하는 사람들에게 있어 활기찬 기운을 다시 찾는 투쟁은 얼마나 쓰라린 경험인가! 많은 사람이 일평생 망가진 몸, 연약한 의지력, 훼손된 지성, 허약한 정신력을 통해 그들의 악한 파종을 수확한다. 만일 그 악을 애초에 처리했다면 얼마나 많은 일을 이루었을 것인가!

이 일은 대부분 부모에게 달려 있다. 암처럼 사회를 좀먹고 있는 부절제와 그 외의 악의 파급을 막기 위한 노력으로, 자녀들의 습관과 품성을 형성하는 방법을 부모들에게 알려 준다면 백배나 더 좋은 결과를 얻게 될 것이다. 그처럼 무서운 악의 힘이 되는 습관을 선한 힘으로 바꿀 힘이 부모들에게 있다. 그들은 흐름을 그 근원에서 다루어야 하며, 그 방향을 올바로 정하는 것은 그들에게 달려 있다.

부모의 역할

부모들은 자녀들을 위해 건강하고 행복한 삶의 기초를 놓아 줄 수 있다. 그들은 유혹에 저항할 수 있는 도덕적 끈기와 성공적으로 삶의 문제와 씨름할 수 있는 용기와 힘을 갖추게 하여 그들의 자녀들을 집에서 내보낼 수 있다. 그들은 자녀들의 삶이 하나님께 영광이 되고 세상에 복이 되도록 자녀들의 마음속에 목적의식을 불어넣고 능력을 계발시킬 수 있다. 그들은 자녀들의 발이 햇빛과 어둠을 지나 영광스러운 하늘의 고지에 이르도록 바른길을 만들어 줄 수 있다.

가정의 사명은 그 가족에 국한되지 않는다. 그리스도인 가정은 실물교훈이 되어 삶의 참된 원리의 탁월함을 예증해야 한다. 그런 예증은 세상에서 선한 힘이 될 것이다. 사람에게 할 수 있는 그 어떤 설교보다 훨씬 더 강력한 것은 사람의 마음과 삶에 끼치는 참된 가정의 영향이다. 젊은 이들이 이런 가정에서 나갈 때, 그들이 배운 교훈은 전달된다. 삶의 좀 더 고상한 원칙들이 다른 가정에 소개되고 지역사회에는 향상시키는 영향을 끼치게 된다.

우리 가정을 그들에게 복이 되도록 할 수 있는 사람들이 있다. 우리의 사교적 접대는 세상 관습이 지시하는 대로 통제될 것이 아니라 그리스도의 영과 그분의 말씀의 교훈에 따라 통제되어야 한다.

그리스도께서 다음과 같이 말씀하신다. "네가 점심이나 저녁이나 베풀거든 벗이나 형제나 친척이나 부한 이웃을 청하지 말라 두렵건대 그 사람들이 너를 도로 청하여 네게 갚음이 될까 하노라 잔치를 베풀거든 차라리 가난한 자들과 몸 불편한 자들과 저는 자들과 맹인들을 청하라 그리하면 그들이 갚을 것이 없으므로 네게 복이 되리니 이는 의인들의 부활 시에 네가 갚음을 받겠음이라"(눅 14:12~14).

가정의 사명은 그 가족에 국한되지 않는다.
그리스도인 가정은 실물교훈이 되어 삶의 참된 원리의 탁월함을 예증해야 한다.

그대가 이와 같은 손님을 초청하는 일에 큰 부담은 없을 것이다. 그대는 그들을 대접하기 위해 공을 들이거나 값비싼 음식을 준비할 필요도 없을 것이다. 식탁을 차리기 위해 노력을 기울일 필요 또한 없다. 다정하고 친절하게 그들을 환영하여 따뜻한 난로 주위로 안내하고 식탁에 좌석을 준비하여 잠시 축복을 간구하는 식사 기도를 올린다면 이 광경은 많은 사람에게 하늘의 분위기를 어렴풋이 보여 주는 것이 될 것이다.

우리의 동정은 자신의 영역과 가족의 울타리 밖으로 흘러넘쳐야 한다. 그들의 가정을 다른 사람들에게 복이 되게 하는 사람들에게는 귀중한 기회가 주어진다. 사회적인 영향은 커다란 힘이다. 우리가 하고자 하면 우리는 우리 주변에 있는 사람들을 돕는 수단으로 그것을 이용할 수 있다.

젊은이들의 피난처 가정

우리의 가정은 유혹을 당하는 젊은이들의 피난처가 되어야 한다. 기로(岐路)에 서 있는 사람들이 많다. 영향과 인상마다 현세와 내세에서 그들의 운명을 꼴 짓는 선택을 결정한다. 악은 그들을 유혹한다. 악의 유흥지는 밝고 매력적이다. 거기 가는 자는 누구나 환영을 받는다. 우리 주변에는 집 없는 젊은이들이 있으며 많은 젊은이의 가정이 그들을 돕거나 향상시킬 힘이 없으므로 악으로 흘러든다. 그들은 바로 우리 문 앞에서 멸망으로 빠져들고 있다.

이런 젊은이들에게는 그들을 향해 펼치는 동정의 손길이 필요하다. 단순하게 말한 친절한 말, 단순하게 베푼 작은 관심은 심령을 덮은 유혹의 구름을 쓸어버릴 것이다. 하나님께서 주신 진실한 동정심에는 그리스도처럼 하는 말의 향기로움과 그리스도께서 가지신 사랑의 정신의 단순하고 섬세한 접촉이 필요한 사람들의 마음의 문을 열 힘이 있다. 젊은이들에게 관심을 나타내기를 원한다면, 우리 가정에 그들을 초대하여 유쾌하고 유익한 감화로 그들을 둘러싸라. 기쁘게 그들의 발걸음을 향상의 길로 돌릴 젊은이들이 많다.

현세에서 우리에게 주어진 시간은 짧다. 우리는 단 한 번 이 세상을 통과할 뿐이다. 그러므로 이 세상을 통과할 때 최선의 삶을 살자. 우리에게 요청된 일에는 재산과 사회적 지위와 큰 능력이 요구되지 않는다. 거기에는 친절하고 자아 희생적인 정신과 확고한 목적이 요구된다. 아무리 작은 등이라도 계속 켜 놓으면 많은 다른 등에 점화하는 수단이 될 수 있다. 우리가 미치는 영향의 범위가 좁은 것처럼 보이고, 우리의 재능이 적고, 우리에게 오는 기회가 적고, 우리의 학식이 제한되어 있을지라도 우리의 가정에 있는 기회들을 충실히 이용하면 놀라운 일이 일어날 것이다. 거룩한 삶의 원칙에 우리의 마음과 가정을 열면 우리는 생명을 주는 능력의 물결을 전달하는 통로가 될 것이다. 우리의 가정에서 치유의 물결이 흘러나와 현재 황폐와 기근이 있는 곳에 생명과 아름다움과 결실을 가져올 것이다.

02
행복한 결혼의 비결
Secret of a Happy Marriage

아담에게 하와를 돕는 배필로 주신 분께서는 혼인 잔치에서 그분의 첫 이적을 행하셨다. 친구들과 친척들이 함께 즐거워하던 잔치 자리에서 그리스도께서는 그분의 공적인 봉사를 시작하셨다. 그렇게 그분은 결혼을 그분 자신이 세운 제도로 인정하시면서 그것을 재가하셨다. 그분은 "존귀로 관을 쓴" 가족들이 하늘 가족으로 인정받도록 그들의 가족을 양육하기 위해 거룩한 결혼으로 연합하도록 정하셨다.

또한 그리스도께서는 결혼 관계를 그분과 그분이 구속하신 백성들과의 연합을 상징하는 데 사용하심으로써 그것을 영광스럽게 하셨다. 그분 자신은 신랑이며 신부는 교회인데 그분은 자신이 선택한 그 신부에 대해 "나의 사랑 너는 어여쁘고 아무 흠이 없구나"(아 4:7)라고 말씀하신다.

그리스도께서 "교회를 사랑하시고 그 교회를 위하여 자신을 주심같이 하라 이는…깨끗하게 하사 거룩하게 하시고…티나 주름 잡힌 것이나 이런 것들이 없이 거룩하고 흠이 없게 하려 하심이라 이와 같이 남편들도 자기 아내 사랑하기를 자기 자신과 같이 할지니라"(엡 5:25~28).

가족의 유대는 이 세상 그 어떤 것보다 가장 긴밀하고 부드럽고 신성하다. 그것은 인류에게 복이 되도록 계획된 것이다. 그리고 지혜롭게 하나님을 경외하며 결혼에 따르는 책임에 합당한 고려와 함께 결혼 서약이 이루어지는 곳마다 그것은 축복이 된다.

결혼은 신중하게 결정해야 함

결혼에 대하여 생각하고 있는 사람들은 자신들이 세울 가정의 특성과 영향이 어떤 것이 되어야 할지 심사숙고해야 한다. 부모가 될 때 그들에게는 신성한 위탁이 주어진다. 자녀들이 이 세상에서 누릴 행복과 다가올 세상에서 누릴 행복의 많은 부분이 부모에게 달려 있다. 어린 자녀들이 소유하게 될 신체적, 도덕적 특질의 대부분이 그들에 의해 결정된다. 그리고 가정의 특성이 사회의 상태를 결정짓는다. 각 가정이 끼치는 영향력이 사회를 발전시키기도 하고 퇴보시키기도 한다.

일생의 배우자는 부모와 자녀들의 신체와 정신과 영적 복리를 가장 잘 확보할 수 있도록 곧 부모와 자녀들이 다같이 그들의 동료 인간에게 복을 끼

그리스도 안에서만
결혼 관계가 안전하게 이루어질 수 있다.
인간의 사랑은 그 가장 긴밀한 결합을
하나님의 사랑에서 끌어내야 한다.

치고 창조주께 영광을 돌릴 수 있게 해 줄 수 있는 사람이어야 한다.

결혼과 관련된 책임을 떠맡기 전에 젊은 남녀들은 결혼의 의무와 부담을 충분히 감당하도록 준비시켜 줄 수 있는 실제적인 생활의 경험을 가질 필요가 있다. 조혼(早婚)을 장려해서는 안 된다. 결혼처럼 매우 중요하고 그 결과가 멀리까지 미치는 관계를 성급하게 충분한 준비도 없이 그리고 정신적, 신체적 능력이 충분히 발달되기 전에 시작해서는 안 된다.

결혼 당사자들은 세상의 재물은 없을지라도 훨씬 더 큰 복인 건강을 가지고 있어야 한다. 그리고 대개 나이에 큰 차이가 있어서는 안 된다. 이 원칙을 무시하면 나이 어린 편의 건강을 크게 해치는 결과를 가져올 것이다. 그리고 흔히 자녀들은 신체와 정신의 건강을 잃을 것이다. 그들은 나이 많은 부모에게서 그들의 어린 시절에 필요한 돌봄과 사귐을 얻지 못할 것이며 사랑과 지도가 가장 필요한 바로 그때에 부모의 죽음으로 인해 그 혜택을 받지 못할 수 있다.

그리스도 안에서만 결혼 관계가 안전하게 이루어질 수 있다. 인간은 그 가장 긴밀한 결합을 하나님의 사랑에서 끌어내야 한다. 그리스도께서 지배하시는 곳에만 깊고 진실하고 이타적인 사랑이 존재할 수 있다.

사랑은 우리가 예수께 받는 귀중한 선물이다. 순결하고 거룩한 애정은 감정이 아니라 원칙이다. 진정한 사랑으로 행동하는 사람들은 비합리적이거나 맹목적이 아니다. 성령의 가르침을 받아 그들은 하나님을 가장 사랑하고 이웃을 제 몸처럼 사랑한다.

결혼을 생각하는 사람들은 한평생 운명을 함께하려는 상대방의 감정을 저울질해 보고 특성의 발로를 지켜보아야 한다. 결혼 관계에 이르는 단계마다 겸손, 단순, 성실 그리고 하나님을 기쁘게 하고 그분께 영광을 돌리고자 하는 간절한 목적이 그 특징이 되어야 한다. 결혼은 현세와 내세의 여생에 영향을 준다. 진실한 그리스도인은 하나님께서 승인하실 수 없는 계획을 세우지 않을 것이다.

만일 하나님을 경외하는 부모를 둔 복을 받았다면 그들에게 충고를 구하라. 희망과 계획을 그들에게 말하고 그들의 인생 경험이 가르친 교훈을 배우라. 그렇게 하면 많은 마음의 고통을 피할 것이다. 무엇보다도 그리스도를 상담자로 모시라. 기도로 그분의 말씀을 연구하라.

그런 지도 아래 젊은 여성은 순수하고 남성다운 품성의 특질을 소유한 사람, 부지런하고 진취성이 있고 정직한 사람, 하나님을 사랑하고 두려워하는 사람만을 생애의 반려자로 맞도록 하라. 젊은 남성은 그의 곁에 서서 그녀의 생애의 짐을 지기에 적합한 여성, 그녀의 감화력이 자신을 고상하게 하고 세련되게 해 줄 여성, 그녀의 사랑으로 자신을 행복하게 해 줄 여성을 찾도록 하라.

"슬기로운 아내는 여호와께로서 말미암느니라." "그런 자의 남편의 마음은 그를 믿나니 산업이 핍절치 아니하겠으며 그런 자는 살아 있는 동안에 그 남편에게 선을 행하고 악을 행하지 아니하느니라." "입을 열어 지혜를 베풀며 그의 혀로 인애의 법을 말하며 자기의 집안일을 보살피고 게을리 얻은 양식을 먹지 아니하나니 그의 자식들은 일어나 감사하며 그의 남편은 칭찬하기를 덕행 있는 여자가 많으나 그대는 모든 여자보다 뛰어나다

하느니라." 그와 같은 "아내를 얻는 자는 복을 얻고 여호와께 은총을 받는 자니라"(잠 19:14; 31:11~12, 26~29; 18:22).

결혼은 FINISH가 아니라 START

아무리 신중히 또한 현명하게 결혼이 이루어졌다 해도 결혼 예식이 거행될 당시에 완전히 연합된 부부는 거의 없다. 두 사람의 진정한 연합은 후년에 이루어지는 일이다.

당혹스럽고 걱정스러운 짐이 실린 삶이 신혼부부에게 닥치면, 결혼에 대해 흔히 상상으로만 그리던 로맨스는 사라진다. 남편과 아내는 이전의 교제에서는 알 수 없었던 서로의 성격을 알게 된다. 그때가 그들의 경험에서 운명이 갈리는 가장 위험한 시기이다. 미래의 전 생애의 행복과 유용성이 지금 바른 노선을 택하는 데 달려 있다. 흔히 그들은 생각지 않았던 약점과 결점을 서로에게서 발견할 것이다. 그러나 사랑으로 연합된 마음은 지금껏 알지 못했던 장점들도 발견할 것이다. 모든 사람은 결점보다 장점을 발견하고자 노력해야 한다. 흔히 우리 자신의 태도와 우리를 두른 분위기가 다른 사람에게서 우리가 무엇을 발견할지를 결정한다.

사랑 표현을 연약함으로 생각하고 다른 사람들이 접근할 수 없는 태도를 유지하는 사람들이 많다. 이 정신은 동정의 흐름을 막는다. 사교적이고 관대한 충동이 억제될 때, 그것은 시들고 마음은 황폐하고 냉랭해진다. 우리는 이 잘못을 범하지 않도록 주의해야 한다. 사랑은 표현하지 않으면 오

래가지 못한다. 그대와 관련된 사람의 마음이 친절과 사랑의 결핍으로 굶주리지 않게 하라.

  비록 어려운 일, 당혹스러운 일 그리고 실망스러운 일이 일어날지라도 남편이나 아내 중 어느 누구도 그들의 결혼이 실수나 실망스러운 것이라는 생각을 품지 말아야 한다. 서로 할 수 있는 최선을 다하고자 결심하라. 계속하여 미리 주의하라. 삶의 투쟁을 하는 일에 모든 방법을 동원하여 격려하라. 각자의 행복을 증진하기 위해 연구하라. 서로 사랑하고 서로 참으라. 그렇게 하면 결혼은 사랑의 끝이 되지 않고 말 그대로 사랑의 시작이 될 것이다. 참된 우정의 따듯함과 마음과 마음을 결합시키는 사랑은 하늘의 기쁨을 미리 맛보는 것이다.

가정마다 침범을 당해서는 안 되는 신성한 영역에 둘러싸여 있다. 어떤 사람도 이 영역으로 들어올 권리가 없다. 남편과 아내는 자신들에게만 속한 비밀을 다른 사람들과 나누는 일을 허락해서는 안 된다.

부부는 각자 사랑을 강요하기보다 주어야 한다. 자신에게 있는 가장 고상한 것을 배양하고 각자가 가진 좋은 특질을 재빨리 인식하라. 인정을 받고 있다는 인식은 놀라운 격려와 만족을 준다. 동정과 존경은 최선의 것을 추구하려는 노력을 격려하고 사랑 그 자체는 좀 더 고상한 목적을 위해 자극을 줄 때 증가한다.

남편과 아내들이여! 그리스도를 상담자로 모셔라

남편과 아내는 각자의 개성을 상대방의 개성에 결코 합병시켜서는 안 된다. 각자는 하나님과 개인적인 관계를 맺는다. 각자 "무엇이 옳으며 무엇이 틀립니까?", "내가 어떻게 인생의 목적을 가장 잘 성취할 수 있습니까?"라고 그분께 여쭈어야 한다. 그대를 위해 생명을 주신 분께 풍부한 사랑이 흘러나가게 하라. 모든 일에서 그리스도를 처음과 마지막과 최선으로 삼으라. 그분에 대한 사랑이 더욱 깊어지고 강해짐에 따라 서로 간의 사랑은 순결해지고 강해질 것이다.

그리스도께서 우리에게 나타내시는 정신은 남편과 아내가 서로 나타내야 할 정신이다. "그리스도께서 너희를 사랑하신 것같이 너희도 사랑 가운데서 행하라", "교회가 그리스도에게 하듯 아내들도 범사에 자기 남편에게 복종할지니라 남편들아 아내 사랑하기를 그리스도께서 교회를 사랑하시고 그 교회를 위하여 자신을 주심같이 하라"(엡 5:2, 24~25).

남편과 아내 중 어느 누구도 상대방을 독재적으로 지배하고자 해서는 안 된다. 서로 상대방을 자기의 뜻에 굴복시키려고 하지 말라. 이렇게 해서는 각자의 사랑을 유지할 수 없다. 친절히 하며 인내하며 견디며 사려 깊고 예의 바르게 행동하라. 하나님의 은혜를 통해서만 결혼 서약대로 서로를 행복하게 해 주는 데 성공할 수 있다.

자신들만의 세계를 구축하여 서로에게 모든 애정을 쏟는 일에 만족함으로써 행복을 발견할 수 있는 것은 아니라는 점을 기억하라. 주위에 있는 사람들의 행복에 기여할 수 있는 모든 기회를 잡으라. 참된 기쁨은 오직 이기심 없는 봉사에서만 발견할 수 있다는 사실을 기억하라.

인내와 이타심은 그리스도 안에서 새 삶을 사는 모든 사람의 말과 행동의 특징을 이룬다. 자아와 이기심을 극복하고 다른 사람들의 필요를 채우려고 애쓰면서 그분의 삶을 살려고 할 때 승리에 승리를 거듭하게 될 것이다. 이렇게 그대들의 감화는 세상을 복되게 할 것이다.

그리스도를 조력자로 모시면 누구든지 하나님의 이상에 도달할 수 있다. 인간의 지혜로 할 수 없는 것을 하나님의 은혜는 사랑의 신뢰로 자신들을 하나님께 바치는 사람들을 위해 성취할 것이다. 하나님의 섭리는 하늘에서 난 때로 마음들을 연합시킬 수 있다. 사랑은 그저 부드럽고 듣기 좋은 말을 나누는 것이 되지 않을 것이다. 하늘의 베틀은 지상의 베틀로

짤 수 있는 것보다 더 가늘지만 오히려 더 튼튼한 베를 짠다. 그 결과는 실로 짠 직물이 아니라 해짐과 시험과 시련을 견딜 수 있는 직물이다. 마음은 영원히 견딜 사랑의 황금 띠로 마음과 묶일 것이다.

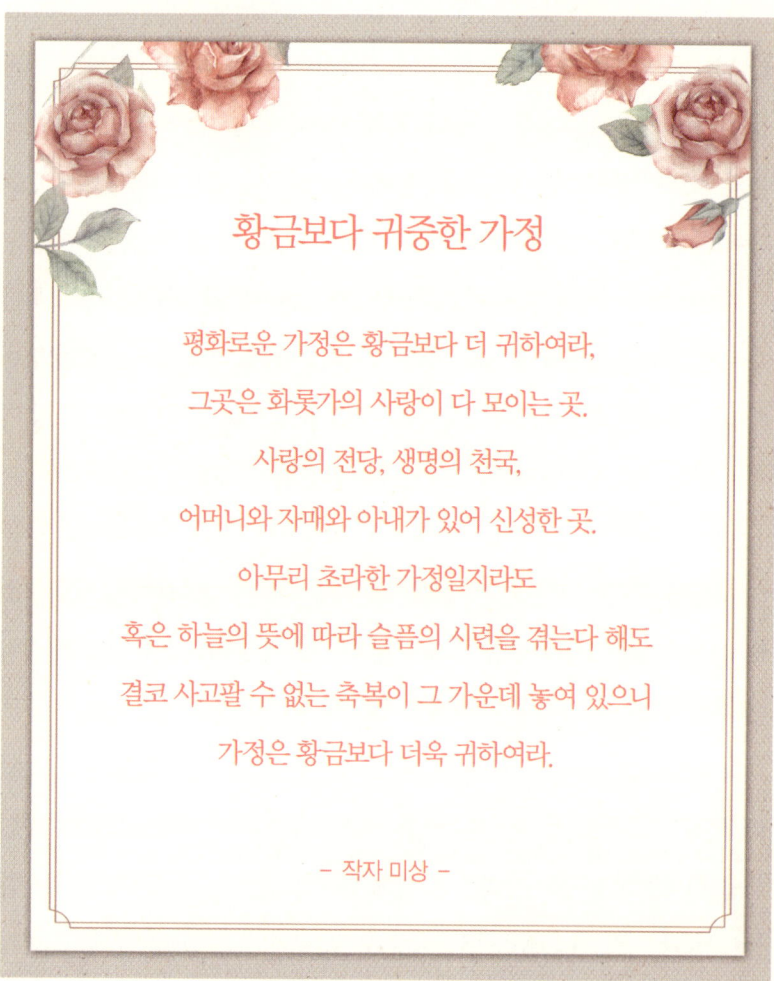

황금보다 귀중한 가정

평화로운 가정은 황금보다 더 귀하여라,
그곳은 화롯가의 사랑이 다 모이는 곳.
사랑의 전당, 생명의 천국,
어머니와 자매와 아내가 있어 신성한 곳.
아무리 초라한 가정일지라도
혹은 하늘의 뜻에 따라 슬픔의 시련을 겪는다 해도
결코 사고팔 수 없는 축복이 그 가운데 놓여 있으니
가정은 황금보다 더욱 귀하여라.

- 작자 미상 -

03
현대 가정의 설계도
Blueprint for a Modern Home

　복음은 삶의 문제들을 놀라울 정도로 단순하게 만들어 준다. 그 교훈에 유의하면 당혹스러운 많은 문제가 명백해지고 많은 오류를 피할 수 있게 된다. 복음은 사물들을 그 진가(眞價)대로 평가할 수 있게 하며, 가장 큰 가치를 지닌 것 곧 영원히 지속되는 것들을 위해 최선을 다하도록 우리를 가르친다. 이 교훈은 가정을 선택할 책임을 지고 있는 사람들에게 필요하다. 그들은 자신들을 최고의 목적에서 벗어나게 해서는 안 된다. 그들은 지상의 가정이 하늘에 있는 가정의 상징이며 준비임을 기억해야 한다. 인생은 하나님의 나라에 있는 상급 학교에 들어가기 위해 부모와 자녀들이 졸업해야 할 훈련학교이다. 가정을 둘 장소를 찾을 때는 이 목적에 따라 선택하라. 재물에 대한 욕망, 유행이 지시하는 것 혹은 사회의 관습을 따르지 말라. 무엇이 단순함, 순결함, 건강, 진정한 가치를 얻는 데 가장 도움이 될지 생각해 보라.

세계적으로 도시들은 죄악의 온상(溫床)이 되고 있다. 도처에 죄악의 장면들과 소리들이 있다. 어디에나 관능과 방탕으로 이끄는 유혹들이 있다. 부패와 죄악의 물결이 계속 솟아오른다. 매일 열거하기도 힘든 폭력 곧 절도, 살인, 자살과 범죄에 대한 기록이 남는다.

도시의 생활은 거짓되고 인공적이다. 돈을 벌려는 강한 욕망, 흥분과 쾌락의 소용돌이, 과시와 사치와 과장에 대한 갈증은 모두 사람들의 마음을 삶의 진정한 목적에서 돌아서게 한다. 그것들은 온갖 악에 대한 문을 열고 있다. 그것들은 젊은이들에게 거의 저항할 수 없는 힘을 행사한다.

도시에 사는 어린이들과 젊은이들을 공격하는 가장 교묘하고 위험한 유혹 중 하나는 쾌락을 사랑하는 것이다. 휴일(休日)은 많고 경기와 경마는 수많은 사람을 유인하며 흥분과 쾌락의 소용돌이는 삶의 건전한 의무에서 그들을 벗어나게 매혹한다. 더 나은 용도를 위해 저축했어야 할 돈이 오락으로 허비된다.

기업합동과 노동조합과 동맹파업의 결과로 도시 생활의 형편은 계속 더

어려워진다. 우리 앞에는 심각한 어려움이 놓여 있다. 그리하여 많은 가족이 도시를 떠나야 할 필요가 있을 것이다.

도시에 거주하는 위험성

도시의 신체 환경은 흔히 건강을 위태롭게 한다. 계속해서 질병에 감염될 가능성, 더러운 공기의 편만함, 불결한 물, 불결한 음식, 비좁고 어둡고 비위생적인 주거지들은 우리가 만나는 많은 해악 가운데 일부이다.

사람들이 도시에 운집하여 연립주택이나 셋집에 몰려 사는 것은 하나님의 목적이 아니다. 애초에 그분은 우리의 첫 조상을 아름다운 경치와 소리 가운데 두셨다. 그분은 우리도 그것을 누리기를 원하신다. 하나님의 본래의 계획에 우리가 더 가까이 조화될수록 몸과 마음과 심령의 건강을 얻는 데 더 유리해질 것이다.

값비싼 주택, 공들여 만든 가구, 과시, 사치, 안일은 행복하고 유용한 생활에 필수적인 조건을 제공하지 못한다. 예수께서는 일찍이 사람들 중에서 성취된 가장 큰일을 성취하시려고 이 땅에 오셨다. 그분은 하나님의 대사(大使)로서 우리에게 삶의 최선의 결과를 얻도록 사는 법을 보여 주시기 위해 오셨다. 무한하신 아버지께서 그분의 아들을 위해 택하신 조건들은 어떤 것들이었는가? 갈릴리 언덕의 한적한, 정직하고 자존적인 노동으로 살아가는 가족, 단순한 생활, 어려움과 고된 일을 극복하기 위한 매일의 투쟁, 자아 희생, 절약, 인내, 즐거운 마음으로 하는 봉사, 어머니 곁에서 성경을 펴고 공부하는 시간, 푸른 산골짜기의 고요한 새벽과 황혼, 천연계의 거룩한 봉사, 창조와 섭리에 대한 연구, 하나님과의 심령의 교제, 이것들이 예수님의 어린 시절의 조건과 기회였다.

모든 시대의 가장 훌륭하고 고상했던 사람들의 경우도 그랬다. 아브라함과 야곱과 요셉의 역사, 모세와 다윗과 엘리사의 역사를 읽어 보라. 신임과 책임의 자리를 가장 훌륭하게 감당했던 위인들 곧 세상의 향상을 위해 가장 효과적인 영향을 끼쳤던 사람들의 생애를 연구해 보라.

이들 중 참으로 많은 사람이 시골 가정에서 자랐다. 그들은 사치를 거의 알지 못했다. 그들은 오락으로 젊음을 허비하지 않았다. 많은 사람이 빈곤과 고난을 극복하기 위해 싸울 수밖에 없었다. 그들은 어려서부터 일을 배웠고 집 밖에서의 활동적인 생활은 그들의 모든 기능에 활기와 탄력을 주었다. 어쩔 수 없이 그들 자신의 자원에 의존해야 했으므로 그들은 어려움과 싸우고 장애를 극복하는 법을 배웠으며 용기와 인내력을 길렀다. 그들은 자립(自立)과 자제(自制)의 교훈을 배웠다. 악한 사귐에서 크게 보호를 받았으므로 그들은 순수한 기쁨과 건전한 교제로 만족하였다. 그들의 취미는 단순하였고 습관은 온건했다. 그들은 원칙의 지배를 받았으며 순수하고 강하고 진실하게 자랐다. 일생의 사업에 부름을 받았을 때 그들은 신체와 정신의 힘, 쾌활한 정신, 계획하고 실천하는 능력, 악에 저항하는 일에서의 확고함을 그 사업에 투자했으며 그러한 것들은 그들을 세상에서 선을 위한 긍정적인 능력이 되게 하였다.

자녀들에게 줄 수 있는 다른 어떤 유산보다 더 좋은 것은 건강한 몸과 건전한 정신과 고상한 품성을 선물로 주는 것이다. 무엇이 인생의 진정한 성공인지를 아는 사람들은 현명하게 때를 잃지 않을 것이다. 그들은 가정을 선택할 때 생애의 최선의 것을 염두에 둘 것이다.

도시의 소음을 피하여 자연 속으로

인간이 한 일밖에는 보이지 않는 곳, 보고 듣는 것이 흔히 악한 생각을 일으키는 곳, 소란과 혼란이 피로와 불안을 가져오는 곳에 거주하는 대신, 하나님께서 하신 일을 바라볼 수 있는 곳으로 가라. 천연계의 아름다움과 고요함과 평화 가운데서 심령의 안식을 찾으라. 초록색의 들과 숲과 언덕에 눈이 머물게 하라. 도시의 먼지와 연기로 흐려지지 않은 푸른 하늘을 쳐다보고 생기를 주는 하늘의 공기를 마시라. 도시 생활의 산만함과 소진함에서 벗어나 자녀들과 벗이 될 수 있고 하나님께서 하신 일을 통해 그분을 알도록 그들을 가르칠 수 있고 성실하고 유용한 생애를 위해 그들을 교육할 수 있는 곳으로 가라.

우리의 인공적(人工的)인 습관은 우리에게서 많은 복과 즐거움을 빼앗아 가며 우리를 가장 유익한 삶을 살기에 부적합하게 한다. 공들여 만든 값비싼 가구들은 돈뿐 아니라 그보다 천 배나 더 귀중한 것을 낭비케 한다. 그런 것들은 근심과 수고와 걱정의 무거운 짐을 가정에 끌어들인다.

많은 가정, 심지어 자원이 제한되어 있고 가족의 일을 주로 어머니가 맡아 하는 가정에서도 그 상황이 어떠한가? 가장 좋은 방들은 거기 사는 사

<u>가정을 만드는 사람들은 더 현명한 계획에 따라 살려는 결심을 해야 한다. 즐거운 가정을 만드는 것을 첫째 목적으로 삼으라. 반드시 일을 덜고 건강과 편안함을 증진할 설비를 갖추라.</u>

람들의 수입을 초과하는 스타일의 가구들로 채워져 있으며 그들의 편의와 즐거움에 맞지 않는다. 거기에는 값비싼 양탄자, 공들여 조각하고 우아하게 장식한 가구, 섬세하게 주름을 잡은 휘장이 있다. 탁자와 벽난로 선반 그리고 그 밖의 빈 공간은 온통 장식품들로 채워져 있고, 벽들은 그림으로 덮여 있어 보기에 싫증이 나기까지 한다. 이 모든 것을 가지런히 간수하고 먼지가 덮이지 않게 하려면 얼마나 많은 노력을 들여야 할 것인가! 이 일과

그 외에 유행에 맞추려는 가족의 인위적인 습관들은 주부에게 끊임없는 수고를 하게 한다.

많은 가정에서 아내와 어머니는 독서할 시간, 충분한 정보를 얻을 시간, 남편의 벗이 되어 줄 시간, 자녀들의 자라나는 마음과 계속해서 접촉할 시간이 없다. 귀하신 구주와 친밀하고 다정하게 교제할 시간과 장소가 없다. 그는 점점 단조로운 가정의 일에 빠져들게 되고 그의 힘과 시간과 관심은 사용함에 따라 없어져 버리는 사물에 빼앗긴다. 그는 자신이 가정에서 거의 손님과 같은 존재임을 너무 늦게서야 깨닫게 된다. 한때 그가 소유했던 귀중한 기회 곧 더 고상한 삶을 위해 사랑하는 자녀들에게 영향을 미칠 수 있었던 기회는 활용되지 못한 채 영원히 지나가 버린다.

가정을 만드는 사람들은 더 현명한 계획에 따라 살려는 결심을 해야 한다. 즐거운 가정을 만드는 것을 첫째 목적으로 삼으라. 반드시 일을 덜고 건강과 편안함을 증진할 설비를 갖추라. 그리스도께서 우리에게 환영하도록 명령하신 손님들 곧 "너희가 여기 내 형제 중에 지극히 작은 자 하나에게 한 것이 곧 내게 한 것이니라"(마 25:40)라고 말씀하신 손님들을 대접할 계획을 세우라.

가정에 평범하고 단순한 것들, 오래 쓸 수 있고 청소하기 쉽고 큰 비용을 들이지 않고도 바꿀 수 있는 것들을 비치하라. 사랑과 만족이 있으면 취미를 발휘하여 아주 단순한 가정을 매력 있고 마음이 끌리는 가정으로 만들 수 있다.

하나님께서는 아름다운 것을 좋아하신다. 그분은 하늘과 땅을 아름다움으로 옷 입히셨으며 아버지의 기쁨으로 그분이 창조하신 만물을 즐거워하는 그분의 자녀들의 기쁨을 지켜보신다. 그분은 우리가 우리 가정을 천연계의 아름다움으로 둘러싸기를 원하신다.

　시골에 사는 사람들은 아무리 가난해도 거의 모두가 작은 잔디밭과 그늘을 제공하는 나무 몇 그루와 꽃을 피우는 관목들과 향기를 풍기는 화초들을 그들의 집 주변에 심을 수 있다. 그것들은 어떤 인공적인 장식보다 가정의 행복에 훨씬 크게 기여할 것이다. 그것들은 가정생활을 부드럽고 세련되게 하고, 천연계에 대한 사랑을 강화시키며 가족들을 더 가깝게 하고 하나님께 더 가까워지게 한다.

04
어머니가 조심해야 할 문제들
Problems of the Mother

부모가 어떠하면 대부분 자녀들도 그렇게 될 것이다. 부모의 신체 상태, 그들의 기질과 취미, 그들의 정신적, 도덕적 경향은 다소 차이가 있을지라도 그들의 자녀들 속에 재생된다.

목적이 고상할수록, 도덕적, 영적 능력이 클수록, 부모의 체력이 발달할수록 그들의 자녀들에게 주는 삶의 준비는 더 나을 것이다. 부모들은 자신들에게 있는 최선의 것을 계발함으로써 사회를 꼴 짓고 후대를 향상시키는 일에 영향을 끼치고 있다.

아버지와 어머니들은 그들의 책임을 이해할 필요가 있다. 세상에는 젊은이들의 발을 노리는 올무가 가득하다. 수많은 사람이 이기적이며 관능적인 쾌락의 삶에 매혹되고 있다. 그들은 행복한 길처럼 보이는 그 길에 숨겨진 위험과 두려운 종말을 보지 못한다. 식욕과 정욕의 방종으로 그들의 힘은 낭비되고 수백만 명이 현세와 내세에서 멸망한다. 부모들은 그들의 자녀들이 이 유혹들을 만나지 않을 수 없다는 것을 기억해야 한다. 자녀를 낳기 전이라도 그 자녀로 하여금 악에 대한 싸움을 성공적으로 싸울 수 있게 하는 준비를 시작해야 한다.

어머니는 특별한 책임을 진다. 그의 피로 태아에게 영양을 공급하고 신체의 골격을 형성시키는 어머니는 마음과 품성을 꼴 짓는 정신적, 영적 영향력도 끼친다. 이스라엘의 구원자 모세를 낳은 히브리인 어머니 요게벳은 "왕의 명령을 무서워하지 아니"(히 11:23)하는 믿음이 강한 사람이었다. 하늘이 교훈한 아들이며 부패하지 않은 사사이며 이스라엘의 신성한 학교를 설립한 사무엘을 낳은 사람은 기도와 자아 희생과 하늘 영감의 여인인 한나였다. 구주에 대해 알렸던 자의 어머니는 나사렛 마리아의 친척이며 그와 동일한 정신을 지녔던 엘리사벳이었다.

성경은 어머니가 자신의 생활 습관을 주의 깊게 지켜야 한다는 것을 가르친다. 주님께서 삼손을 이스라엘의 구원자로 세우려 하실 때 "여호와의 사자"가 그의 어머니에게 나타나서 그녀가 지켜야 할 습관과 아이를 기르는 것에 대한 특별한 지시를 하였다. 그는 "삼가서" "포도주와 독주를 마시지 말며 어떤 부정한 것도 먹지 말라"(삿 13:13, 7)고 말했다.

자녀의 행복은 어머니의 습관에 영향을 받음

많은 부모가 태아기(胎兒期)에 받는 영향을 사소한 문제로 여기지만 하늘은 그렇게 보지 않는다. 하나님의 천사를 통해 주어진 기별, 게다가 가장 엄숙한 방법으로 두 번씩이나 주어진 그 기별은 우리가 이 문제에 대해 주의 깊은 생각을 할 가치가 있음을 보여 준다.

히브리인 어머니에게 하신 말씀을 통해 하나님께서는 각 시대의 모든 어머니에게 말씀하신다. 천사는 "그가 다 삼가서" "내가 그에게 명령한 것은 다 지킬 것이니라"(삿 13:13~14)라고 말했다. 자녀의 행복은 어머니의 습관에 의해 영향을 받을 것이다. 어머니의 식욕과 정욕은 원칙에 의해 통제되어야 한다. 어머니가 그에게 자식을 주시는 하나님의 목적을 성취하려면 어떤 것은 피해야 하고 또 어떤 것은 거부해야 한다. 자녀를 출산하기 전에 어머니가 방종하거나 이기적이거나 조급하거나 가혹하다면 이 기질들은 자녀의 성질에 나타날 것이다. 이렇게 많은 자녀가 거의 극복할 수 없는 악의 성향(性向)을 유산으로 물려받았다.

그러나 어머니가 확고하게 바른 원칙들을 따르며 절제하며 극기하며 친절하며 부드러우며 이타적이면, 그는 이와 같은 품성의 귀중한 특질들을 자녀에게 물려줄 수 있다. 어머니가 술을 금해야 할 것에 대한 명령은 매우 분명하다. 식욕을 만족시키기 위해 그가 마시는 독주는 자녀의 몸과 마음과 도덕의 건강을 위태롭게 하며 그것은 창조주께 대한 직접적인 범죄이다.

많은 사람이 무엇이나 어머니가 원하는 대로 주어야 한다고 충고한다.

만일 그가 어떤 음식이든지, 아무리 해롭더라도 먹기를 원한다면 입맛이 당기는 대로 제한 없이 먹게 해야 한다는 것이다. 그런 충고는 거짓되고 해로운 것이다. 어머니의 신체적 필요는 어떤 경우에나 소홀히 취급되어서는 안 된다. 두 생명이 그에게 달려 있으므로 그가 원하는 것은 친절하게 돌봐 줘야 하며 그의 필요는 너그럽게 채워져야 한다. 그러나 다른 어느 때보다 이때에 그는 식사와 다른 모든 면에서 신체적 혹은 정신적 힘을 감소시키는 것은 무엇이나 피해야 한다. 하나님께서 친히 하신 명령에 따라 그는 자제를 실천해야 할 가장 엄숙한 책임이 있다.

어머니의 힘은 고이 간직되어야 한다. 그의 귀중한 힘을 힘든 노동에 소모해서는 안 되며, 그의 걱정과 짐은 경감되어야 한다. 흔히 남편이며 아버지인 사람이 가족의 행복을 위해 알아야 할 육체의 법칙을 모른다. 생계를

위한 투쟁에 열중하거나 재산을 모으는 일에 몰두하거나 걱정과 근심에 눌린 나머지 그는 아내이자 어머니인 사람에게 그 가장 결정적인 시기에 힘겨울 뿐 아니라 허약과 질병의 원인이 되는 짐을 지도록 하고 있다.

'남편'과 '아버지'로서 가장의 역할

남편이며 아버지인 많은 사람은 충실한 목자의 주의 깊은 태도에서 도움이 되는 교훈을 배울 수 있다. 야곱은 힘든 여행을 빨리 하라는 독촉을 받았을 때 다음과 같이 대답했다.

"자식들은 연약하고 내게 있는 양 떼와 소가 새끼를 데리고 있은즉 하루만 지나치게 몰면 모든 떼가 죽으리니…나는 앞에 가는 가축과 자식들의 걸음대로 천천히 인도하여…나아가리이다"(창 33:13~14).

인생의 고된 여정(旅程)에서 남편이며 아버지인 사람은 그와 함께 여행하는 일행들이 따라올 수 있도록 천천히 인도해야 한다. 자신의 곁에서 인생을 함께 걸어가도록 부름을 받은 사람을 위로하고 지원하기 위해 재산과 권력을 향해 열심히 달려가는 세상의 경주에서 그는 발을 멈추는 법을 배워야 한다.

어머니는 쾌활하고 만족해하는 행복한 기질을 계발해야 한다. 이 방면에서의 모든 노력은 자녀들의 육체적 건강과 도덕적 품성으로 풍성하게 보상받을 것이다. 쾌활한 정신은 가족들의 행복을 증진하고 그 자신의 건강을 매우 크게 향상시킨다.

남편은 동정과 변함없는 애정으로 아내를 도와주어야 한다. 만일 그가 아내를 항상 상쾌하고 즐겁게 하여 아내가 가정에서 태양과 같이 되기를 원한다면, 그는 그녀가 그녀의 짐을 지는 것을 도와야 한다. 남편의 친절과 사랑의 예의는 아내에게 귀중한 격려가 될 것이며, 그가 나누어 주는 행복은 그 자신의 마음에 기쁨과 평화를 가져다줄 것이다.

침울하며 이기적이고 위압적인 남편이며 아버지인 사람은 자신이 불행할 뿐 아니라 가정 안에 있는 모든 식구에게 그늘을 던진다. 그는 아내가 기력이 꺾이며 병약해지고 자녀들이 그 자신의 추한 기질로 손상되는 것을 보는 결과를 거둘 것이다.

어머니가 마땅히 받아야 할 돌봄과 위안을 받지 못하고, 과로나 걱정과 슬픔에 힘을 다 써 버리면, 자녀들은 마땅히 물려받아야 할 생명력과 정신적 탄력과 쾌활한 기질을 빼앗길 것이다. 어머니의 삶을 밝고 즐겁게 해 주고, 궁색함과 힘든 일과 우울하게 하는 염려에서 그를 보호하며, 아이들에게 건전한 몸을 물려주어 그들이 활기 있는 힘으로 자신의 인생을 개척해 나갈 수 있게 해 주어야 한다.

아버지와 어머니들에게 놓인 영예와 책임은 크다. 그들은 자녀들 앞에 하나님의 자리를 대신하여 선다. 그들의 품성과 일상생활과 교육 방법은 어린아이들에게 하나님의 말씀을 설명해 줄 것이다. 그들의 영향은 아이들이 주님의 보증을 확신하게 하기도 하고 불신하게 하기도 한다.

삶에 하나님을 진정으로 반사함으로써 하나님의 약속과 명령을 자녀의 마음속에 감사와 존경으로 일으키는 부모, 그들의 부드러움과 공의와 오래 참음으로 자녀에게 하나님의 사랑과 공의와 오래 참음을 설명해 주는 부모는 행복하다. 그들은 자녀에게 그들을 사랑하고 신뢰하고 순종하도록 가르침으로써 하늘에 계신 그의 아버지를 사랑하고 신뢰하고 그분께 순종하도록 가르치고 있는 것이다. 그런 선물을 자녀에게 나누어 주는 부모는 모든 시대의 어떤 재물보다 더 귀중한 보배 곧 영원히 존속하는 보배를 자녀에게 주는 것이다.

어머니에게 위탁된 신성한 임무

어머니마다 자녀를 돌볼 신성한 임무를 하나님께 위탁받았다. 주님은 "이 아들, 이 딸을 데려가서 나를 위해 양육하되 그들에게 왕궁의 식양대로 아름답게 다듬은 품성을 주어 주님의 궁전에서 영원히 빛나게 하라."고 말씀하신다.

어머니의 일은 흔히 그 자신에게 중요하지 않은 봉사처럼 보인다. 그것은 별로 알아주지 않는 일이다. 다른 사람들은 그의 많은 걱정과 부담을 거의 알지 못한다. 그의 하루하루는 꾸준한 노력과 자제와 기지(機智)와 지혜와 자아 희생적 사랑이 요구되는 작은 의무들의 반복이지만 그가 한 일을 어떤 큰 업적으로 자랑할 수는 없다. 그는 다만 집안일들이 순조롭게 돌아가도록 했을 뿐이다. 흔히 피곤하고 당혹스러운 가운데서도 그는 아이들에게 친절하게 말하며 그들을 분주하고 즐겁게 해 주며 그 작은 발을 올바른 길로 이끌기 위해 노력했다. 그는 아무것도 한 것이 없다고 생각한다. 그러나 그렇지 않다. 하늘의 천사들은 돌보는 일에 지친 어머니를 지켜보며 그가 매일 지는 짐에 주목한다. 그의 이름은 세상에 알려지지 않을 수도 있으나 어린양의 생명책에 기록된다.

하늘에는 하나님이 계시며, 그분의 보좌에서 나오는 빛과 영광은 악의 세력에 저항하도록 자녀들을 교육하는 일에 노력하는 충실한 어머니 위에 머무른다. 어떤 사업도 그 중요성에서 어머니의 사업과 같을 수 없다. 그는 화가처럼 화폭 위에 아름다운 그림을 그리거나 조각가처럼 대리석에 아로새기지 않는다. 그는 작가처럼 고상한 사상을 강력한 말로 구체화하거나 음악가처럼 아름다운 정취를 선율로 표현하지 않는다. 어머니의 일은 하나님의 도우심을 받아 사람의 심령에 하나님의 형상을 조성하는 것이다.

이 사실을 이해하는 어머니는 그에게 주어진 기회를 대단히 귀중하게 여길 것이다. 그는 자신의 품성과 교육 방법을 통해 자녀들에게 최고의 이상을 제시하려고 진지하게 노력할 것이다. 그는 자녀들을 교육하는 일에 최고의 정신력을 올바로 사용할 수 있도록 열렬하게, 끈기 있게, 용감하게 자신의 능력을 향상시키려고 노력할 것이다. 걸음마다 그는 "하나님께서 무엇이라고 말씀하셨는가?"라고 진지하게 질문할 것이다. 그는 부지런히 하나님의 말씀을 연구할 것이다. 그는 걱정과 의무의 비천한 반복에서 자신이 경험하는 매일의 경험이 주님의 진실한 생애에 대한 참된 반영이 되도록 언제나 그리스도께 그의 눈을 고정할 것이다.

어떤 사업도 그 중요성에서 어머니의 사업과 같을 수 없다.
…어머니의 일은 하나님의 도우심을 받아
사람의 심령에 하나님의 형상을 조성하는 것이다.

05
자녀에 대한 이해
Understanding the Child

천사가 히브리 부모에게 준 교훈에는 어머니의 습관뿐 아니라 자녀의 훈련도 포함되어 있었다. 이스라엘을 구원할 아이 삼손이 훌륭한 성품을 물려받아 태어나는 것만으로는 넉넉지 않았다. 주의 깊은 교육이 그 뒤를 따라야 했다. 유아 시절부터 그는 엄격한 절제 습관에 따라 훈련을 받아야 했다.

침례자 요한에 대해서도 유사한 지시가 주어졌다. 아이가 태어나기 전에 하늘에서 아버지에게 보낸 기별은 다음과 같다.

"너도 기뻐하고 즐거워할 것이요 많은 사람도 그의 태어남을 기뻐하리니 이는 그가 주 앞에 큰 자가 되며 포도주나 독한 술을 마시지 아니하며 모태로부터 성령의 충만함을"(눅 1:14~15) 받으리라.

고상한 사람들에 대한 하늘 기록에 대해 구주께서는 침례자 요한보다 더 큰 자가 없다고 선언하셨다. 그에게 위탁된 사업은 육체적 능력과 인내력뿐 아니라 마음과 심령의 최고의 자질이 요구되었다. 이 사업을 위한 준비로서 올바른 육체적 훈련이 그처럼 중요했기에 하늘에 있는 가장 높은 천사가 그 아이의 부모에게 줄 지시의 기별을 가지고 파견되었다.

그 히브리인 자녀들에 대해 주어진 지시는 아이의 육체적 건강에 영향을 주는 것은 아무것도 소홀히 해서는 안 된다는 사실을 우리에게 가르친다. 중요하지 않은 것은 없다. 신체 건강에 영향을 미치는 것은 무엇이나 마음과 품성에도 영향을 미친다.

어린 시절의 교육의 중요성

아이들의 조기 훈련의 중요성은 아무리 강조해도 지나칠 수 없다. 유아기와 어린 시절에 배운 교훈과 형성된 습관은 후년의 모든 교훈과 훈련보다 품성 형성과 생애의 방향에 더 큰 영향을 준다.

부모들은 이 사실을 숙고할 필요가 있다. 그들은 아이들을 돌보고 교육하는 일의 기초가 되는 원칙들을 이해해야 한다. 그들은 자녀들을 육체적으로, 정신적으로, 도덕적으로 건강하게 기를 수 있어야 한다. 부모들은 천연 법칙을 연구해야 한다. 그들은 인체 기관들에 대해 알아야 한다. 그들은 여러 기관의 기능과 그 기관들의 상호 관계와 의존성을 이해할 필요가

있다. 그들은 정신력과 신체의 힘 사이의 관계와 그 각각의 건강한 작용에 필요한 조건들을 연구해야 한다. 그런 준비 없이 부모의 책임을 맡는 것은 죄이다.

  가장 문명이 발달하고 살기 좋은 나라들에서조차 오늘날 존재하는 사망과 질병과 퇴화(退化)의 원인들에 대해 생각하는 일이 매우 적다. 인류의 질은 떨어지고 있다. 삼분의 일 이상이 유아기에 죽는다(이 책을 쓴 당시의 상황을 묘사한 것임. 역자 주). 장년에 이르는 사람들 가운데서도 대부분이 여러 형태의 질병으로 고통을 당하며, 다만 소수만이 인간의 수한(壽限)에 이른다.

인류에게 불행과 멸망을 가져오는 악은 대개는 예방할 수 있는 것들이며, 그것들을 다룰 능력은 부모들에게 크게 주어져 있다. 어린아이들을 잃는 것은 '신비한 섭리'가 아니다. 하나님께서는 그들의 죽음을 원치 않으신다. 하나님께서는 그들을 현세와 이후의 하늘을 위해 유용한 인물로 훈련받도록 부모들에게 맡기신다. 아버지와 어머니들이 자녀들에게 훌륭한 유산을 남겨 주기 위해 최선을 다한 후에 올바른 관리를 통해 자녀들의 타고난 어떤 나쁜 조건이든지 그것을 개선하기 위해 애썼다면, 세상에는 얼마나 더 큰 변화가 일어났겠는가!

아이의 생활이 조용하고 단순할수록 육체와 정신의 발달에 더 유리할 것이다. 어머니는 언제나 조용하고 정숙하고 침착하도록 노력해야 한다. 많은 유아가 신경 자극에 극히 예민하므로 어머니의 부드럽고 침착한 태도는 아이에게 말로 표현할 수 없을 만큼 유익한, 진정시키는 영향을 줄 것이다.

어린 아이를 지혜롭게 돌보는 몇 가지 TIPS

아이들은 따뜻하게 해 주어야 하나 그들을 신선한 공기가 많이 부족한, 지나치게 더운 방에 둠으로써 흔히 심각한 잘못을 범한다. 자유로운 호흡을 막기 때문에 아이가 잘 때 얼굴을 덮어 주는 것은 해롭다.

아이는 신체 조직을 약하게 하거나 해롭게 할 가능성이 있는 어떤 영향도 받지 않도록 보호되어야 한다. 아이의 주위에 있는 모든 것을 기분 좋고 깨끗하게 유지하도록 가장 세심한 주의를 기울여야 한다. 아이들은 갑작스럽거나 큰 온도 변화에서 보호를 받아야 하며, 잘 때나 깨어 있을 때나, 낮이나 밤이나 깨끗하고 상쾌한 공기를 호흡할 수 있도록 유의해야 한다.

아이의 옷을 준비할 때는 유행이나 칭찬을 받으려는 욕망보다 편의와 안락과 건강을 먼저 추구해야 한다. 어머니는 아이의 옷을 아름답게 만들기 위해 자수(刺繡)나 편물(編物)하는 데 시간을 보내서는 안 되며, 그렇게 하여 자신의 건강과 아이의 건강을 희생시키면서까지 불필요하게 노동하는 부담을 져서는 안 된다. 그는 휴식과 즐거운 운동이 많이 필요한 때에 몸을 구부리고 눈과 신경에 심한 부담을 주는 바느질을 하지 말아야 한다. 어머니는 그에게 주어지는 요청에 응할 수 있기 위해 자신의 힘을 비축해야 할 의무를 깨달아야 한다.

아이의 옷이 따뜻하고 보호가 잘되고 편하면, 짜증내고 보채는 주된 원인 가운데 한 가지가 사라질 것이다. 아이는 더 건강하게 되고 어머니는 아이를 돌보는 것이 자신의 건강과 시간에 지나치게 무거운 부담이 되지 않음을 알게 될 것이다.

띠나 허리띠를 단단히 졸라매면 심장과 폐의 활동을 방해하므로 피해야 한다. 어느 때든지 신체의 어떤 기관을 압박하거나 그 자유로운 활동을 제한하는 옷을 입음으로써 신체의 일부분을 불편하게 하지 말아야 한다. 모든 아이의 옷은 가장 자유롭고 충분하게 호흡할 수 있도록 넉넉해야 하며 어깨에 멜 수 있게 만들어야 한다.

어떤 나라들에는 아직도 어린아이들의 어깨와 팔다리를 맨살로 두는 습관이 남아 있다. 그런 습관은 아무리 가혹하게 비난을 받아도 지나치지 않다. 팔다리는 혈액 순환의 중심부에서 멀기 때문에 몸의 다른 부분보다 더 큰 보호가 요구된다. 피를 몸의 끝부분까지 전달하는 동맥은 굵으며 체온과 영양을 공급하기에 충분한 양의 피를 제공한다. 그러나 팔다리를 보호하지 않거나 충분히 입히지 않으면 동맥과 정맥은 수축되며, 몸의 민감한 부분은 차가워지고, 혈액 순환은 방해를 받는다.

    자라는 아이들은 천연계의 모든 힘을 최대한 이용하여 그들이 신체의 골격을 완전하게 만들 수 있게 하는 것이 필요하다. 팔다리를 충분히 보호하지 않으면, 특히 여자아이들은 날씨가 따뜻하지 않으면 밖에 나가기를 꺼려 하며, 그래서 그들은 추위를 겁내 늘 방 안에 머물게 된다. 아이들을 잘 입히면 그들은 겨울이나 여름이나 밖에서 자유롭게 활동할 수 있는 이점을 누리게 될 것이다.

> 자라는 아이들은 천연계의 모든 힘을 최대한 이용하여
> 그들이 신체의 골격을 완전하게 만들 수 있게 하는 것이 필요하다.

자녀들이 야외에서 활동하도록 격려함

아들과 딸들이 건강의 활력을 얻기를 바라는 어머니들은 그들에게 적당한 옷을 입혀 어떤 계절이든지 밖에서 많은 시간을 보내게 해야 한다. 관습의 사슬을 깨고 건강 법칙에 따라 아이들에게 옷을 입히며 그들을 교육하는 데 많은 노력이 필요하겠지만 그 결과는 충분한 보답을 받을 것이다.

유아에게 가장 좋은 음식은 천연(天然)이 공급하는 식물이다. 이것을 이유 없이 빼앗아서는 안 된다. 편의나 사교적 즐거움 때문에 어머니가 어린 아이를 젖 먹여 기르는 다정한 의무에서 벗어나려는 것은 무정한 일이다.

자신의 아이를 다른 사람이 기르도록 허락하는 어머니는 그 결과가 어떨지 잘 생각해 보아야 한다. 유모는 다소간 그의 성질과 기질을 그가 기르는 아이에게 나누어 준다.

아이들에게 바른 식사 습관을 훈련시키는 일은 매우 중요하다. 어린아이들은 살기 위해 먹는 것이지 먹기 위해 사는 것이 아니라는 사실을 배울 필요가 있다. 이 훈련은 어머니의 팔에 안겨 있는 유아 시절부터 해야 한다. 아이에게는 오직 규칙적인 간격으로 먹을 것을 주어야 하며 자라남에 따라 그 횟수를 줄여야 한다. 아이에게는 사탕이나 아이가 소화시킬 수 없는 어른의 음식을 주어서는 안 된다. 유아를 주의해서 규칙적으로 먹이는 일은 건강을 증진시켜 조용하고 상냥한 기질을 형성할 뿐 아니라 후년에 그들에게 복이 될 습관의 기초를 놓을 것이다.

유아기를 벗어나는 아이들의 경우에도 입맛과 식욕을 길들이는 일에 여전히 큰 주의를 기울여야 한다. 흔히 건강과 상관없이 그들이 선택한 것을 먹고 그들이 선택한 시간에 먹도록 내버려 두고 있다. 몸에 해로운 진미(珍味)에 그처럼 수고와 돈을 낭비하여, 아이들에게 인생의 최고의 목적과 가장 큰 행복은 식욕을 만족시키는 것이라는 생각을 하게 한다. 이런 훈련의 결과는 폭식이며 그다음에 질병이 따르고 그 후에는 통상 유독한 약물을 복용하게 된다.

부모들은 자녀들의 식욕을 길들이고 해로운 음식을 먹지 못하게 해야 한다. 그러나 식사를 조절하려고 아이들에게 맛이 없는 것을 먹도록 강요하거나 필요 이상으로 많이 먹도록 요구하는 실수를 범하지 않게 주의해야 한다. 아이들에게는 권리가 있다. 그들이 더 좋아하는 것들이 있으며 이 더 좋아하는 것들이 정당하다면 그것은 존중되어야 한다.

규칙적인 식사

식사에서의 규칙성을 잘 지켜야 한다. 과자나 견과나 과실이나 그 밖의 어떤 종류의 음식이라도 식간에는 아무것도 먹지 말아야 한다. 식사의 불규칙성은 소화 기관의 건강한 상태를 파괴하고 건강과 상쾌한 기분을 손상시킨다. 식탁에 앉을 때 아이들은 건강에 좋은 음식을 맛있게 먹지 못한다. 그들의 식욕은 그들에게 해로운 것을 갈망한다.

건강하고 행복한 기분을 망쳐 가면서 자녀들의 욕망을 만족시키는 어머니들은 악의 씨를 뿌리고 있는 것이다. 어린아이들이 자람에 따라 자아 방종도 자라게 되며, 정신과 육체의 활력은 희생된다. 이 일을 하는 어머니들은 그들이 뿌린 씨를 비통하게 거둔다. 그들은 자녀들이 사회에서나 가정에서 고상하고 유용한 일을 하기에 적합하지 못한 마음과 품성으로 자라는 것을 본다. 정신과 육체의 힘은 물론 영적 힘도 건강에 해로운 음식의 영향으로 손상된다. 양심은 마비되고 선한 감화에 대한 감수성은 감소된다.

아이들에게 식욕을 통제하고 건강에 좋은 것을 먹도록 가르칠 때, 그들은 다만 그들에게 해로운 것을 거부하고 있다는 점을 분명히 알아야 한다. 그들은 더 나은 것을 위해 해로운 것을 버리는 것이다. 하나님께서 그처럼 풍성하게 주신 좋은 것들을 올림으로써 식탁을 매력 있게 해야 한다. 식사 시간은 즐겁고 행복한 시간이 되어야 한다. 하나님의 선물을 누릴 때에는 주신 분께 감사의 찬양으로 응답하자.

많은 경우에 아이들의 질병은 잘못된 취급에서 그 원인을 찾을 수 있다. 불규칙한 식사, 추운 저녁에 옷을 충분히 입지 못한 것, 순조로운 혈액 순환을 지속시키는 활동적인 운동의 부족, 피를 깨끗하게 하는 풍부한 공기의 부족이 질병의 원인이 된다. 부모들은 질병의 원인을 찾기 위해 연구하고 가능한 한 빨리 잘못된 조건들을 시정해야 한다.

모든 부모는 질병의 간호와 예방, 심지어 치료까지 많은 것을 배울 수 있다. 특별히 어머니는 자기 가족의 흔한 질병을 취급하는 방법을 알아야 한다. 그는 병든 자녀를 간호하는 법을 알아야 한다. 그는 사랑과 통찰력을 갖춤으로써 남에게 섣불리 맡길 수 없는 자기 자녀를 간호하는 일에 적합한 자가 되어야 한다.

인체의 구조와 작용에 대해 연구함

부모들은 일찍부터 자녀들에게 생리학 공부에 흥미를 갖게 하고 그들에게 비교적 간단한 원리를 가르쳐야 한다. 그들에게 육체적, 정신적, 영적 힘을 가장 잘 보존하는 방법을 가르치고 그들의 삶이 서로에게 복을 가져오고 하나님께 영광이 되도록 그들이 받은 재능을 사용하는 방법을 가르치라. 이 지식은 젊은이들에게 무한한 가치를 지닌다. 생활과 건강에 관한 것을 교육하는 것은 학교에서 가르치는 많은 과학 지식보다 그들에게 더 중요하다.

부모들은 사고 활동보다 자녀들을 위해 더 많은 시간을 할애해야 한다. 건강 문제를 연구하고 그 지식을 실제로 사용하라. 자녀들에게 원인에서 결과를 논리적으로 생각해 내도록 가르치라. 건강과 행복을 원한다면 천연의 법칙에 순종해야 한다는 것을 그들에게 가르치라. 바라는 만큼 신속한 발전이 보이지 않을지라도 실망하지 말고 인내하며 끈기 있게 일을 계속하라.

요람에 있을 때부터 자녀들에게 극기와 자제를 실천하도록 가르치라. 천연의 아름다움을 누리도록 가르치고 몸과 정신의 모든 힘을 조직적으로 활용하는 일을 즐기도록 가르치라. 튼튼한 몸과 훌륭한 덕성을 갖게 하고 명랑한 성격과 상냥한 기질을 갖도록 하라. 하나님께서는 우리가 그저 눈앞의 만족이 아니라 궁극적인 선(善)을 위해 살도록 계획하신다는 진리를 그들의 여린 마음에 새기라. 유혹에 굴복하는 것은 약하고 악하며, 저항하는 것은 고상하고 용감하다는 사실을 그들에게 가르치라. 이 교훈들은 좋은 밭에 뿌려진 씨앗과 같아서 그대들의 마음을 기쁘게 할 열매를 맺을 것이다.

무엇보다도 부모들은 상쾌함과 친절과 사랑의 분위기로 자녀들을 감싸 주어야 한다. 사랑이 있고 그것이 표정과 말과 행동에 나타나는 가정은 천사들이 그들의 임재를 나타내기를 기뻐하는 장소이다.

부모들이여, 사랑과 기쁨과 행복한 만족의 햇빛이 그대들의 마음속에 들어오게 하고 활기를 주는 그 달콤한 감화로 가정을 채우라. 친절하고 오래 참는 정신을 나타내고 가정생활을 밝게 해 주는 모든 미덕을 계발하면서 그 동일한 정신을 자녀들이 갖도록 격려하라. 이렇게 조성된 분위기는 자녀들에게 마치 공기와 햇빛이 식물계에 작용하는 것처럼 작용하여 심신의 건강과 활력을 증진시킬 것이다.

06
가족이 지켜야 할 규칙들
Building Family Morale

가정은 어린이들에게 세상에서 가장 매력 있는 장소가 되어야 하며 어머니의 임재는 가정의 최대의 매력이 되어야 한다. 어린이들의 본성은 민감하고 애정이 깊다. 그들은 금방 즐거워하다가도 금방 시무룩해진다. 어머니들은 애정 어린 말과 행동으로 이루어지는 부드러운 교훈으로 자녀들을 그들의 마음에 붙들어 맬 수 있다.

어린아이들은 친구를 좋아하고 혼자서는 거의 놀지 않는다. 그들은 동정과 부드러움을 갈망한다. 그들은 그들이 좋아하는 것을 어머니도 기뻐하리라고 생각한다. 그러므로 그들의 작은 기쁨과 슬픔을 어머니에게로 가지고 가는 것은 자연스러운 일이다. 어머니는 자기에게는 사소한 것이지만 그들에게는 대단히 중요한 문제를 무관심하게 취급함으로써 예민한 그들의 마음에 상처를 주어서는 안 된다. 어머니의 동정과 인정은 귀중하다. 인정하는 눈길, 격려나 칭찬 한마디는 그들의 마음에 흔히 온 하루를 즐겁게 만드는 햇빛과 같을 것이다.

아이들이 피우는 소란이 귀찮고 작은 소원들이 번거로워서 그들을 자신에게서 쫓아 버리는 대신 어머니는 그들의 활동적인 손과 마음을 사용할 수 있는 오락이나 가벼운 일을 계획하라.

감정을 이해해 주고 오락과 일을 지도해 줌으로써 어머니는 자녀들의 신임을 얻으며 나쁜 습관을 더 효과적으로 고치거나 이기심과 격한 감정의 발로를 억제할 수 있다. 제때에 하는 주의나 견책의 말은 큰 가치가 있다. 어머니는 꾸준하고 주의 깊은 사랑으로 자녀들의 마음을 올바른 방향으로 돌이키며 아름답고 매력적인 품성의 특성을 계발시킬 수 있다.

'과대보호'와 '방치'는 위험함

어머니들은 의존적이고 자기중심적이 되도록 자녀들을 훈련하는 일을 경계해야 한다. 그들에게 결코 자신이 중심이며 모든 일이 자신을 중심으로 돌아가야 한다는 생각을 갖지 못하게 하라. 어떤 부모들은 자녀들을 즐겁게 하기 위해 많은 시간과 주의를 기울인다. 그러나 자녀들은 스스로 재미있게 놀며 그들 자신의 재간과 기량을 발휘하도록 훈련되어야 한다. 그렇게 하면 그들은 매우 단순한 기쁨으로 만족하는 법을 배우게 될 것이다.

그들은 작은 실망과 시련들을 용감하게 견디는 법을 배워야 한다. 사소한 고통과 상처에 일일이 주의하는 대신 그들의 마음을 돌려 작은 괴로움과 불편은 가볍게 지나가도록 가르치라. 아이들이 다른 사람들을 배려하는 것을 배울 수 있는 방법들을 제시하는 법을 연구하라.

또한 아이들을 소홀히 대해서는 안 된다. 많은 걱정에 눌린 어머니들은 때때로 어린 자녀들을 꾸준히 가르치고 그들에게 사랑과 동정을 쏟을 시간을 낼 수 없다고 생각한다. 그러나 만일 아이들이 부모와 가정에서 동정과 동료애에 대한 그들의 욕구를 만족시켜 줄 무엇인가를 찾지 못한다면, 그들은 마음과 품성을 다 위험하게 할 다른 대상을 찾을 것이라는 점을 부모들은 기억해야 한다.

시간과 생각의 부족으로 많은 어머니가 자녀들에게 순진한 기쁨을 주기를 거절하고 바쁜 손가락과 피곤한 눈으로 다만 치장을 위한 일, 기껏해야 자녀들의 어린 마음에 허영과 사치를 조장해 줄 어떤 일에 부지런히 열중한다. 아이들이 장성한 남녀로 자람에 따라 이 교훈들은 자만과 도덕적 무가치함의 열매를 맺는다. 어머니는 자녀들의 결점을 슬퍼하나 자기가 거두고 있는 수확이 자신이 심은 씨에서 나온 것임을 깨닫지 못한다.

 어머니들은 이존적이고 자기중심적이 되도록 자녀들을 훈련하는 일을 경계해야 한다. 그들에게 결코 자신이 중심이며 모든 일이 자신을 중심으로 돌아가야 한다는 생각을 갖지 못하게 하라.

자녀 교육의 '일관성'

어떤 어머니들은 자녀들을 취급하는 데 일관성이 없다. 어떤 때는 사고를 당할 때까지 자녀들을 제멋대로 하게 내버려 두며, 어떤 때는 자녀들의 천진스런 마음을 매우 기쁘게 해 줄 순진한 만족감을 채우지 못하게 막는다. 이 점에서 그들은 그리스도를 모방하지 않는다. 그리스도께서는 아이들을 사랑하셨다. 그분은 그들의 감정을 이해하셨고 기쁨과 시련에 처한 그들을 동정하셨다.

남편이며 아버지인 사람은 가정의 머리이다. 아내는 그에게서 사랑과 동정 그리고 자녀들을 양육하는 데 필요한 도움을 바라며, 이것은 정당하다. 자녀들은 어머니의 자녀인 것처럼 아버지의 자녀들이며 자녀들의 행복에 어머니와 동일한 연관성을 갖는다. 자녀들은 아버지에게서 지원과 지도를 바란다. 그는 삶과 자신의 가정을 둘러싸야 할 감화와 교제에 대해 올바른 개념을 가져야 한다. 무엇보다 그는 자녀들의 발걸음을 올바른 길로 인도할 수 있도록 하나님에 대한 사랑과 경외심 그리고 그분의 말씀의 가르침에 의해 통제를 받아야 한다.

아버지는 가정의 입법자이며 아브라함처럼 하나님의 율법을 가정의 법규로 삼아야 한다. 하나님께서는 아브라함에 대해 그가 "그 자식과 권속에게 명하여 여호와의 도를"(창 18:19) 지키게 할 것을 내가 안다고 말씀하셨다. 거기에는 악에 대한 제어를 등한히 하는 죄악적인 소홀함이나 나약하고 어리석고 제멋대로 하게 버려두는 편애가 없을 것이었으며 잘못된 사랑의 요구에 응하느라 의무에 대한 확신을 버리는 일도 없을 것이었다.

　아브라함은 올바른 교훈을 줄 뿐 아니라 공정하고 의로운 율법의 권위를 유지할 것이었다. 하나님께서는 우리를 지도할 규칙을 주셨다. 하나님의 말씀에 명시되어 있는 안전한 길을 벗어나 도처에 열려 있는 위험에 빠지는 길로 아이들이 들어가게 방치해서는 안 된다. 친절하나 확고하게 꾸준하고 경건한 노력으로 그들의 잘못된 욕망을 억제해야 하며 성향을 막아야 한다.

　아버지는 가정 안에 좀 더 엄격한 미덕 곧 힘, 성실, 정직, 인내, 용기, 근면 그리고 실질적인 유용성을 강화해야 한다. 그리고 자녀들에게 요구하는 것을 몸소 실천해야 하며 이 미덕들을 자신의 남자다운 태도를 통해 예증해야 한다.

아버지들이여, 자녀들을 낙심하게 하지 말라. 권위에 애정을, 확고한 제어에 친절과 동정을 결합하라. 여가 시간 중의 얼마를 자녀들과 보내라. 그들과 친해지라. 그들의 일과 그들의 운동에 함께하여 그들의 신임을 얻으라. 그들과 친구가 되되 특별히 아들들과 친구가 되라. 이 방법으로 그대들은 선을 위해 강한 영향을 미칠 것이다.

아버지의 미소

아버지는 가정을 행복하게 만드는 데 자신의 몫을 해야 한다. 걱정과 사업상 어려움이 아무리 많을지라도 그것들로 가족들의 마음에 그늘이 지게 해서는 안 된다. 그는 미소를 띠고 유쾌한 말을 하면서 가정에 들어가야 한다.

어떤 의미에서 아버지는 아침과 저녁으로 가족 제단 위에 희생 제물을 올려놓는 가정의 제사장이다. 아내와 자녀들은 기도와 찬양의 노래에 함께해야 한다. 아침에 매일의 업무를 위해 집을 떠나기 전에 아버지는 자녀들을 그의 주위에 모은 후 하나님께 머리를 숙이고 하늘에 계신 아버지의 보호에 그들을 맡겨야 한다. 하루의 수고가 끝난 후에 가족들은 그날 하루 하나님께서 보호해 주셨음을 인정하면서 다같이 감사의 기도를 드리고 소리 높여 찬양해야 한다.

아버지와 어머니들이여, 일이 아무리 과중할지라도 가족을 하나님의 제단 앞에 모으는 일에 실패하지 말라. 거룩한 천사들이 가정을 지켜 주도록 기도하라. 사랑하는 자녀들이 유혹에 노출되어 있다는 점을 기억하라. 매일 괴로운 일들이 젊은이들과 노인들의 길을 에워싸고 있다. 인내와 사랑과 기쁨의 삶을 살기를 원하는 사람들은 기도하지 않으면 안 된다. 오직 하나님께로부터 끊임없이 도움을 받을 때에만 우리는 자아를 이길 수 있다.

가정은 쾌활함과 예절과 사랑이 깃든 곳이어야 한다. 이 미덕들이 있는 곳에는 행복과 평안이 있을 것이다. 곤란한 문제들이 일어날 수 있으나 그런 것들은 인간에게 주어진 몫이다. 비록 날씨가 흐릴지라도 인내와 감사와 사랑으로 마음에 햇빛을 유지하라. 그런 가정에는 하나님의 천사들이 거한다.

남편과 아내는 서로의 행복을 연구하며 생활을 즐겁고 밝게 해 주는 작은 예의와 친절한 행동을 실천하는 일에 실패하지 말아야 한다. 남편과 아내 사이에는 완전한 신뢰가 있어야 한다. 그들은 그들의 책임을 함께 고려해야 한다. 그들은 자녀들의 최선의 유익을 위해 함께 일해야 한다. 자녀들 앞에서 결코 상대방의 계획을 비판하거나 상대방의 판단에 이의를 제기해서는 안 된다. 아내는 남편이 자녀들을 위해 하는 일을 더 어렵게 만들지 않도록 주의해야 한다. 남편이여, 아내의 손을 잡고 그에게 현명한 충고와 애정 어린 격려를 하라.

부모와 자녀 사이에는 냉랭하고 서먹서먹한 장벽이 없어야 한다. 부모들은 자녀들의 취미와 기질을 이해하고 그들의 감정에 공감하고 그들의 마음속에 있는 것들을 알아내기 위해 자녀들과 친숙해져야 한다.

자녀에게 자주 사랑을 표현하라

부모들이여, 그대들이 자녀들을 사랑한다는 것과 그들을 행복하게 하기 위해 그대의 온 힘을 다할 것이라는 것을 그들로 보게 하라. 그렇게 한다면, 필요에 따라 가하는 제재는 그들의 어린 마음에 훨씬 큰 영향을 미칠 것이다. "그들의 천사들이 하늘에서 하늘에 계신 내 아버지의 얼굴을 항상 뵈옵느니라"(마 18:10)라는 말씀을 기억하고 자녀들을 부드럽고 자애롭게 다스리라. 천사들이 하나님께 받은 사업을 그대들의 자녀들을 위해 해 주기를 원한다면, 그대들의 할 일을 다함으로써 천사들과 협력하라.

참된 가정의 현명하고 자애로운 지도 아래 자라난 아이들은 쾌락과 동료를 찾아 곁길로 나가 방황하고 싶은 욕망을 갖지 않을 것이다. 죄악은 그들에게 매력적으로 보이지 않을 것이다. 가정에 충만한 정신이 그들의 품성을 꼴 지을 것이다. 그들은 가정의 보호를 떠나 세상에 자리 잡을 때 유혹을 강력하게 막아 낼 습관과 원칙을 형성할 것이다.

부모들과 마찬가지로 자녀들도 가정에서 중요한 의무가 있다. 그들은 가정이라는 협동체의 일원이라는 사실을 배워야 한다. 그들은 먹고 입고 사랑받고 보호를 받는다. 그러므로 그들은 가정의 짐을 나누어 지고 그들이 속한 가정에 할 수 있는 대로 모든 행복을 가져옴으로써 이 많은 은혜에 보답해야 한다.

아이들은 때때로 제재를 받을 때 화를 내고 싶은 충동을 받는다. 그러나 후일에 그들은 경험이 없던 시절에 그들을 지켜 주고 지도해 준 부모의 성실한 돌봄과 엄격한 경계에 대해 부모에게 감사하게 될 것이다.

07
교육은 가정에서 시작됨
Education Begins at Home

우리 자녀들은 이른바 기로(岐路)에 서 있다. 도처에서 이기주의와 방종으로 이끄는 세속적인 유혹들이 주님의 구속받은 자들을 위해 놓인 길에서 그들을 이탈시키려고 불러내고 있다. 그들의 생애가 복이나 저주가 되는 것은 그들이 하는 선택에 달려 있다. 넘치는 힘과 시험해 보지 않은 자신들의 능력을 시험해 보려는 열망으로 그들은 그 남아도는 생명력을 발산하기 위한 어떤 출구를 찾지 않으면 안 된다. 그들은 선을 위한 일이든 악으로 향하는 일이든 적극적일 것이다.

하나님의 말씀은 활동을 억제하지 않고 그것을 바르게 지도한다. 하나님께서는 젊은이들에게 포부를 덜 가지라고 명하지 않으신다. 사람을 진정으로 성공하게 해 주고 사람들에게 존경받게 해 주는 품성의 요소들, 곧 더 큰 선을 행하려는 억제할 수 없는 욕망, 불굴의 의지, 정열적인 근면성, 지칠 줄 모르는 인내심을 좌절시키지 말아야 한다. 하나님의 은혜로 이 요소들은 하늘이 땅보다 높은 것처럼 그저 이기적이며 세속적인 이익보다 더 높은 목적을 성취하도록 지도받아야 한다.

부모이며 그리스도인인 우리에게는 자녀들을 올바로 지도할 의무가 있다. 그들은 주의 깊고, 현명하고, 친절하게 그리스도와 같은 봉사의 길로 들어가도록 지도받아야 한다. 우리는 자녀들을 하나님의 봉사를 위해 양육한다는 그분과의 신성한 언약 아래 놓여 있다. 봉사의 생애를 택하도록 좋은 감화로 그들을 두르고 필요한 훈련을 시키는 것이 우리의 첫째 의무이다.

"하나님이 세상을 이처럼 사랑하사 독생자를 주셨으니 이는 그를 믿는 자마다 멸망하지 않고 영생을 얻게 하려 하심이라"(요 3:16). "그리스도께서…우리를 위하여 자신을 버리"(엡 5:2)셨다. 우리도 사랑한다면 주게 될 것이다. "섬김을 받으려 함이 아니라 도리어 섬기려 하"(마 20:28)는 것이 우리가 배우고 가르쳐야 할 큰 교훈이다.

젊은이들의 시간, 힘, 능력은 자신의 것이 아님

젊은이들에게 그들은 그들 자신의 것이 아니라는 생각을 심어 주라. 그들은 그리스도께 속했다. 그들은 그분이 피로 산 그분의 사랑의 대가이다. 그들은 그분께서 능력으로 지켜 주시기 때문에 산다. 그들의 시간, 그들의 힘, 그들의 능력은 그분을 위해 발전시키고 훈련시키고 사용되어야 할 그분의 것이다.

하나님의 형상대로 지음을 받은 인류는 그분의 피조물 중에서 천사들 다음으로 가장 고상한 피조물이다. 하나님께서는 사람들이 하나님께서 가능하게 하신 최고의 위치에 이르고 그들에게 주신 힘으로 최선을 다하기를 바라신다.

생명은 신비하고 신성하다. 그것은 모든 생명의 근원이신 하나님 자신의 표현이다. 인생의 기회들은 귀중한 것이므로 그것들은 성실하게 향상되어야 한다. 그 기회들은 한 번 잃으면 영원히 사라진다.

하나님께서는 영생을 귀중한 실재적인 것으로 우리 앞에 제시하시며 우리에게 사라지지 않는 영원한 주제를 이해시켜 주신다. 하나님께서는 우리가 모든 능력을 진지하게 기울일 만한 일에 안전하고 확실한 길을 갈 수 있도록 고귀한 진리를 제시해 주신다.

하나님께서는 친히 지으신 작은 씨앗을 들여다보시며 그 씨앗 속에 감춰져 있는 아름다운 꽃과 관목과 널리 뻗을 높은 나무를 보신다. 그와 마찬가지로 하나님께서는 모든 사람에게서 가능성을 보신다. 우리는 한 가지 목적을 위해 이 세상에 존재한다. 하나님께서는 우리의 생애를 위한 그분의 계획을 우리에게 주셨으며 우리가 발전할 수 있는 최고의 수준까지 이르기를 바라신다.

하나님께서는 우리가 계속하여 거룩함, 행복함, 유용함 속에서 자라기를 바라신다. 모든 사람은 자신의 능력을 신성한 천부의 재능으로 간주하고 주님의 선물로 인식하여 올바로 사용하도록 가르침을 받아야 한다. 그분은 젊은이들이 그들이 가진 모든 능력을 배양하고 모든 기능을 활발하게 사용하기를 바라신다. 그분은 그들이 현세에서 유용하고 귀중한 모든 것을 누리며, 선하게 되고, 선을 행하며, 내세를 위해 하늘 보물을 쌓기를 원하신다.

Boys, be Ambitious!

젊은이들은 이타적이며 높고 고상한 모든 일에서 탁월하게 되겠다는 야망을 가져야 한다. 그들은 그리스도를 본받아야 할 모본으로 바라보아야 한다. 그들은 그리스도께서 당신의 생애에서 나타내신 거룩한 야망, 곧 그들이 이 세상에서 산 삶으로 인해 이 세상을 좀 더 좋은 세상으로 만들려는 희망을 품어야 한다. 이것이 그들이 하도록 부름을 받은 사업이다.

종합적인 교육, 곧 단순히 학문을 가르칠 때는 요구되지 않는 그런 생각과 노력을 부모와 교사들에게 요구하는 교육이 필요하다. 거기에는 지능 발달 이상의 그 무엇이 필요하다. 육체와 정신과 마음이 균등하게 교육되지 않으면 교육은 완성되지 않는다. 품성이 최고의 수준까지 최대한으로 계발되려면 적절한 단련을 받아야 한다. 마음과 육체의 모든 능력이 계발되고 바르게 훈련을 받아야 한다.

그분의 삶은 사람들이 삶의 매우 필수적인 것으로 생각하는 것들이 가치 없음을 드러냈다.

참된 교육은 전인적(全人的)이다. 그것은 자신을 바르게 사용하는 법을 가르친다. 그것은 우리에게 두뇌와 뼈와 근육과 몸과 정신과 마음을 가장 잘 사용할 수 있게 해 준다. 마음의 기능들은 더 높은 능력으로 육체의 왕국을 다스려야 한다. 타고난 식욕과 정욕은 양심과 영적 애정의 통제를 받아야 한다. 그리스도께서는 인류의 선두에 서 계시며, 그분의 봉사를 통해 우리를 높고 거룩한 순결의 길로 인도하는 것이 그분의 목적이다. 그분의 놀라운 은혜의 작용으로 우리는 그분 안에서 완전하게 된다.

예수께서는 가정에서 교육을 받으셨다. 그분의 어머니는 그분의 첫 인간 교사였다. 그분은 어머니의 입술과 선지자들의 두루마리에서 하늘에 속한 것들을 배우셨다. 그분은 시골 가정에서 사셨으며 가정의 짐을 지는 일에 성실하고 즐겁게 당신의 몫을 담당하셨다. 하늘의 사령관이셨던 그분은 자발적인 종이셨고 사랑스럽고 순종적인 아들이셨다. 그분은 일을 배우셨고 요셉과 함께 목공소에서 직접 자신의 손으로 일하셨다. 그분은 일반 노동자의 옷을 입고 작은 마을의 거리를 걸어서 그분의 비천한 작업장을 왕래하셨다.

당시 사람들은 사물의 가치를 겉모습으로 평가했다. 종교가 힘을 잃으면서 허세가 증가했다. 당시의 교육자들은 과시와 겉치장으로 존경을 받으려 했다. 예수님의 삶은 이 모든 것과 뚜렷하게 대조되었다. 그분의 삶은 사람들이 삶의 매우 필수적인 것으로 생각하는 것들이 가치 없음을 드러냈다. 작은 것들은 확대하고 큰 것들은 축소하는 당시의 학교를 예수께서는 찾지 않으셨다. 그분은 교육을 하나님께서 지정해 주신 자원, 곧 유용한 일, 성경 연구, 천연계 그리고 삶의 경험을 통해 받으셨는데 이 하나님의 교과서는 자발적인 손, 보는 눈, 깨닫는 마음을 이 교과서로 가져오는 모든 사람에게 주는 교훈으로 가득 차 있었다.

"아이가 자라며 강하여지고 지혜가 충만하며 하나님의 은혜가 그의 위에 있더라"(눅 2:40).

이렇게 준비하신 후에 그분은 사명을 완수하기 위해 나가셨다. 그분은 사람들과 접촉할 때마다 세상이 이때까지 목격하지 못한, 복되게 하는 감화와 변화시키는 능력을 그들에게 주셨다.

어린이들의 첫 번째 학교는 가정

가정은 어린이의 첫 학교이며 봉사의 삶을 위한 기초가 놓여야 하는 곳이다. 가정의 원칙들은 그저 이론으로만 가르쳐서는 안 된다. 그것들은 전 생애의 훈련을 꼴 지어야 한다.

매우 어릴 때부터 아이에게 남을 돕는 일에 대해 교육해야 한다. 체력과 지력이 충분히 발달하면 곧 가정에서 해야 할 의무를 그에게 주어야 한다. 그는 아버지와 어머니를 돕기 위해 힘쓰며, 자아를 부인하고 지배하며, 자신보다 다른 사람들의 행복과 편의를 먼저 생각하며, 형제와 자매와 친구들을 응원하고 도울 기회를 찾으며, 노인과 병자와 불행한 사람들에게 친절을 베풀도록 격려를 받아야 한다. 참된 봉사의 정신이 가정을 더 가득하게 채울수록 그것은 아이들의 삶에 더 충만하게 계발될 것이다. 그들은 다른 사람들의 유익을 위해 봉사하고 희생하는 데서 기쁨을 발견하는 것을 배우게 될 것이다.

가정 훈련은 학교 사업에 의해 보충되어야 한다. 전인적인 발달, 곧 신체적, 정신적, 영적 발달과 봉사와 희생의 교훈을 언제나 명심해야 한다.

다른 어떤 힘보다 일상 경험의 사소한 일에서 그리스도를 위해 봉사하는 일은 품성을 형성하고 삶을 이기심 없는 봉사의 길로 이끌어 주는 큰 힘을 갖는다. 이 정신을 일깨우고 그것을 장려하며 올바로 지도하는 것이 부모와 교사의 일이다. 그보다 더 중요한 일이 그들에게 위탁될 수 없다. 봉사의 정신은 하늘의 정신이며 그것을 계발하고 장려하는 모든 노력에 천사들이 협력할 것이다.

그런 교육은 하나님의 말씀에 기초해야 한다. 오직 그곳에만 원리가 충분히 제시되어 있다. 성경을 연구와 가르침의 기초로 해야 한다. 필수적인 지식은 하나님과 그분께서 보내신 그리스도를 아는 지식이다.

모든 어린이와 젊은이는 자신에 대한 지식을 가져야 한다. 그들은 하나님께서 주신 육체와 그것을 건강하게 보존하는 법칙을 이해해야 한다. 모든 사람은 교육의 공통적인 분야에 철저하게 뿌리를 내려야 한다. 그리고 그들은 일상생활의 의무를 지기에 적합한 실질적인 능력이 있는 사람으로 만들어 줄 직업 훈련을 받아야 한다. 그뿐 아니라 여러 선교적인 노력의 분야에서 훈련과 실제 경험을 쌓아야 한다.

젊은이들은 지식을 습득하는 일에 있어서 할 수 있는 한 빨리 그리고 널리 향상해야 한다. 그들은 힘이 미칠 수 있는 데까지 연구 분야를 한껏 넓혀야 한다. 그리고 그들은 배우는 대로 그들의 지식을 나누어 주어야 한다. 그렇게 함으로써 그들은 마음이 단련되며 힘을 얻을 것이다. 그들의 교육의 가치는 그들이 지식을 사용하는 데 달려 있다. 얻은 것을 나누어 주려는 노력 없이 연구에 긴 시간을 보내는 것은 흔히 참된 발전에 도움이 되기보다는 방해가 된다. 집에서나 학교에서나 학생들은 공부하는 법과 습득한 지식을 나누어 주는 법을 배우기 위해 노력해야 한다. 직업이 무엇이든 사람은 삶이 지속되는 동안 배우는 자인 동시에 가르치는 자가 되어야 한다. 이렇게 그들은 하나님을 신뢰하며 지혜가 무한하신 그분, 오랜 세월 숨겨졌던 비밀을 드러내실 수 있는 분, 그분을 믿는 사람들을 위해 가장 어려운 문제들을 해결하실 수 있는 분을 붙들고 계속하여 향상할 수 있다.

귀중한 보화 성경

하나님의 말씀은 사귐의 영향을 장성한 남녀들에게까지 영향이 미치는 것으로 크게 강조한다. 하물며 어린이와 젊은이들의 계발되는 마음과 품성에는 그 힘이 얼마나 더 크겠는가. 그들이 사귀는 친구, 그들이 받아들이는 원칙, 그들이 형성하는 습관은 현세에서의 그들의 유용성과 내세의 영원한 이익에 관한 문제를 결정지을 것이다.

지성의 신장과 훈련을 위해 젊은이들을 보내는 너무나 많은 학교와 대학 안에 품성을 잘못 꼴 짓고, 인생의 참된 목적에서 마음을 떠나게 하고, 품행을 타락시키는 영향력이 존재한다는 사실은 두려운 일이며 부모들의 마음을 떨게 힐 일이다. 비종교적인 사람들, 쾌락을 사랑하는 사람들, 타락한 사람들과의 사귐을 통해 참으로 많은 젊은이가 그리스도인 부모들이 주의 깊은 교훈과 열렬한 기도로써 간직하고 지켜 온 단순성과 순결, 하나님을 믿는 믿음, 자아 희생의 정신을 잃어버린다.

이타적인 봉사의 분야에서 적합한 자격을 갖추기 위해 학교에 들어가는 많은 사람이 세속적 학문에 몰두하게 된다. 학식에 뛰어나고 세상에서 지위와 명예를 얻으려는 야망이 일어난다. 학교에 입학한 목적을 잊고 그들은 이기적이며 세속적인 것을 추구하는 데 그들의 삶을 바친다. 그리고 흔히 현세와 내세를 위한 삶을 파멸시키는 습관이 형성된다.

일반적으로 원대한 이상과 이타적인 목적과 고상한 포부를 가진 사람들은 어린 시절의 사귐을 통해 이 특성들이 계발된 사람들이다. 이스라엘을 취급하실 때마다 하나님께서는 자녀들의 사귐을 감시하는 것의 중요성을 강조하셨다. 사회적, 신앙적, 사교적 생활의 모든 준비는 자녀들을 해로운 사귐에서 보호하며 가장 어린 시절부터 하나님의 율법의 교훈과 원칙에 익숙해지도록 하는 관점에서 이루어졌다. 국가가 생겨날 때 주어진 실물교훈은 모든 마음속에 깊은 인상을 주는 성질의 것이었다. 애굽 사람들에게 장자가 죽는 마지막 두려운 심판이 내리기 전에, 하나님께서는 그분의 백성에게 자녀들을 집 안으로 모으라고 명령하셨다. 각 집의 문설주는 피로 표시가 되었으며 그 표시로 보증된 보호 안에 모든 사람은 있어야 했다. 그와 마찬가지로 오늘날 하나님을 사랑하고 경외하는 부모들은 자녀들을 "언약의 줄"(겔 20:37) 아래 곧 그리스도의 속죄의 피를 통해 가능하게 된 신성한 감화의 보호 안에 간직해야 한다.

하나님의 교육 계획과 조화롭게 일하려고 노력하는 모든 사람은 하나님의 은혜와 계속적인 임재와 지켜 주시는 능력을 갖게 될 것이다. 각 사람에게 그분은 다음과 같이 말씀하신다.

"강하고 담대하라 두려워하지 말며 놀라지 말라 네가 어디로 가든지 네 하나님 여호와가 너와 함께하느니라", "내가 너를 떠나지 아니하며 버리지 아니하리라"(수 1:9, 5).

"비와 눈이 하늘로부터 내려서
그리로 되돌아가지 아니하고
땅을 적셔서 소출이 나게 하며 싹이 나게 하여
파종하는 자에게는 종자를 주며 먹는 자에게는 양식을 줌과 같이
내 입에서 나가는 말도
이와 같이 헛되이 내게로 되돌아오지 아니하고
나의 기뻐하는 뜻을 이루며
내가 보낸 일에 형통함이니라
너희는 기쁨으로 나아가며
평안히 인도함을 받을 것이요
산들과 언덕들이 너희 앞에서
노래를 발하고
들의 모든 나무가 손뼉을 칠 것이며
잣나무는 가시나무를 대신하여 나며
화석류는 찔레를 대신하여 날 것이라
이것이 여호와의 기념이 되며
영영한 표징이 되어 끊어지지 아니하리라."
– 이사야 55장 10~13절

세계적으로 사회가 무질서하며 철저한 변화가 필요하다. 젊은이들에게 가르친 교육이 전체적인 사회 구조를 형성할 것이다.

08
자녀들이 무엇을 읽을 것인가?
What Shall the Child Read?

악(惡)의 연합체를 배후에서 조종하는 지도자는 하나님의 말씀을 보지 못하게 하고 사람의 의견을 바라보게 하려고 항상 활동하고 있다. 그는 "이것이 바른길이니 너희는 이리로 가라"(사 30:21)라고 말씀하시는 하나님의 음성을 우리가 듣지 못하게 하려고 한다. 왜곡된 교육 과정을 통해 그는 하늘빛을 흐리게 하려고 최선을 다한다.

하나님을 인정하지 않는 철학적 사색과 과학적 연구는 수많은 회의론자를 만들어 내고 있다. 오늘날 학교에서는 학자들이 과학적 조사 결과로 얻은 결론들을 주의 깊이 가르치고 충분하게 설명하고 있는데 만일 이 학자들이 맞는다면 성경은 틀릴 수 있다는 인상이 뚜렷하게 주어진다. 회의론은 사람들의 마음을 끄는 매력이 있다. 젊은이들은 거기에서 마음을 사로잡는 자주(自主)를 발견하고 속임을 당한다. 사탄은 승리한다. 그는 젊은이들의 마음에 뿌려진 의심의 씨앗마다 자라게 한다. 그는 그것을 키워 열매를 맺게 하며 곧 불신을 풍성히 수확하게 된다.

사람의 마음은 악으로 기우는 경향이 있기 때문에 젊은이들의 마음에 회의론의 씨를 뿌리는 것은 매우 위험하다. 하나님을 믿는 믿음을 약하게 하는 것은 무엇이든지 사람에게서 유혹에 저항하는 힘을 빼앗는다. 그것은 죄를 방어하는 유일하고 참된 안전장치를 제거해 버린다. 우리에게는 젊은이들에게 일상생활에서 하나님의 품성을 드러냄으로써 그분을 영화롭게 하는 것이 위대한 일이라는 사실을 가르쳐 줄 학교들이 필요하다. 우리의 삶이 하나님의 목적을 성취시키도록 그분의 말씀과 일을 통해 그분을 배울 필요가 있다.

세속적인 서적의 위험성

많은 사람이 교육을 받기 위해 하나님을 믿지 않는 저자들이 쓴 책을 연구하는 것이 필수라고 생각하는데 이는 그 책에 빛나는 사상의 보석들이 많기 때문이다. 그러나 이 사상의 보석들을 만든 분은 누구인가? 그분은 하나님, 오직 하나님이시다. 그분은 모든 빛의 근원이시다. 그렇다면 왜 우리가 모든 진리를 마음대로 얻을 수 있는데도 몇 가지 지성적인 진리를 얻기 위해 하나님을 믿지 않는 자들의 저서에 담긴 방대한 오류를 힘들게 통

과해야 하는가?

어떻게 하나님의 정부에 대항하여 전쟁을 하고 있는 사람들이 때때로 그들이 과시하는 그런 지혜를 소유하게 되는가? 사탄은 몸소 하늘 궁정에서 교육을 받았으며 악에 대한 지식은 물론 선에 대한 지식도 갖고 있다. 그는 귀중한 것과 비천한 것을 섞으며 이것은 그에게 속이는 힘을 갖게 한다. 그러나 사탄이 자신을 빛나는 하늘의 옷으로 둘렀다고 해서 우리가 그를 빛의 천사로 받아들일 것인가? 그 유혹자는 그의 방법에 따라 교육을 받고 그의 정신으로 고무되어 그의 사업에 적합하게 된 부하들을 갖고 있다. 우리가 그들과 협력해야 하는가? 그의 부하들이 쓴 저서들을 우리가 교육을 받는 데 필수적인 것으로 받아들여야 하는가?

만일 하나님을 믿지 않는 자들의 빛나는 사상을 이해하기 위해 바친 시간과 노력을 하나님의 말씀에 담긴 귀중한 것들을 연구하는 데 바친다면, 오늘날 흑암과 죽음의 그늘에 앉아 있는 수많은 사람이 생명의 빛이 되시는 분의 영광 가운데서 기뻐하게 될 것이다.

역사와 신학 지식에 대한 묵직한 책들로 채워진 도서관들을 보면서 나는 양식이 아닌 것을 위해 왜 돈을 사용하는가라고 생각한다. 요한복음 6

장은 그런 저서에서 발견할 수 있는 것보다 더 많은 것을 우리에게 말해 준다. 그리스도께서 말씀하신다. "나는 생명의 떡이니 내게 오는 자는 결코 주리지 아니할 터이요 나를 믿는 자는 영원히 목마르지 아니하리라 나는 하늘에서 내려온 살아 있는 떡이니 사람이 이 떡을 먹으면 영생하리라 믿는 자는 영생을 가졌나니…내가 너희에게 이른 말은 영이요 생명이라"(요 6:35, 51, 47, 63).

성경에 기록된 역사와 예언을 연구함

정죄해서는 안 될 역사에 대한 한 연구 분야가 있다. 거룩한 역사는 선지자 학교에서 연구한 과목 중 하나였다. 하나님께서 나라들을 취급하신 기록에는 여호와의 발자취가 남아 있다. 그와 마찬가지로 오늘날 우리도 하나님께서 지상의 나라들을 취급하시는 것을 숙고해야 한다. 우리는 역사에서 예언의 성취를 보아야 하며, 큰 개혁 운동들에서 하나님의 섭리의 작용을 연구하며, 대쟁투의 마지막 투쟁을 위해 나라들이 정렬하는 일에서 사건들의 전개를 이해해야 한다.

그런 연구는 인생에 대한 폭넓고 포괄적인 견해를 제공할 것이다. 그것은 우리에게 인생의 관계들과 의존성, 곧 우리가 얼마나 놀랍게 사회와 국가라는 거대한 형제 관계로 함께 묶여 있으며, 한 구성원에 대한 압제와 그 구성원의 타락이 어느 정도로 큰 손실을 모두에게 끼치는지를 이해할 수 있게 도와줄 것이다.

그러나 일반적으로 연구된 역사는 인간의 업적과 전쟁에서의 승리와 권력과 위대함을 얻는 일에서 인간이 거둔 성공에 관한 것이다. 사람들의 일에 관여하시는 하나님의 행위는 보지 못한다. 나라들이 일어나고 망하는 일에서 하나님의 목적이 이루어지는 것을 연구하는 사람은 별로 없다.

오늘날 인기 있는 많은 출판물이 젊은이들에게 악을 가르치며 그들을 멸망의 길로 이끌어 가는 감각적인 이야기들로 채워져 있다. 그들은 나이로는 아이에 불과하나 범죄에 대한 지식으로는 어른이다. 그들은 그들이 읽는 이야기로 인해 악에 대한 자극을 받는다. 그들은 언어로 표현된 행위들을 따라한다. 또한, 그들은 죄를 짓고도 교묘하게 처벌을 피하고자 한다. 상상에서나 경험할 수 있는 일들이 어린이들과 젊은이들의 마음속에서 현실과 혼동을 일으키고 있다. 법과 자제의 방벽을 무너뜨리는 모든 악행의 과정이 묘사되고, 많은 사람이 이런 죄악된 표현을 여과없이 읽는다. 그들은 그것이 가능한 경우에는 이 감각적인 저자들이 묘사하는 것보다 더 나쁜 죄를 범하도록 이끌림을 받는다. 이런 영향으로 인해 사회는 타락하고 있다. 불법의 씨가 널리 뿌려진다. 그 결과 범죄를 수확하는 것은 이상한 일이 아니다.

선정적인 애정 소설, 천박한 문학 작품이 주는 피해

연애 이야기, 천박하고 흥분시키는 이야기들을 담은 작품들도 독자에게 이에 못지않은 손해를 끼친다. 저자는 도덕적인 교훈을 주기 위한 것이라고 주장하며 작품 전체에 종교적인 정취를 짜 넣을 수 있을 것이나 흔히 이것은 저변에 깔린 어리석음과 무가치함을 가릴 뿐이다.

세상에는 매력적인 잘못을 담은 책들이 범람한다. 젊은이들은 성경이 거짓으로 선고한 것을 진리로 받아들이며 영혼에 파멸을 가져오는 기만을 좋아하고 거기에 매달린다.

진리를 가르치거나 어떤 큰 악을 폭로하기 위해 쓰인 소설들이 있다. 이런 작품들 가운데 어떤 작품은 선한 일을 했다. 그러나 그것들 역시 말할 수 없는 손해를 끼쳤다. 그것들은 상상을 자극하며 특히 젊은이들에게 위험이 가득한 일련의 생각을 일으키는 이야기와 정교하게 가공한 문장으로 묘사된 장면들을 담고 있다. 묘사된 장면들은 그들의 생각에 거듭하여 살아난다. 그런 독서는 정신을 유용한 일에 부적합하게 하며 영적 활동을 할 수 없게 한다. 그것은 성경에 대한 흥미를 파괴한다. 하늘의 사물들이 생각 속에서 있을 자리를 얻지 못한다. 묘사된 불순한 장면에 마음이 머물 때 정욕이 일어나고 그 결과는 죄이다.

불순한 것을 제시하지 않으며 탁월한 원칙을 가르칠 의도로 쓰인 소설일지라도 해롭다. 그것은 단지 이야기만을 읽기 위해 급히 피상적으로 독서

> 세상에는 매력적인 잘못을 담은 책들이 범람한다.
> 젊은이들은 성경이 거짓으로 선고한 것을 진리로 받아들이며
> 영혼에 파멸을 가져오는 기만을 좋아하고 거기에 매달린다.

하는 습관을 조장한다. 그리하여 그것은 연결된 활기찬 사고를 파괴하는 경향이 있다. 그것은 심령을 의무와 운명의 큰 문제들을 명상하는 일에 부적합하게 한다.

소설을 읽는 것은 단지 즐거움에 대한 사랑만을 조장하기 때문에 삶의 실질적인 의무들을 싫어하는 마음을 일으킨다. 소설의 자극하는 힘과 도취시키는 힘 때문에 정신적으로 그리고 육체적으로 병을 얻는 일이 드물지 않다. 불행하게 버려진 많은 가정, 평생을 앓는 많은 병자, 정신병원의 많은 환자가 소설을 읽는 습관 때문에 그렇게 되었다.

감각적이고 무가치한 문학에서 젊은이들을 구해 내기 위해 흔히 그들에게 좀 더 나은 수준의 소설을 제공해야 한다고 주장한다. 이것은 마치 술고래에게 위스키나 브랜디 대신 포도주, 맥주, 사과주처럼 좀 더 약한 알코올음료를 줌으로써 그를 고치려 시도하는 것과 같다. 이것들을 사용하는 것은 계속해서 좀 더 자극적인 것들에 대한 식욕을 조장할 것이다. 술꾼을 위한 유일한 안전책과 금주가를 위한 유일한 방어책은 완전히 금주하는 것이다. 소설을 좋아하는 사람에게도 같은 법칙이 적용된다. 완전한 금지가 유일한 안전책이다.

동화책, 신화 이야기책을 선별할 필요

어린이들과 젊은이들의 교육에서 동화와 신화와 지어낸 이야기들이 오늘날 큰 자리를 차지하고 있다. 이런 성격의 책들이 학교에서 사용되고 있으며 그런 책들이 많은 가정에 있다. 어떻게 그리스도인 부모들이 그처럼 거짓으로 채워진 책들을 자녀들이 사용하도록 허용할 수 있는가? 아이들이 부모의 가르침과 너무나도 대조되는 이야기들의 의미를 물을 때, 그 이야기들은 사실이 아니라고 대답한다. 그러나 이것은 그것들을 사용한 나쁜 결과들을 없애 주지 않는다. 이 책들에 제시된 생각은 아이들을 잘못된 길로 이끈다. 그것들은 삶에 대한 거짓된 견해를 나누어 주며 비현실적인 것에 대한 욕망을 일으킨다.

이 시대에 그런 책들을 널리 사용하는 것은 사탄의 교활한 계획이다. 그는 노인들과 젊은이들의 마음을 품성을 형성하는 중대한 일에서 떠나게 하려고 노력한다. 그는 자신이 세상에 채우고 있는, 영혼을 파멸시키는 거짓에 의해 어린이들과 젊은이들이 휩쓸려 떠내려가기를 바란다. 그는 그들의 마음을 하나님의 말씀에서 떠나게 하여 그들의 보호책이 될 진리의 지식을 얻지 못하도록 노력하고 있다.

진리를 왜곡시킨 내용을 담은 책들은 결코 어린이들이나 젊은이들의 손에 들어가지 말아야 한다. 자녀들이 교육을 받는 과정에서 죄악의 씨로 입증될 사상을 받아들이지 않게 하라. 성숙한 정신을 가진 사람들이 그런 책들을 멀리했더라면, 그들은 훨씬 더 안전했을 것이다. 더불어 그들의 모본과 감화가 젊은이들을 유혹에서 지켜 주는 일을 훨씬 더 쉽게 해 주었을 것이다.

우리에게는 실제적인 것과 신령한 것이 많다. 지식에 갈급한 사람들은 오염된 샘으로 갈 필요가 없다. 주님께서는 말씀하신다.

"너는 귀를 기울여 지혜 있는 자의 말씀을 들으며

내 지식에 마음을 둘지어다

내가 네게 여호와를 의뢰하게 하려 하여

이것을 오늘 특별히 네게 알게 하였노니

내가 모략과 지식의 아름다운 것을 너를 위해 기록하여

네가 진리의 확실한 말씀을 깨닫게 하며

또 너를 보내는 자에게 진리의 말씀으로

회답하게 하려 함이 아니냐."

– 잠언 22장 17~21절

"여호와께서 증거를 야곱에게 세우시며

법도를 이스라엘에게 정하시고

우리 조상들에게 명령하사

그들의 자손에게 알리라 하셨으니."

– 시편 78편 5절

"여호와의 영예와 그의 능력과

그가 행하신 기이한 사적을 후대에 전하리로다."

– 시편 78편 4절

"이는 그들로 후대 곧 태어날 자손에게 이를 알게 하고

그들은 일어나 그들의 자손에게 일러서

그들로 그들의 소망을 하나님께 두며…."

- 시편 78편 6~7절

"여호와께서 주시는 복은 사람을 부하게 하고

근심을 겸하여 주지 아니하시느니라."

- 잠언 10장 22절

그리스도께서도 복음 가운데 진리의 원칙을 제시하셨다. 그분의 교훈에서 우리는 하나님의 보좌에서 흘러나오는 깨끗한 시냇물을 마실 수 있다. 그리스도께서는 이전에 알려진 어떤 지식보다 뛰어난 지식을 사람에게 나누어 주셨으며 다른 모든 발견을 무색하게 하셨다. 그분은 비밀을 연거푸 열어 주셨고 연속되는 세대의 적극적이고 열렬한 생각을 그 놀라운 계시에 집중하게 하셨다. 또한 그분은 구원의 과학을 가르치는 일에서 한순간도 떠나지 않으셨다. 그분의 시간, 그분의 능력 그리고 그분의 삶은 인간의 구원을 이루기 위한 수단으로 인식되고 사용되었다. 그분은 잃어버린 자를 찾아 구원하러 오셨으며 목적에서 이탈하지 않으셨다. 그분은 그분을 목적에서 벗어나게 하는 어떤 것도 허용하지 않으셨다.

그리스도께서는 활용할 수 있는 지식만을 나누어 주셨다. 사람들에게 말씀하신 그분의 교훈은 실생활에서 그들이 처한 상황에 필요한 것이었다. 그분께서는 사람들에게 여러 가지를 묻도록 허락하셨지만 결코 모든 호기심을 만족시켜 주지는 않으셨다. 그런 질문을 받을 때마다 그분은 그때를 엄숙하고 진지하고 아주 중요한 호소를 할 기회로 삼으셨다. 선악과 따기를 간절히 원하는 자들에게 그분은 생명나무 열매를 주셨다. 그들을 하나님께로 인도하는 길 외에는 모든 길이 막혀 있다는 것을 발견하였다. 영원한 생명의 샘 외에는 모든 샘이 막혀 있었다.

정규 학교 교육이 가지고 있는 한계점

우리 구주께서는 어떤 사람도 당시의 랍비 학교에 가도록 장려하지 않으셨다. 그들의 마음이 반복되는 "그들이 말하기를" 혹은 "그렇게 전해 오기를"이라는 말에 의해 오염될 것이기 때문이었다. 그렇다면 우리가 더 위대하고 분명한 지혜를 마음대로 얻을 수 있는데도 불안정한 인간의 말을 고상한 지혜로 받아들여야 할 이유가 무엇인가?

영원한 사물과 인간의 연약함에 대해 내가 본 것은 내 마음에 깊은 인상을 끼쳤으며 내 평생 사업에 영향을 주었다. 나는 인간에게 찬양이나 영광을 돌려야 할 것이 아무것도 없다는 것을 안다. 나는 소위 세상에서 현명하고 위대하다고 일컫는 사람들의 의견이 신임과 높임을 받아야 할 이유가 없다고 본다. 하나님께 깨우침을 받지 못한 사람들이 어떻게 하나님의 계획과 길에 대해 올바른 견해를 가질 수 있겠는가? 그들은 전적으로 그분을 부인하고 그들 자신의 유한한 개념으로 그분의 능력을 제한한다.

하늘과 땅을 창조하신 분, 하늘에 별들을 질서 정연하게 두신 분 그리고 해와 달이 그 할 일을 하도록 지정하신 분께 배우기로 선택하자.

젊은이들이 그들의 정신적 능력을 최고도로 발달시켜야 한다고 생각하는 것은 옳은 일이다. 하나님께서 제한하지 않으신 교육을 우리는 제한하지 않는다. 그러나 우리의 학식은 하나님께 영광이 되고 인류에게 선이 되게 사용하지 않으면 아무 소용이 없다.

집중적인 공부가 필요하나 실생활에 이용할 수 없는 연구에 전념하는 것은 좋지 않다. 그런 교육은 학생에게 손실만 안겨 줄 뿐이다. 왜냐하면 그런 공부는 그를 유용한 일에 적합하게 해 주고 의무를 이행할 수 있게 해 주는 그런 연구를 하고 싶은 욕망과 성향을 감소시킬 것이기 때문이다. 아무리 많은 양이라도 이론에 불과한 것보다는 한 가지 실제적인 교육이 훨씬 더 가치가 있다. 지식을 가지는 것만으로는 충분하지 않다. 우리는 지식을 올바로 사용할 능력을 가져야 한다.

가장 가치 있는 교육

쓸모없는 교육을 위해 많은 사람이 들이는 시간과 재물과 연구는 그들을 실용적인 사람들로 만들어 삶의 의무들을 지기에 적합하게 해 주는 교육을 받는 데 바쳐져야 한다. 그런 교육이 가장 가치 있는 교육이 될 것이다.

우리에게 필요한 것은 정신과 심령을 강하게 해 주고 우리를 더 나은 사람으로 만들어 주는 지식이다. 마음을 다스리는 법을 공부하는 것이 책의 지식을 익히는 것보다 훨씬 더 중요하다. 우리가 살고 있는 세상에 대한 지식을 갖는 것은 좋은 일이며 필수적이다. 그러나 만일 우리가 영원을 염두에 두지 않으면, 돌이킬 수 없는 실패를 하게 될 것이다.

학생은 지식을 얻기 위해 그의 모든 힘을 다 기울일 수 있다. 그러나 만일 그가 하나님을 아는 지식을 얻지 못하며 자기 자신을 지배하는 법칙에 순종하지 않는다면, 그는 스스로를 파멸시킬 것이다. 잘못된 습관 때문에 그는 자신을 올바로 평가할 수 있는 힘을 잃고 자제력을 잃는다. 그는 자신에게 가장 깊이 관련된 문제들을 올바로 판단할 수 없다. 그는 심신을 다루는 데 무모하고 불합리하다. 올바른 원칙을 신장하는 일을 등한히 함으로써 그는 현세와 내세에서 다같이 파멸한다.

만일 젊은이들이 자신들의 약점을 깨닫는다면, 그들은 하나님 안에서 그들의 힘을 발견하려 할 것이다. 만일 그들이 그분에게서 배우려고 노력한다면, 그들은 그분의 지혜로 현명하게 되고 그들의 생애는 세상에 복이 되는 열매를 맺게 될 것이다. 그러나 그들이 그들의 마음을 그저 세속적이며 순전히 이론적인 연구에 바침으로써 하나님께로부터 분리된다면, 그들은 생애를 풍부하게 하는 모든 것을 잃을 것이다.

 우리에게 필요한 것은 정신과 심령을 강하게 해 주고 우리를 더 나은 사람으로 만들어 주는 지식이다. 마음을 다스리는 법을 공부하는 것이 책의 지식을 익히는 것보다 훨씬 더 중요하다.

오, 내가 매일 발견할 수만 있다면
O, Could I Find, From Day to Day

오, 내가 매일 발견할 수만 있다면

하나님께 가까운 곳을

시간은 유쾌하게 흘러가리

그분의 말씀에 기대 있는 동안

주님, 당신과 함께 살기를 원합니다

매일 새롭게

세상이 결코 줄 수 없고

빼앗을 수도 없는 기쁨 속에서

복된 예수님, 오셔서 내 마음을 다스리소서

온전히 당신의 것으로 만드소서

더 이상 떠나지 않고

당신의 거룩한 사랑을 슬프게 하지 않도록

– 벤자민 클리브런드(Benjamin Cleveland)

Part Two

건강한 신체 유지하기
Maintaining Physical Fitness

"건강 원칙에 대한 지식을 갖고 있지 못한 사람은 누구나 인생의 책임을 감당하기에 적합하지 않다."

Without a knowledge of health principles, no one is fitted for life's responsibilities.

제9장 건강은 가정에서 시작됨 / **제10장** 가족의 식사 / **제11장** 가장 좋은 음식물을 선택함
제12장 균형진 식사 / **제13장** 가족을 위한 옷

09
건강은 가정에서 시작됨
Health Begins at Home

　사람이 하나님의 성전이 되어 그분의 영광을 나타내기 위한 거처가 되어야 한다는 것을 알게 되면, 육체적 능력을 보존하고 발달시키기 위해 최고의 노력을 기울이게 될 것이다. 창조주께서는 인간의 골격을 대단하고도 놀랍게 만드셨으며 우리에게 그것을 연구하고 그 필요를 이해하고 해로움과 오염에서 그것을 보존하는 일에 우리의 역할을 하도록 명령하신다.

　건강하려면 피가 좋아야 하는데 이는 피가 생명의 흐름이기 때문이다. 피는 우리 몸이 소모한 것을 복구하고 몸에 영양을 공급한다. 적절한 영양분을 공급받고 깨끗한 공기와 접촉해서 깨끗해지고 활기를 얻으면 피는 신체 각 부분에 생명력과 활력을 운반한다. 순환이 원활할수록 이 일은 더 잘 이루어질 것이다.

피는 심장이 뛸 때마다 몸의 각 부분으로 신속하고 수월하게 흘러가야 한다. 꽉 끼는 옷을 입거나 띠를 졸라매거나 맞지 않는 옷을 입어서 피의 순환을 방해해서는 안 된다. 순환을 방해하는 것은 무엇이든지 울혈(鬱血)을 유발시키며 신체의 중요 기관으로 피가 역류하도록 만든다. 그 결과 두통, 기침, 심장의 두근거림, 소화불량이 자주 나타나게 된다.

몸에 좋은 피가 흐르게 하려면 호흡을 잘해야 한다. 깨끗한 공기를 충분하게 깊이 들이마시면 폐에 산소가 가득 차고 피가 깨끗해진다. 피는 선명한 색깔을 띠게 되고 몸의 각 부분으로 생명의 흐름을 전해 준다. 좋은 호흡은 신경을 안정시키고 식욕을 증진시키며 소화가 더 잘되게 해 주고 심신을 상쾌하게 하는 깊은 수면을 취하게 해 준다.

폐가 자유롭게 활동해야 할 필요성

폐는 될 수 있는 대로 가장 자유롭게 활동할 수 있어야 한다. 폐활량은 자유로운 활동을 통해 증가된다. 폐가 속박이나 압박을 받으면 폐활량은 줄어든다. 그러므로 특히 앉아서 하는 일의 경우, 특히 구부린 자세로 일을 할 때 나쁜 결과를 초래하는 일이 흔하다. 이 자세로 깊은 호흡은 불가능하다. 얕은 호흡은 곧 습관이 되고 폐는 팽창력을 잃는다. 단단히 졸라매는 끈에 의해서도 유사한 결과가 나타난다. 가슴의 아랫부분에 충분한 공간이 주어지지 않고 호흡을 돕도록 만들어진 복부 근육이 충분한 작용을 하지 못하므로 폐는 그 활동이 제한된다.

  그리하여 산소의 공급이 부족해져서 피가 천천히 흐른다. 내쉬는 숨을 통해 배출해야 할 노폐물과 해로운 물질이 그대로 남게 되어 피는 불순해진다. 폐뿐 아니라 위와 간과 뇌도 영향을 받는다. 피부는 누르스름해지며 소화는 지연되고 심장은 억압되며 두뇌는 흐려지고 생각은 혼란하게 되며 정신은 우울해지고 결국 몸 전체가 쇠약해지고 활력을 잃어 병에 잘 걸리게 된다.

  폐는 불순물을 끊임없이 배출하는 작용을 하므로 신선한 공기를 계속 공급받을 필요가 있다. 불결한 공기는 산소를 필요한 양만큼 공급하지 못하며 피는 활성화되지 못한 채 뇌와 그 밖의 기관에 전달된다. 따라서 철저

한 통풍이 필요하다. 폐쇄되고 통풍이 잘 안 되는 방, 곧 공기가 탁하고 오염된 방에서 살면 온몸이 약해진다. 특히 감기의 영향에 예민해져서 조금만 노출되어도 병에 걸린다. 여자들은 밀폐된 방 안에 틀어박혀 있으므로 창백해지고 약해진다. 그들은 같은 공기를 반복해서 호흡하여 마침내 그 공기는 폐와 땀구멍을 통해 배출되는 유독성 물질로 차게 된다. 그리하여 불순물들이 피 속으로 다시 들어간다.

전원주택, 교회, 학교의 위치

공적인 목적이나 거주 목적을 막론하고 건물을 지을 때는 환기가 잘되고 충분한 햇볕이 드는 곳에 건축하도록 주의를 기울여야 한다. 교회와 학교 교실들은 자주 이런 점에서 결점을 많이 가지고 있다. 적절하게 환기가 되지 않으면 졸음과 지루함으로 인해 설교의 감동이 줄어들게 되고 교사의 활동을 힘들게 하며 여러 문제의 요인이 된다.

사람이 거주할 목적으로 짓는 모든 건물은 가능한 한 지대가 높고 배수가 잘되는 땅에 건축해야 한다. 그렇게 할 때 대지는 항상 건조해서 습기와 독기의 위험이 사라진다. 그런데 이 문제는 흔히 너무 가볍게 여겨진다. 저지대(低地帶)에 자리를 잡아 배수(排水)가 잘되지 않아서 발생하는 습기와 독기로 인해 계속 아프거나 심각한 질병과 죽음이 초래된다.

집을 지을 때는 환기가 잘되고 충분한 햇빛을 받을 수 있게 하는 것이 특히 중요하다. 집 안에 있는 모든 방에 공기가 잘 통하고 햇빛이 충분히 들어올 수 있게 하라. 침실은 밤낮으로 공기가 자유롭게 통하도록 정돈해야 한다. 어떤 방이든지 매일 공기와 햇빛을 받아들일 수 없다면 침실로 사용하기에는 부적합하다. 대부분의 나라에서 침실은 난방하기에 편리하게 지어져서 춥거나 습할 때 따뜻하게 하고 건조시킬 수 있어야 한다.

손님방은 평상시에 사용할 목적으로 만든 방과 똑같은 주의를 기울여야 한다. 침실과 마찬가지로 그 방에도 공기와 햇볕이 잘 들어야 하며, 계속 사용하지 않는 방에 자연적으로 발생하는 습기를 건조시킬 수 있는 난방 시설을 갖추어야 한다. 햇볕이 들지 않는 침실에서 자거나 충분히 건조시키는 바람이 없는 침대를 사용하는 사람은 누구나 건강과 생명에 위협을 받게 된다.

따사로운 햇살의 중요성

건축할 때 많은 사람이 식물과 화초를 위해 주의 깊은 준비를 갖춘다. 식물이 잘 자라게 하기 위해 따뜻한 온실을 준비하고 햇볕이 잘 들어오도록 창문을 이용한다. 왜냐하면 식물에게 따뜻함, 공기, 햇볕이 없으면 생존할 수 없고 무성하게 자랄 수 없기 때문이다. 이와 같은 조건들이 식물의 생명에 필요하다면 그 조건들은 우리 자신의 건강과 가족과 손님의 건강에 얼마나 더 많이 필요하겠는가!

우리 가정을 건강과 행복이 머무르는 곳으로 만들려고 한다면, 집을 저지대의 독기와 안개가 미치지 못하는 높은 곳에 세워 생명을 주는 하늘의 요소들이 자유롭게 들어오게 해야 한다. 두툼한 커튼을 걷고 창문과 덧문을 열고 아무리 아름다울지라도 포도 넝쿨이 창문을 가리지 못하게 하며 집 가까이에 햇빛을 가릴 정도로 나무를 심지 말라. 햇빛은 휘장과 양탄자를 퇴색시키고 사진을 변색시킬 수 있으나 아이들의 뺨에 건강미가 넘치는 혈색을 가져다줄 것이다.

노인들을 돌봐야 하는 사람들은 특히 노인들에게는 따뜻하고 안락한 방이 필요하다는 것을 기억해야 한다. 나이가 듦에 따라 원기가 떨어지고 해로운 영향에 저항하는 활력이 감소하므로 노인들은 충분한 햇빛과 신선하고 깨끗한 공기를 더 많이 필요로 한다.

신체 청결이 장수를 보장함

철저한 청결은 몸과 마음의 건강에 필수이다. 불순물들은 피부를 통해 몸에서 끊임없이 배출된다. 자주 목욕해서 깨끗하게 유지하지 않으면 피부의 수많은 땀구멍이 금방 막힌다. 그리하여 피부를 통해 배출되어야 할 불순물들은 다른 배설 기관에 추가적인 부담을 주게 된다.

사람들은 대개 매일 아침이나 저녁에 냉수욕 혹은 미온수욕을 하여 유익을 얻을 수 있다. 목욕을 알맞게 하면 감기에 대한 저항력이 강해지는데 이는 목욕이 순환을 증진시키기 때문이다. 피는 피부의 표면까지 전달되며 더 쉽고 규칙적인 흐름이 이루어진다. 정신과 육체는 다 같이 활기를 얻는다. 근육은 더 유연해지고 머리는 더 명석해진다. 목욕은 신경을 안정시킨다. 목욕은 각 기관을 건강하고 힘 있게 해 주면서 내장과 위와 간을 돕고 소화를 촉진시킨다.

옷을 청결하게 유지하는 것 역시 중요하다. 옷은 땀구멍을 통해 배출되는 노폐물을 흡수한다. 옷을 자주 갈아입지 않거나 빨지 않으면 그 불순물들은 다시 피부에 흡수될 것이다.

각종 형태의 불결함은 병을 일으킨다. 죽음을 일으키는 병균들이 어둡고 소홀한 구석, 썩어 가는 쓰레기, 습기 차고 곰팡이 핀 곳에 많다. 채소 쓰레기나 낙엽 더미 등을 주택 가까이에 놓아두어 썩게 하거나 공기를 오염시키게 하지 말라. 불결한 것이나 썩는 것은 무엇이나 집 안에 놓아두지 말라. 아주 건강하다고 생각되는 마을과 도시에서 전염성 열병이 발생하는 경우 대부분 부주의한 가정의 주택 주변에서 썩어 가는 쓰레기가 그 원인이었다.

완벽한 청결을 유지하고 충분한 햇빛을 받으며 가정생활의 세세한 면에서도 위생에 대해 면밀한 주의를 기울이면 질병에서 자유롭게 되며 가족들에게 즐거움과 활기를 줄 것이다.

옷을 청결하게 유지하는 것 역시 중요하다. 옷은 땀구멍을 통해 배출되는 노폐물을 흡수한다. 옷을 자주 갈아입지 않거나 빨지 않으면 그 불순물들은 다시 피부에 흡수될 것이다.

10
가족의 식사
Feeding the Family

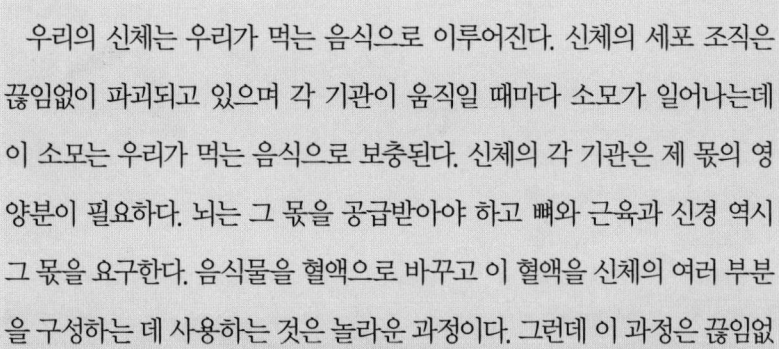

우리의 신체는 우리가 먹는 음식으로 이루어진다. 신체의 세포 조직은 끊임없이 파괴되고 있으며 각 기관이 움직일 때마다 소모가 일어나는데 이 소모는 우리가 먹는 음식으로 보충된다. 신체의 각 기관은 제 몫의 영양분이 필요하다. 뇌는 그 몫을 공급받아야 하고 뼈와 근육과 신경 역시 그 몫을 요구한다. 음식물을 혈액으로 바꾸고 이 혈액을 신체의 여러 부분을 구성하는 데 사용하는 것은 놀라운 과정이다. 그런데 이 과정은 끊임없이 진행되면서 모든 신경과 근육과 조직에 생명과 힘을 공급한다.

따라서 음식을 먹을 때는 신체를 구성하는 데 필요한 요소를 가장 잘 공급해 주는 음식을 선택해야 한다. 이와 같은 선택에서 식욕은 안전한 안내자가 아니다. 잘못된 식사 습관으로 식욕은 왜곡되었다. 흔히 식욕은 건강을 해치고 힘 대신 허약함을 초래하는 음식을 요구한다. 사회의 관습을 따르는 것은 안전할 수 없다. 어디에나 퍼져 있는 질병과 고통은 주로 식생활에 대한 일반인들의 잘못 때문에 발생한다.

인류의 최초 4가지 먹을거리: 곡식, 과일, 야채, 견과류

최선의 음식이 무엇인지 알기 위해 우리는 사람의 식생활을 위해 하나님께서 본래 계획하신 것을 연구해야 한다. 인간을 창조하셨으며 인간의 필요를 아시는 분께서는 아담에게 그가 먹을 음식을 지정해 주셨다. 그분께

> 어디에나 퍼져 있는 질병과 고통은
> 주로 식생활에 대한 일반인들의 잘못 때문에 발생한다.

서는 "씨 맺는 모든 채소와 씨 가진 열매 맺는 모든 나무를 너희에게 주노니 너희의 먹을거리가 되리라"(창 1:29)라고 말씀하셨다. 또한 인간이 죄의 저주로 에덴동산을 떠나 토지를 경작하여 생계를 유지하게 되었을 때 사람은 "밭의 채소"(창 3:18)를 먹도록 허락되었다.

곡식과 과일과 견과와 야채는 창조주께서 우리를 위해 선정해 주신 음식이다. 이 음식을 가능한 한 단순하고 자연스러운 방법으로 요리하면 가장 건강에 좋다. 이 음식은 더 복합적이고 자극적인 음식이 제공할 수 없는 힘과 인내력과 정신의 활력을 준다.

그러나 건강에 좋다고 하는 모든 음식이 모든 상황에 똑같이 우리의 필요를 채워 주는 것은 아니다. 음식을 선택할 때는 주의를 기울여야 한다. 우리의 식생활은 계절이나 우리가 사는 곳의 기후나 종사하는 직업에 맞아야 한다. 어떤 계절이나 기후에 사용하기 적합한 음식이 다른 경우에는 적합하지 않을 수도 있다. 그와 같이 다른 직업에 종사하는 사람들에게 가장 적합한 음식도 서로 다르다. 흔히 심한 육체노동에 종사하는 사람들에게 유익할 수 있는 음식이, 앉아서 하는 일에 종사하는 사람들이나 심한 정신노동을 하는 사람들에게는 적합하지 않을 수 있다. 하나님께서 건강에 좋은 여러 음식을 우리에게 충분하게 주셨으므로 각 사람은 경험과 건전한 판단을 통해 자신의 필요에 가장 적합한 음식을 선택해야 한다.

천연계가 풍성하게 공급하는 과일과 견과와 곡식은 충분하며 해가 거듭될수록 각지에서 나는 산물들이 수송 시설의 증가에 따라 모든 사람에게 더 널리 공급되고 있다. 그 결과 몇 년 전까지 비싼 사치품으로 여겨졌

던 많은 종류의 음식을 지금은 매일 먹는 음식으로 손에 넣을 수 있게 되었다. 특히 건조시키거나 통조림을 한 과일의 경우가 그렇다.

육식의 대용품 견과류

견과와 견과류 음식을 육류 대신 사용하는 일이 크게 늘고 있다. 곡식과 과일과 근채류(根菜類) 적당량을 견과와 배합하면 건강에 좋고 영양분이 많은 음식이 될 수 있다. 그러나 지나치게 많은 양의 견과를 사용하지 않도록 주의해야 한다. 견과류 음식에서 오는 나쁜 결과를 인식하는 사람들은 예방을 통해 어려움을 해소할 수 있다. 또한 어떤 견과류는 다른 견과류보다 건강에 좋지 못하다는 것을 기억해야 한다. 아몬드는 땅콩보다 낫다. 그러나 제한된 양의 땅콩을 곡식과 함께 사용하면 영양분이 많고 소화도 잘된다.

올리브 적당량은 견과처럼 버터와 육류를 대신한다. 올리브에 들어 있는 기름은 그것을 그대로 먹을 경우 동물성 기름이나 지방질보다 더 좋다. 올리브유는 이완제(설사가 나게 하는 약)로 사용되며, 폐 질환자들에게도 도움이 된다. 또한 충혈되고 염증이 생긴 위장을 치료한다.

기름지고 자극적인 음식에 익숙해진 사람들은 자연스러운 입맛을 가지고 있지 않기 때문에 평범하고 단순한 음식을 곧바로 맛있게 먹을 수 없다. 입맛이 자연스럽게 되고 위장이 그동안 당한 혹사에서 회복되는 데는 시간이 걸릴 것이다. 그러나 건강에 좋은 음식을 끈기 있게 먹는 사람들은 얼마 후에 그것이 맛이 좋다는 것을 깨달을 것이다. 그 미묘하고 좋은 맛의 매력을 알게 될 것이며 건강에 해로운 진미에서 얻을 수 있는 것보다 더 큰 즐거움으로 그 음식을 먹을 것이다. 자극을 받거나 과중한 짐을 지지 않은 건강한 상태의 위장은 그 일을 쉽게 할 수 있다.

영양가 있는 식품을 충분히 섭취함

건강을 유지하려면 영양이 많고 좋은 음식을 충분히 섭취할 필요가 있다. 지혜롭게 계획한다면, 우리는 건강에 큰 도움이 되는 것들을 여러 나라에서 얻을 수 있다. 쌀, 밀, 옥수수 그리고 귀리로 된 각종 제품들과 콩, 완두, 편두가 어디로든 수출되고 있다. 이것들과 국내산이나 수입한 과일 그리고 각 지역에서 자라는 각종 채소는 육류를 사용하지 않고도 완전한 음식을 선택할 수 있는 기회를 준다.

과일이 많이 자라는 곳에서는 어디에서나 통조림을 하거나 말려서 겨울에도 과일을 풍성하게 공급할 수 있는 준비를 해야 한다. 씨 없는 포도, 구즈베리(사탕 열매), 양딸기, 나무딸기, 검은 딸기 같은 작은 과일들을 거의 소비하지 않거나 재배를 소홀히 하는 여러 지역에서 재배함으로 유익을 얻을 수 있다.

가정에서 통조림을 만들 때는 될 수 있는 대로 깡통보다 유리병을 사용해야 한다. 그리고 특히 통조림을 할 열매는 성한 것이어야 한다. 설탕은 거의 사용하지 말고 과일은 보존이 확실할 만큼만 삶으라. 이렇게 준비하면 싱싱한 과일의 훌륭한 대용이 된다.

건포도, 자두, 사과, 배, 복숭아, 살구와 같은 건과들을 적당한 값에 구할 수 있는 곳에서는 통례적으로 사용하는 것보다 훨씬 풍성하게 그것들을 주식으로 사용할 수 있다는 것과 그것들이 각 계층의 일꾼들에게 건강

건강을 유지하려면 영양이 많고 좋은 음식을 충분히 섭취할 필요가 있다.

과 원기를 주는 가장 좋은 결과를 가져온다는 것을 알게 될 것이다.

한 끼에 여러 가지 음식을 차려 놓지 말아야 한다. 과식을 조장하고 소화 불량을 일으키기 때문이다.

한 끼에 과일과 채소를 함께 먹는 것은 좋지 않다. 소화력이 약할 때 그 두 가지를 함께 먹으면 정신이 피곤해지고 무력해진다. 한 끼에 과일을 먹었으면 다른 끼에는 채소를 먹는 것이 좋다.

다양하고 맛있는 음식을 골고루 섭취함

음식은 변화를 주어야 한다. 같은 방식으로 요리한 동일한 음식을 끼마다 혹은 날마다 식탁 위에 올려서는 안 된다. 음식에 변화를 줄 때 더 맛있게 먹게 되고 신체에 영양분이 더 잘 공급된다.

그저 식욕을 만족시키기 위해 먹는 것은 잘못이다. 그러나 음식의 질이나 음식을 조리하는 방법에 대해 무관심해서는 안 된다. 음식이 맛이 없으면 신체는 영양분을 잘 섭취하지 못할 것이다. 재료는 신중하게 고르고 지혜롭고 솜씨 있게 조리해야 한다.

아주 곱게 빻은 흰 밀가루는 빵을 만드는 데 최선의 재료가 아니다. 그런 밀가루를 사용하는 것은 건강에도 나쁘고 경제적으로도 손해다. 곱게 빻은 밀가루로 만든 빵은 통밀가루로 만든 빵보다 영양소가 부족하다. 흰 밀가루는 흔히 변비와 그 외의 질병을 일으킨다.

빵을 만들 때 소다나 베이킹파우더를 사용하는 것은 해롭고 불필요하

다. 소다는 위에 염증을 일으키며 온몸에 해독을 끼친다. 주부들은 소다가 없으면 좋은 빵을 만들 수 없다고 생각한다. 그러나 이것은 잘못된 생각이다. 더 나은 방법을 배우려는 수고를 감내한다면 그들이 만드는 빵은 더 건강에 좋고 자연스러운 입맛에 맞는 빵이 될 것이며 더 맛있는 빵이 될 것이다.

부풀리거나 이스트를 넣은 빵을 만들 때에는 물 대신 우유를 사용하지 말아야 한다. 우유를 사용하면 추가 비용이 들고 훨씬 건강에 좋지 않다. 우유로 만든 빵은 물로 만든 빵만큼 오랫동안 맛을 유지하지 못하고 위에서 더 빨리 발효된다.

빵은 가볍고 맛이 좋아야 한다. 조금이라도 신맛이 나면 안 된다. 빵 덩어리들을 작게 해서 할 수 있는 대로 완전히 구워 이스트균을 죽여야 한다. 어떤 종류의 부풀린 빵이라도 금방 구워 내어 뜨거울 때는 소화가 잘 되지 않는다. 그런 빵은 절대로 식탁에 올리지 말아야 한다. 그러나 이 규칙은 발효시키지 않은 빵에는 적용되지 않는다. 이스트나 누룩을 넣지 않고 통밀가루로 만들어서 화력이 좋은 오븐에 갓 구워낸 롤빵은 건강에도 좋고 맛도 좋다.

죽이나 미음을 만드는 데 사용하는 곡식은 여러 시간 끓여야 한다. 그러나 연하거나 묽은 음식은 많이 씹어야 하는 마른 음식보다 건강에 좋지 않다. 즈위백 곧 두 번 구운 빵은 가장 소화가 잘되고 맛이 좋은 음식이다. 부풀린 보통 빵은 조각으로 썰어서 수분이 완전히 없어질 때까지 따뜻한 오븐에 말린 후에 전체가 약간 노릇노릇하게 될 때까지 굽는다. 이 빵은 건조한 곳에서는 보통 빵보다 훨씬 오래 저장할 수 있으며 먹기 전에 다시 데우면 처음 만들었을 때처럼 신선할 것이다.

설탕을 적게 사용함

일반적으로 음식에 설탕을 너무 많이 사용한다. 케이크, 단 푸딩, 페이스트리(밀가루 반죽으로 만든 케이크), 젤리, 잼은 소화 불량의 주원인이다. 특히 우유와 계란과 설탕이 주성분인 커스터드와 푸딩은 해롭다. 우유와 설탕을 섞어서 함부로 사용하는 것은 피해야 한다.

우유를 사용할 때는 완전히 살균해야 한다. 이 점만 주의하면 우유에서 병균이 전염될 위험은 적을 것이다. 버터는 식은 빵에 발라 먹으면 요리할 때 사용하는 것보다 덜 해로우나 아예 사용하지 않는 것이 좋다. 치즈는 더 해롭다. 이는 음식으로 전혀 적당하지 않다.

잘못 요리한 음식은 조혈 기관을 약화시켜 혈액의 질을 떨어뜨린다. 또 신체를 교란시키고 질병을 일으키며 신경과민과 짜증을 동반한다. 서툰 요리에 희생된 사람들이 허다하다. 많은 무덤에 "서툰 요리로 사망함", "위장 과로로 사망함"이라고 기록해야 할 것이다.

건강에 좋은 음식을 준비하는 법을 배우는 것은 요리하는 사람들의 신성한 의무이다. 서투른 요리 때문에 많은 사람이 죽었다. 좋은 빵을 만드는 데는 생각과 주의가 필요하다. 그런데 좋은 빵 한 덩이에는 많은 사람이 생각하는 것 이상의 신앙적인 삶이 포함되어 있다. 정말 요리를 잘하는 사람은 드물다. 젊은 여성들은 요리를 하거나 그 밖의 가사를 돌보는 것을 천한 일로 생각한다. 그래서 결혼하고 가족들을 돌보는 많은 여성이 아내와 어머니에게 맡겨진 의무에 대해 거의 알지 못한다.

남녀 모두 요리 전문가가 되라

요리는 천한 과학이 아니며 실생활에서 가장 필요한 것이다. 요리는 모든 여성이 배워야 할 과학이며 더 가난한 계층의 사람들에게 유익이 되게 가르쳐야 한다. 맛이 있으면서도 단순하고 영양이 있는 음식을 만드는 데는 기술이 필요하다. 우리는 그렇게 할 수 있다. 요리하는 사람들은 단순하고 건강에 좋은 음식을 요리할 줄 알아야 한다. 그렇게 하면 음식이 단순하기 때문에 건강에 더 좋은 것은 물론이요, 맛이 더 좋을 것이다.

가정의 중요한 위치에 있으면서도 건강에 좋은 요리 기술을 아직 알지 못하는 여성들은 가족의 행복에 매우 필요한 요리를 배우려는 결심을 해야 한다. 여러 곳에서 건강 요리 학교가 이 분야에 대한 교육의 기회를 제공한다. 이런 시설의 도움을 받지 못하는 여성은 좋은 요리사의 가르침을 받아 요리법의 여왕이 되기까지 꾸준히 향상하는 노력을 기울여야 한다.

식사를 규칙적으로 하는 것은 매우 중요하다. 매끼를 위한 시간을 정해야 한다. 이 시간에 각자 몸에 필요한 것을 먹고 다음 식사 때까지는 아무 것도 먹지 말라. 습관을 고치기에 충분한 의지력이 없기 때문에 몸에 아무

건강에 좋은 음식을 준비하는 법을 배우는 것은 요리하는 사람들의 신성한 의무이다.

런 음식도 필요하지 않을 때 불규칙한 간격으로 간식을 먹는 사람이 많다. 어떤 사람들은 여행할 때 먹을 것이 손에 닿는 대로 계속 먹어 댄다. 이것은 매우 해롭다. 만일 여행하는 사람들이 단순하고 영양 있는 음식을 규칙적으로 먹는다면 그렇게 심한 피로를 느끼거나 질병으로 크게 고생하지 않을 것이다.

취침 전에 야식 먹는 습관

또 하나의 해로운 버릇은 잠자리에 들기 바로 전에 먹는 것이다. 정규적인 식사를 했을지라도 공복감이 있기 때문에 음식을 더 먹게 된다. 이 잘못된 행동은 습관으로 굳어져서 음식을 먹지 않고는 잠을 잘 수 없다는 생각을 하게 한다. 늦은 저녁을 먹은 결과 소화 과정이 자는 시간 내내 계속된다. 위는 계속 활동하지만 그 활동은 제대로 이루어지지 않는다. 잠은 불쾌한 꿈 때문에 지장을 받게 되고 아침에는 상쾌하지 못한 기분으로 일어나게 되며 아침 식사에 대한 의욕은 거의 사라진다. 휴식을 위해 누울 때 위도 모든 일을 끝내야 한다. 위 역시 몸의 다른 기관처럼 쉬어야 한다. 늘 앉아서 일하는 사람에게 늦은 저녁은 특히 해롭다. 그들에게 발생한 장애는 흔히 죽음으로 끝나는 질병의 시작이 된다.

많은 경우 음식에 대한 욕구를 일으키는 공복감은 낮에 소화 기관에 너무 무거운 부담을 주었기 때문에 느끼게 된다. 한 끼의 음식을 처리한 후에 소화 기관은 휴식을 필요로 한다. 적어도 식사와 식사 사이에는 대여섯 시간의 간격이 있어야 한다. 이 방침을 실행하는 대다수의 사람은 하루에 세 끼보다 두 끼를 먹는 것이 더 낫다는 사실을 알게 될 것이다.

매우 뜨겁거나 찬 음식은 먹지 말아야 한다. 음식이 차가우면, 소화를 시작하기 전에 그것을 데우기 위해 위장의 활력이 소모된다. 같은 이유로 찬 음료도 해롭다. 뜨거운 음료를 함부로 마시는 것도 위장을 약하게 한다. 사실 음식과 함께 음료를 많이 마실수록 음식 소화가 더 힘들게 된다. 왜냐하면 소화를 시작하기 전에 음료가 흡수돼야 하기 때문이다. 소금을 많이 먹지 말고 피클과 양념을 많이 한 음식을 피하며 과일을 많이 먹으라. 그러면 식사 시간에 많은 음료를 마시고 싶은 욕구가 대부분 사라질 것이다.

시간에 쫓기는 식사, 운동 직후 식사, 과식, 폭식의 위험성

음식은 천천히 잘 씹어 먹어야 한다. 이는 침이 음식과 알맞게 섞여서 소화액이 작용할 수 있게 하는 데 필요하기 때문이다.

또 한 가지 심각한 잘못은 격렬하고 과도한 운동을 한 직후, 아주 지쳐 있을 때나 달아올라 있을 때와 같이 부적당한 때에 먹는 것이다. 식사 직후에는 신경 에너지가 강하게 동원된다. 그러므로 식사 직전과 직후에 심신에 무거운 부담을 주면 소화가 잘 안 된다. 흥분했을 때, 걱정이 될 때나 마음이 급할 때에는 휴식과 안정을 찾기까지 먹지 않는 것이 더 좋다.

위는 뇌와 밀접하게 연결되어 있다. 위가 병들면 약화된 소화 기관을 돕기 위해 뇌에서 신경의 힘을 끌어간다. 이런 요구가 잦으면 뇌는 충혈이 된다. 뇌에 끊임없는 부담이 주어지고 육체적 운동이 부족할 경우에는 간단하게 조리한 음식이라도 적게 먹어야 한다. 식사 시간에는 근심과 걱정스러운 생각을 떨쳐 버리고 서둘지 말며 하나님께서 주신 모든 복에 감사하는 마음으로 천천히 즐겁게 먹으라.

동물의 고기나 그 밖에 조악하고 해로운 음식을 먹지 않기로 한 많은 사람이 그들이 먹는 음식이 단순하고 건강에 좋으므로 무제한 식욕을 만족시킬 수 있다고 생각하여 과식하며 때로는 폭식까지 한다. 이것은 잘못이다. 소화 기관이 처리하기에 너무 힘든 음식의 양이나 질로 소화 기관에 부담을 주어서는 안 된다.

위는 뇌와 밀접하게 연결되어 있다. 위가 병들면 약화된 소화 기관을 돕기 위해 뇌에서 신경의 힘을 끌어간다.

음식을 순서에 따라 식탁에 내어 놓는 것이 관습이다. 그러나 식사하는 사람은 다음에 무엇이 나올지 모르기 때문에 자신에게 가장 잘 맞는 음식이 아닌 음식을 잔뜩 먹을 수 있다. 그리고는 마지막 차례의 음식이 올라오면 흔히 위험을 무릅쓰고 맛있어 보이는 후식을 먹는데 그것은 전혀 좋을 것이 없다. 만일 한 끼에 먹으려는 모든 음식을 처음부터 식탁에 올려놓는다면, 식사하는 사람은 최선의 선택을 할 수 있을 것이다.

어떤 때는 과식의 결과가 즉시 느껴진다. 하지만 어떤 때는 고통이 느껴지지 않기도 한다. 그러나 소화 기관은 활력을 잃게 되고 체력의 기초는 서서히 약화된다.

과도하게 섭취한 음식은 몸에 부담을 주며 병적인 발열 상태를 일으킨다. 또 위에 과도한 양의 혈액을 모이게 해서 팔다리와 손발을 금방 차게 한다. 과식은 소화 기관에 무거운 짐을 주어서 이 기관들이 일을 마쳤을 때에 무기력과 피로를 느끼게 한다. 계속해서 과식하는 어떤 이들은 이 기진맥진한 느낌을 허기라고 부르나 이것은 소화 기관의 과로한 상태에서 기인한 것이다. 어떤 때는 두뇌가 마비되어 정신노동이나 육체노동을 하고 싶지 않게 된다.

이런 유쾌하지 않은 증세는 몸이 불필요한 활력의 소진으로 완전히 탈진했기 때문에 느껴진다. 위장은 "쉼을 달라."고 말한다. 그러나 많은 사람이 이 노곤함을 음식을 더 요구하는 것으로 해석한다. 그래서 위를 쉬게 하는 대신 또 다른 짐을 지운다. 그 결과 소화 기관은 제대로 일을 해야 할 때 흔히 탈진한다.

단순한 식사의 중요성

 우리는 안식일을 위해 평일보다 더 풍성하고 다양한 종류의 음식을 준비하지 말아야 한다. 이렇게 하는 대신 영적인 사물을 이해하는 데 정신이 맑고 활기차도록 음식을 더 단순하고 적게 섭취해야 한다. 위가 막히면 두뇌도 막히게 된다. 매우 귀중한 말씀을 들으나 이해하지 못하는 것은 정신이 부적당한 식사로 혼란되어 있기 때문이다. 안식일에 과식함으로 많은 사람이 신성한 예배로부터 유익을 얻는 일에 자신들이 생각하는 것보다 훨씬 더 부적합하게 되고 있다.

 안식일에 요리를 하는 일은 피해야 한다. 그렇다고 해서 찬 음식을 먹을 필요는 없다. 추운 날씨에는 전날에 준비해 둔 음식을 데워야 한다. 그리고 아무리 음식이 단순해도 맛이 있고 먹음직해야 한다. 특히 아이들이 있는 가정에서는 안식일에 별식으로 생각할 수 있는 것, 곧 가족들이 매일 먹지 않는 어떤 음식을 준비하는 것이 좋다.

잘못된 식사 습관에 빠졌을 때에는 지체 없이 개혁해야 한다. 위를 혹사한 결과 소화 불량이 생겼을 때에는 위에 과중한 짐을 지우지 말고 남아 있는 활력을 보존하는 데 주의 깊은 노력을 해야 한다. 위를 오랫동안 혹사하면 다시는 완전한 건강을 회복하지 못할 수 있다. 반면 적절한 식사 방식은 위가 더 이상 약해지는 것을 막을 것이며 많은 경우에 충분할 만큼 회복할 것이다. 매 경우에 적합한 규칙을 정하기는 어려우나 식사에서 바른 원칙에 주의하면 큰 개혁을 이룰 수 있을 것이며, 음식을 조리하는 사람은 먹는 사람의 입맛을 돋우려고 계속 애쓸 필요가 없을 것이다.

음식을 삼가면 정신적, 도덕적 활기로 보상을 받는다. 그것은 정욕을 통제하는 데도 도움이 된다. 과식은 특히 동작이 느린 사람들에게 해로우므로 이런 사람들은 절식하고 운동을 많이 해야 한다. 천성적으로 탁월한 능력을 지닌 사람들이 있는데 그들은 식욕을 절제했다면 성취했을 일의 절반도 성취하지 못하는 경우가 허다하다.

많은 저술가와 강연자가 이 일에서 실패한다. 양껏 먹은 다음 그들은 운동할 시간도 갖지 않고 앉아서 하는 일, 곧 독서와 연구 또는 저술에만 열중한다. 그 결과 생각과 말이 자유롭게 흘러나오지 않는다. 그들의 글과 말에는 사람의 심금을 울리는 데 필요한 힘과 열정이 없다. 그들의 노력은 무기력하고 결실을 맺지 못한다.

음식의 절제

중요한 책임을 진 사람들, 누구보다도 영적 유익을 지키는 사람들은 예민한 감각과 재빠른 지각력을 가져야 한다. 그들은 누구보다 음식에 절제해야 한다. 기름지고 사치스러운 음식을 그들의 식탁에 올리지 말아야 한다.

책임 있는 지위에 있는 사람들은 매일 중대한 결과가 따르는 결정을 한다. 그들은 생각을 신속하게 하지 않으면 안 되는데 이것은 철저히 절제하는 사람들만 성공적으로 할 수 있는 일이다. 지성은 몸과 마음의 힘을 올바로 취급할 때 강화된다. 부담이 너무 크지 않으면 사용할수록 새로운 활력이 솟아난다. 그러나 흔히 중요한 계획을 세우고 중대한 결정을 하는 사람들의 일이 부적절한 식사로 나쁜 영향을 받는다. 위에 장애가 오면 정신도 혼미하고 확실하지 않은 상태가 된다. 이것은 흔히 과민, 가혹 또는 불공평의 원인이 된다. 나쁜 식사 습관으로 인한 병적 상태 때문에 세상에 복이 될 수 있었던 많은 계획이 무시되고, 불공평하고 압제적이고 잔인하기까지 한 많은 계획이 실행되었다.

앉아서 일을 하거나 주로 정신노동을 하는 모든 사람에게 제안한다. 충분한 도덕적 용기와 자제력을 가진 사람들은 시도해 보라. 끼니마다 두 가지 혹은 세 가지의 단순한 음식을 먹으라. 허기를 채우는 데 필요한 양 이상은 먹지 말라. 매일 활발한 운동을 하라. 이렇게 하고 유익을 받지 못하는가 보라.

활발한 육체노동에 종사하는 힘센 사람들에게는 앉아서 일하는 사람에게처럼 그렇게 음식의 양과 질에서 주의를 강요하지 않아도 된다. 그러나 이런 사람들도 먹고 마시는 데 절제한다면 더 건강할 것이다.

어떤 사람들은 그들의 식사에 대한 정확한 규칙을 정해 주기를 원한다. 그들은 과식하고 후회하며, 먹고 마시는 것에 대해 늘 생각한다. 그러나 그렇게 해서는 안 된다. 어떤 사람이 다른 사람을 위한 규칙을 정해 줄 수는 없다. 각 사람은 이성과 자제력을 사용해야 하며 원칙에 따라 행동해야 한다.

우리의 몸은 그리스도께서 값을 지불하고 사신 소유물이므로 우리 마음대로 할 자유가 없다. 건강 법칙을 이해하는 모든 사람은 하나님께서 그들의 몸속에 세워 놓으신 법칙에 순종해야 한다는 것을 깨달아야 한다. 건강 법칙에 대한 순종은 개인의 문제가 되어야 한다. 법을 어기면 우리가 그 결과를 감당해야 한다. 우리는 우리의 습관과 행동에 대해 개인적으로 하나님께 답해야 한다. 그러므로 우리의 문제는 "세상의 관행이 무엇인가"가 아니라 "한 개인으로서 하나님께서 내게 주신 삶을 어떻게 취급할 것인가"이다.

11
가장 좋은 음식물을 선택함
Choosing the Best Food

    태초에 인간에게 지정된 음식에는 동물의 고기가 포함되지 않았다. 홍수 후 지상의 모든 푸른 식물이 파괴되기까지 인간에게는 동물의 고기를 먹는 일이 허락되지 않았다.

    에덴동산에서 인간의 음식을 선택하실 때 하나님께서는 무엇이 가장 좋은 음식인가를 보여 주셨는데 이스라엘을 위한 음식을 선택하실 때도 같은 교훈을 주셨다. 그분은 이스라엘 백성을 그분의 소유로 삼기 위해 애굽에서 인도해 내시고 그들을 훈련하셨다. 그들을 통해 그분은 세상에 복 주시고 교훈하기를 원하셨다. 그분은 그들에게 이 목적에 가장 적합한 음식을 제공하셨는데 그것은 동물의 고기가 아니라 만나, 곧 '하늘의 양식'이었다. 그들에게 고기가 허락된 것은 오직 애굽의 고기 가마를 갈망한 그들의 불만과 불평 때문이었으나 그것은 잠깐 동안이었다. 그 음식을 먹었을 때 수많은 사람에게 질병과 죽음이 임했다. 그럼에도 불구하고 고기 없는 식사로 제한하는 것을 전혀 달가워하지 않았다. 이 육식의 제한이 음으로 양으로 불만과 불평의 원인이 되어 영구적인 규례가 되지 못하였다.

가나안 땅에 정착하였을 때 이스라엘 백성에게 동물의 고기를 먹을 수 있도록 허락이 떨어졌으나 해로운 결과를 줄이는 데 도움이 되는 신중한 제한 아래 허락되었다. 돼지고기 사용이 금지되었으며 그 밖에 부정하다고 공표된 짐승과 새와 물고기의 고기 사용이 금지되었다. 허락한 고기도 기름과 피를 먹는 것은 엄격하게 금지하였다.

육식이 사람에게 미치는 '득(得)'과 '실(失)'

건강한 상태에 있는 동물만 음식으로 사용할 수 있었다. 찢긴 동물, 자연사한 동물 혹은 그 몸에서 피를 주의 깊게 뽑아내지 않은 동물은 음식으로 사용할 수 없었다.

음식을 위해 하나님께서 정하신 계획을 떠남으로써 이스라엘은 큰 손실을 입었다. 그들은 육식을 갈망했으며 그 결과를 거뒀다. 그들은 품성에 대한 하나님의 이상에 이르지 못했으며 그분의 목적을 성취하지도 못했다. "여호와께서는 그들이 요구한 것을 그들에게 주셨을지라도 그들의 영혼은 쇠약하게 하셨도다"(시 106:15). 그들은 세상의 것을 영적인 것보다 더 높이 평가했으며 그들에 대한 하나님의 목적이었던 신성한 탁월성에 이르지 못했다.

고기를 먹는 사람들은 곡식과 채소를 간접적으로 먹는 셈이다. 왜냐하면 동물들은 성장에 필요한 영양소를 곡식과 채소에서 섭취하기 때문이다. 곡식과 채소에 있던 생명이 그것을 먹는 동물에게 들어간다. 우리는 동물의 고기를 먹는 일을 통해 그것을 섭취한다. 우리가 사용하도록 하나님께서 준비해 주신 음식을 먹음으로써 그것을 직접 섭취하는 것은 얼마나 더 이롭겠는가!

동물의 고기는 결코 최선의 음식이 아니다. 그리고 오늘날 그것을 먹는 것은 두 배로 부적절하다. 왜냐하면 동물들 사이에서 질병이 매우 빨리 증가하고 있기 때문이다. 고기를 먹는 사람들은 자신들이 무엇을 먹고 있는지를 거의 알지 못한다. 만일 그들이 그 동물이 살아 있을 때에 보았다면 그리고 자신들이 먹는 고기의 질을 안다면 그들은 질색을 하며 돌아설 것이다. 사람들은 결핵균과 암균이 가득한 고기를 계속해서 먹는다. 결핵, 암 그리고 그 밖의 치명적인 질병이 이렇게 하여 전염된다.

돼지의 세포 조직에는 기생충이 우글거린다. 하나님께서는 돼지에 대해 "돼지는…너희에게 부정하니 너희는 이런 것의 고기를 먹지 말 것이며 그 사체도 만지지 말라"(신 14:8)라고 말씀하셨다. 이 명령은 돼지고기가 음식으로 적당치 못하기 때문에 주어졌다. 돼지는 오물을 먹는 동물이며 이것이 돼지들의 유일한 일이다. 어떤 경우에도 그 고기는 사람이 먹어서는 안 된다. 더러움을 타고났으며 온갖 혐오스러운 것을 먹고 사는 생물체의 고기가 건강에 좋을 수는 없다.

육식의 위험성

흔히 병이 몹시 들어 주인이 더 이상 기르기를 꺼려 하는 동물들이 시장에 실려 나와 음식으로 팔린다. 그리고 시장에 내기 위해 살찌우는 과정에서 병을 일으키는 수도 있다. 햇빛과 깨끗한 공기에서 차단되어 우리의 더러운 공기를 호흡하고 썩어 가는 사료로 살을 찌움으로써 온몸은 곧 불결한 물질로 오염된다.

흔히 동물들은 먼 거리로 수송되며 시장에 도착하기까지 심한 고통을 겪는다. 푸른 초장에서 끌려 나와 덥고 먼지 나는 피곤한 먼 길을 이동하거나 더러운 짐차 속에 가득 실려 열이 나고 기진한 상태가 되고 만다. 흔히 여러 시간 먹지도 마시지도 못하는 이 불쌍한 동물들은 결국 인간이 그 시체로 잔치를 벌이도록 죽임을 당한다.

물고기는 여러 곳의 오물에 의해 매우 오염되어 질병의 원인이 된다. 특히 물고기가 대도시의 하수와 접하는 경우에 그렇다. 하수의 내용물을 먹고 살던 물고기가 먼 강물로 이동하여 물이 깨끗하고 신선한 곳에서 잡힐 수 있다. 이렇게 하여 음식으로 사용될 때 그 위험을 의심하지 않는 사람들에게 질병과 사망을 일으킨다.

동물의 고기를 먹는 결과는 즉시 나타나지 않을 수 있으나 그렇다고 이것이 무해하다는 증거는 되지 못한다. 그들의 피에 해독을 끼치고 고통을 일으킨 것이 자신들이 먹은 고기임을 믿는 사람은 거의 없다. 많은 사람이 전적으로 육식으로 인한 질병 때문에 죽으나 그들 자신이나 다른 사람들은 그 진정한 원인을 알아채지 못한다.

심각한 동물 학대

육식의 도덕적 해악은 신체의 질병 못지않게 현저하다. 고기는 건강에 해가 되며 몸에 영향을 끼치는 것은 무엇이나 정신과 심령에 유사한 영향을 준다. 육식과 관련하여 동물에게 가해지는 잔인함을 생각해 보라. 잔인함이 그것을 가하는 사람들과 그것을 보는 사람들에게 끼치는 영향을 생각해 보라. 그것이 하나님께서 지으신 동물에게 우리가 보여야 할 친절을 얼마나 크게 파괴하는가!

말 못하는 많은 동물이 나타내는 지성은 신비할 정도로 인간의 지성에 매우 근접하다. 동물은 보고 듣고 사랑하고 두려워하고 고통을 당한다. 동물은 많은 인간이 몸의 기관을 사용하는 것보다 훨씬 더 충실하게 기관을 사용한다. 동물은 고통을 당하는 동료에게 동정과 친절을 나타낸다. 많은 동물은 자신을 돌보는 사람들에게 애정을 나타내는데 그것은 사람들이 나타내는 애정보다 훨씬 더 낫다. 동물은 자신에게 큰 고통을 주지 않는 한 변함없는 애착을 사람들에게 갖는다.

인간의 마음을 가진 사람이라면 어떻게 지금껏 돌봐 오던 가축을, 신뢰와 애정이 가득한 그 가축들의 눈을 쳐다보면서 도살자의 칼에 기꺼이 넘겨 줄 수 있겠는가? 어떻게 그 고기를 맛있는 음식으로 먹을 수 있겠는가?

근육의 힘이 육식에 달려 있다고 생각하는 것은 잘못이다. 동물의 고기를 사용하지 않고도 몸의 필요를 더 잘 공급할 수 있고 더 활기찬 건강을 누릴 수 있다. 곡식은 과일, 견과, 채소와 함께 좋은 피를 만드는 데 필요한 모든 영양분을 함유하고 있다. 이 영양소들은 육식으로는 충분하게 공급되지 못한다. 만일 육식을 하는 것이 건강과 힘에 필수적이었다면 태초에 인간을 위해 정한 음식 중에 동물의 고기가 포함됐을 것이다.

육식을 끊으면 흔히 약해지고 활기가 부족한 듯한 느낌을 갖게 된다. 많은 사람이 이것을 육식이 필요한 증거라고 주장한다. 그러나 그들이 고기를 매우 갈망하는 이유는 이런 종류의 음식이 자극적이며 혈액을 뜨겁게 하고 신경을 흥분시키기 때문이다. 어떤 사람들에게는 육식을 끊는 것이 술고래가 술을 단념하는 것처럼 어렵다. 그러나 끊는 것이 유익하다.

'육식 대용품'으로 영양가 있고 맛있는 음식을 준비함

육식을 끊을 때에는 그 대신 영양가 있고 맛 좋은 여러 가지 곡식, 견과, 채소, 과일을 공급해야 한다. 이것은 특히 몸이 약한 사람들이나 계속해서 노동하는 사람들의 경우에 필요하다. 어떤 가난한 나라에서는 동물의 고기가 가장 값싼 음식이다. 이런 환경에서는 채식으로 변하기가 훨씬 더 어렵겠지만 시행할 수는 있다. 그러나 우리는 사람들의 처지와 평생 습득한 습관의 힘을 고려해야 하며 비록 올바른 생각일지라도 지나치게 강권하지 않도록 주의해야 한다. 아무에게도 갑자기 변화를 가져오도록 강권하지 말아야 한다. 동물의 고기 대신 값이 비싸지 않은 건강에 좋은 음식을 제공해야 한다. 이 일은 요리하는 사람에게 달려 있다. 주의와 기술을 발휘하면 영양도 있고 맛도 좋으며 상당 부분 육식을 대신할 수 있는 음식을 준비할 수 있을 것이다.

모든 경우에서 양심을 교육하고 의지를 활용하며 훌륭하고 건강에 좋은 음식을 제공하면 변화를 가져오는 일이 순탄하게 이루어질 것이며 동물의 고기에 대한 요구가 곧 사라질 것이다.

지금은 모든 사람이 육식을 안 하기로 목표를 세울 때가 아닌가? 하늘 천사들의 친구가 되기 위해 순결하고 고상하고 거룩하게 되기를 추구하는 사람들이 어떻게 정신과 몸에 그처럼 해를 끼치는 음식을 계속해서 먹을 수 있겠는가? 어떻게 하나님께서 지으신 동물들의 생명을 취하고 그 고기를 사치스러운 음식으로 먹을 수 있겠는가? 태초에 인간에게 주어진 건강에 좋고 맛있는 음식으로 돌아가라. 하나님께서 만드시고 우리에게 다스리게 하신 말 못하는 동물들에게 자비를 베풀도록 그들 스스로 실행하며 자녀들에게 가르치게 하라.

12

균형진 식사
A Balanced Diet

식사 개혁을 주장하는 모든 사람이 진정한 개혁자들은 아니다. 많은 사람에게 개혁이란 단지 어떤 건강에 좋지 않은 음식을 버리는 것에 지나지 않는다. 그들은 건강 원리를 분명하게 이해하지 못하며 여전히 해로운 진미가 오르는 그들의 식탁은 그리스도인 극기와 절제의 모본이 되는 것과는 거리가 멀다.

또 다른 부류의 사람들은 올바른 모본을 보이려는 욕망을 가지고 정반대의 극단으로 나아간다. 어떤 이들은 가장 바람직한 음식을 구할 수 없다는 이유로 결핍을 가장 잘 채울 수 있는 그런 음식을 사용하는 대신 영양 없는 식사를 한다. 그들이 먹는 음식은 좋은 혈액을 만드는 데 필요한 요소를 제공하지 못한다. 그들의 건강은 해를 입고 그들의 유용성은 손상되며 그들의 모본은 식사 개혁을 지지하기보다는 오히려 그것에 불리한 증언을 한다.

또 다른 사람들은 건강에는 단순한 식사가 필요하므로 음식의 선택이나 조리에 별로 주의할 필요가 없다고 생각한다. 어떤 사람들은 몸의 필요를 공급할 수 있을 만큼 충분히 여러 가지 음식을 먹지 않고 아주 보잘것없는 식사에 자신을 제한한다.

개혁 원리에 대해 부분적인 이해만 하고 있는 사람들은 흔히 자신들의 주장을 자신들이 실천하는 데에서뿐 아니라 가족과 이웃에게 이것을 강요하는 데에도 극히 엄격하다. 그들의 좋지 않은 건강과 자신들의 견해를 다른 사람들에게 강요하려는 시도 때문에 많은 사람이 음식 개혁을 오해하고, 그것을 전적으로 거절하고 있다.

'방종(放縱)'과 '구속(拘束)'이라는 두 가지 극단

건강 법칙을 이해하고 원칙에 의해 지도를 받는 사람들은 방종과 구속이라는 양 극단을 피할 것이다. 그들은 단지 식욕을 만족시키기 위해서가 아니라 몸을 튼튼하게 하기 위해 음식을 선택한다. 그들은 하나님과 사람에게 최고의 봉사를 하기 위해 모든 힘을 최선의 상태로 보존하려고 노력한다. 그들은 식욕을 이성과 양심으로 통제하며 그 보상으로 몸과 마음의 건강을 받는다. 그들은 자신들의 견해를 다른 사람들에게 무례하게 강요하지 않으나 그들의 모본은 바른 원칙을 지지하는 증언이다. 이 사람들은 선을 위해 널리 감화를 끼친다.

식사 개혁에는 참된 상식이 있다. 이 문제는 넓고 깊게 연구해야 하며 아무도 다른 사람의 행동이 모든 점에서 자신의 행동과 일치하지 않는다고 하여 남을 비평하지 말아야 한다. 각 사람의 습관을 규정하는 고정적인 법을 만드는 것은 불가능하며 아무도 자신이 다른 사람을 위한 표준이라고 생각하지 말아야 한다. 모든 사람이 같은 음식을 먹을 수는 없다. 어떤 사람에게는 맛있고 건강에 좋은 음식이 다른 사람에게는 맛없고 심지어 해로울 수도 있다. 어떤 사람들은 우유를 먹지 못하는데 다른 사람들은 그것을 먹고 잘 자란다. 어떤 사람들은 완두콩이나 강낭콩을 소화하지 못하는데 다른 사람에게는 그것이 건강에 좋다. 어떤 사람에게는 거친 곡식 요리가 좋은 음식이지만 다른 사람들은 그것을 소화하기 힘들어한다.

과일과 견과가 귀한, 새로 개척한 지방이나 가난한 지역에 사는 사람들에게 음식에서 우유와 계란을 제외하도록 강요해서는 안 된다. 살집이 아주 많은 사람과 동물적인 정욕이 강한 사람들은 자극적인 음식을 피할 필요가 있다. 특히 육욕적인 습관에 빠진 아이들이 있는 가정에서는 계란을 사용하지 말아야 한다. 그러나 조혈 기관이 약한 사람들은, 특히 필요한 요소를 공급할 수 있는 다른 음식을 구할 수 없는 경우에, 우유와 계란을 아예 끊어서는 안 된다. 그러나 잘 먹이고 잘 돌본 건강한 소에서 우유를 얻고 건강한 닭에서 알을 받도록 주의해야 하며 계란은 가장 소화하기 쉽도록 요리해야 한다.

식사 개선은 점진적이어야 한다. 동물의 질병이 증가함에 따라 우유와 계란의 사용은 점점 더 위험해진다. 이것들 대신 건강에 좋고 값이 비싸지 않은 다른 것들을 공급하도록 노력해야 한다. 여러 사람에게 할 수 있는 대로 우유와 계란을 사용하지 않고도 건강에 좋고 맛있는 음식을 요리하는 방법을 가르쳐야 한다.

식사와 음식 문제는 폭넓은 이해와 적용이 필요함

하루에 두 끼만 먹는 것이 일반적으로 건강에 유익하다고 판명되었다. 그러나 어떤 환경에서는 세 번째 식사가 필요할 수 있다. 그러므로 만일 먹어야 한다면 아주 가볍고 소화가 잘되는 음식을 먹어야 한다. 크래커, 비스킷 또는 즈위백(zwieback, 살짝 구운 빵의 일종) 그리고 과일 혹은 곡류로 만든 커피 대용 음료는 저녁 식사에 가장 적합한 음식이다.

어떤 사람들은 그들이 먹는 음식이 아무리 단순하고 건강에 좋은 것일지라도 그 음식이 그들을 해칠까 봐 끊임없이 염려한다. 이들에게 나는 음식이 해를 끼칠 것이라는 생각을 하지 말라고 말하고 싶다. 전혀 그런 생각을 하지 말라. 최선의 판단에 따라 먹으라. 몸을 강하게 하도록 음식에 복을 내려 주시기를 주님께 간구했으면 그분께서 기도를 들어주신다는 것을 믿고 안심하라.

건강 원칙이 우리에게 위를 자극하고 건강을 해치는 것들을 버리도록 요구하고 있다. 그러므로 우리는 불충분한 식사가 빈혈을 일으킨다는 사

몸이 충분한 영향을 섭취하지 못하면
소화 불량과 전반적인 쇠약이 일어난다.
부실한 식사를 하는 사람들은
모두가 가난 때문에 그렇게 먹도록 강요당한 것이 아니다.
그들은 무지나 태만 때문에 또는
개혁에 대한 그릇된 생각을 실천하기 위해 그것을 선택한다.

실을 기억해야 한다. 치료하기 가장 힘든 질병들이 대개 이런 원인으로 생긴다. 몸이 충분한 영향을 섭취하지 못하면 소화 불량과 전반적인 쇠약이 일어난다. 부실한 식사를 하는 사람들은 모두가 가난 때문에 그렇게 먹도록 강요당한 것이 아니다. 그들은 무지나 태만 때문에 또는 개혁에 대한 그릇된 생각을 실천하기 위해 그것을 선택한다.

하나님께서 주신 신체를 잘 보살피는 것은 의무임

하나님께서는 신체가 소홀히 되거나 혹사당하여 그분의 봉사에 부적당하게 될 때 영광을 받지 못하신다. 맛이 있고 힘을 강하게 하는 음식을 제공하여 신체를 돌보는 것이 가장(家長)의 우선적인 의무이다. 음식의 공급을 제한하는 것보다 저렴한 옷과 가구를 장만하는 것이 훨씬 더 바람직하다.

어떤 가장은 손님들에게 값비싼 대접을 하기 위해 가족의 식탁을 빈약하게 한다. 이것은 현명하지 않다. 손님 접대는 훨씬 더 단순하게 해야 한다. 가족의 필요에 먼저 유의해야 한다.

현명하지 못한 소비와 부자연스러운 관습은 흔히 손님을 환대하고 복이 될 수 있는 자리를 방해한다. 식탁에 늘 올리는 음식은 예기치 않은 손님이 방문해도 주부가 별도의 음식을 만드는 부담을 지지 않을 만한 그런 것이어야 한다.

모든 사람이 무엇을 먹으며 그것을 어떻게 요리하는지를 배워야 한다. 여자들은 물론 남자들도 음식을 단순하고 건강에 좋게 마련하는 법을 알

필요가 있다. 흔히 그들은 직업상 건강에 좋은 음식을 구할 수 없는 곳에 가게 된다. 그럴 경우 만일 그들이 요리법에 대한 지식이 있으면 그들은 그것을 좋은 목적에 사용할 수 있다.

그대의 식사 습관을 주의 깊이 생각해 보라. 원인에서 결과까지 연구하라. 자제력을 배양하라. 식욕을 이성의 통제 아래 두라. 결코 과식으로 위를 혹사하지 말라. 그러나 건강에 좋고 맛좋은 음식을 자신에게서 **빼앗지** 말라.

건강 개혁자인 체하는 어떤 사람들의 좁은 생각이 건강 사업에 큰 손해를 끼쳤다. 건강을 주장하는 자들은 식생활 개혁이 그들의 식탁을 위해 마련하는 음식으로 평가될 것이라는 사실을 기억해야 한다. 그러므로 그들은 개혁에 불신을 가져올 행동을 하지 말고 공정한 마음을 가진 사람들에게 개혁의 원칙을 권할 수 있을 만큼 그 원칙을 모범으로 보여야 한다. 아무리 합리적일지라도 식욕을 제한하는 것이면 어떤 개혁 운동도 반대할 사람이 많다. 그들은 이성이나 건강 법칙보다는 미각을 더 생각한다. 다져진 관습의 길을 떠나 개혁을 옹호하는 모든 사람은 그들의 행동이 아무리 모순이 없을지라도 음식을 즐기려는 사람들에게는 과격하다고 여겨질 것이다. 이런 사람들은 근거 없이 개혁자들을 비평할 수도 있다. 그러므로 건강을 주장하는 자들은 자신이 다른 사람들과 얼마나 다른지를 보여 주려고 노력하지 말고 원칙을 양보함이 없이 할 수 있는 대로 가까이 그들에게 접근해야 한다.

건강 개혁에는 관대함과 그리스도의 정신이 필요함

건강 개혁을 주장하는 사람들이 극단으로 치우칠 때, 이들을 건강 원칙을 대표하는 자들로 간주하던 많은 사람이 개혁을 전면적으로 거절하는 것은 이상한 일이 아니다. 이런 극단은 평생 일관성 있는 삶을 살아도 만회할 수 없는 큰 손해를 단시간에 끼치게 된다.

건강 개혁은 광범위하고 멀리까지 영향을 미치는 원칙에 기초를 두어야 하며 우리는 제한된 견해와 관례를 가지고 개혁하는 일을 경시해서는 안 된다. 그러나 어느 누구도 반대하거나 조롱하거나 사람들로 참된 원칙에서 돌아서게 하거나 가볍게 여기도록 다른 사람을 회유하거나 영향을 끼치려는 욕구를 갖게 해서는 안 된다. 원칙에 따라 행동하는 사람들은 옳은 일을 위해 확고하며 단호한 태도를 보일 것이지만 그럼에도 그들은 모든 교제에서 관대함과 그리스도와 같은 정신과 참된 온화함을 분명하게 보여 주어야 한다.

마라와 엘림
Marah and Elim

오늘은 종려나무가 우거지고 샘이 솟는 엘림,
사막에 지친 자에게 행복한 그늘을 던지고
어제는 온통 바위와 모래투성이의 마라
그늘 없는 고독과 황량함이어라

같은 사막이 그 둘을 다 가지고 있으니
뜨거운 바람이 외로운 땅 위를 배회하고
낮게 펼쳐진 같은 골짜기가 그 둘에게 피난처를 주네
그리고 함께 놓인 산들이 그들을 둘러싸고 있다네

땅 위에서 우리의 삶이 그러하리
나는 언제나 그래 왔음을 기억하네
쓴맛과 단맛, 슬픔과 기쁨
가까이 놓여 있으나 하루만큼 떨어져 있다네
때때로 하나님은 쓴맛을 단맛으로 바꿔 주시네
때때로 그분은 유쾌한 샘물을 주시네
때때로 그분은 구름 기둥으로 우리를 가려 주시네
때때로 그분은 복스런 종려 그늘로 인도하시네

무엇이 걱정인가 시간은 길지 않으리
마라와 엘림 모두 지나가리
사막의 샘물과 종려나무들 곧 사라지리
마침내 우리는 '우리 하나님의 도성'에 이르리
오, 행복한 땅이여! 저 고독한 언덕 너머
영원한 샘물이 기쁨으로 용솟음치리
오, 거룩한 파라다이스! 이 하늘 저편
거기서 우리는 사막 여행을 끝내리

H. 보나(H. Bonar)

13
가족을 위한 옷
Clothes for the Family

성경은 옷을 단정하게 입으라고 가르치고 있다. "이와 같이 여자들도 단정하게 옷을 입으라"(딤전 2:9). 이 말씀은 옷의 과시, 화려한 색체, 사치스러운 장식을 금지한다는 뜻이다. 옷을 입은 사람이 다른 사람의 관심을 끌거나 감탄을 일으키도록 디자인한 옷은 하나님의 말씀이 명령한 단정한 옷에서 제외된다.

우리의 옷은 비용이 많이 들지 않도록 "금이나 진주나 값진 옷으로 하지"(딤전 2:9) 말아야 한다.

돈은 하나님께서 위탁하신 것이다. 그것은 우리의 것이 아니므로 교만이나 야망을 만족시키기 위해 사용해서는 안 된다. 하나님 자녀들의 손에 있는 돈은 가난한 사람들을 위한 음식이 되고 벗은 자들을 위한 옷이 된다. 또 압제당하는 자들에게 방패가 되고 병든 자들을 건강하게 하는 수단이 되며 가난한 자들에게 복음을 전하는 수단이 된다. 지금 과시하기 위해 사용하려던 돈을 현명하게 사용하면 많은 사람의 마음속에 행복을 가져다줄 수 있을 것이다. 그리스도의 삶을 생각해 보라. 그분의 품성을 연구하고 그분의 자아부정을 나누어 받는 자가 되라.

값비싼 옷과 보석에 사용하는 돈을 가난한 이웃을 위해 사용함

그리스도인이라고 공언하는 사람들이 모인 기독교계에서 배고픈 모든 자들을 먹이고 헐벗은 자들을 입힐 수 있는 충분한 돈이 보석과 쓸데없이 값비싼 옷을 사는 데 지출하고 있다. 유행과 과시가 가난한 사람들과 고통을 당하는 사람들을 위로해 줄 수 있는 재물을 흡수한다. 그것들은 세상에서 구주의 사랑의 복음을 빼앗는다. 사명은 시들해진다. 수많은 사람이 기독교의 교훈을 받지 못해 멸망한다. 우리 자신의 문 곁에서 그리고 외국 땅에서 이교도들은 배우지 못하고 구원을 받지 못한다.

하나님께서는 풍성한 선물을 땅에 내려 주시고 생활을 편하게 하는 것들로 창고를 채워 주시며 그분의 구원하는 진리의 지식을 값없이 우리에게 주셨다. 그런데도 과부와 고아들, 병든 자와 고통을 당하는 자들, 가르침을 받지 못한 자와 구원받지 못한 자들의 부르짖음이 하늘로 올라가게 한 것에 대해 우리는 무슨 변명을 할 수 있겠는가? 이 궁핍한 사람들을 위해 자신의 생명을 주신 그분을 대면하게 될 하나님의 날에 하나님께서 금하신 방종에 시간과 돈을 쓴 사람들은 무슨 변명을 할 것인가? 그런 사람들에게 그리스도께서는 "내가 주릴 때에 너희가 먹을 것을 주지 아니하였고 목마를 때에 마시게 하지 아니하였고…헐벗었을 때에 옷 입히지 아니하였고 병들었을 때와 옥에 갇혔을 때에 돌보지 아니하였느니라"(마 25:42~43)라고 말씀하시지 않을 것인가?

유행과 과시가 가난한 사람들과 고통을 당하는 사람들을 위로해 줄 수 있는 재물을 흡수한다. 그것들은 세상에서 구주의 사랑의 복음을 빼앗는다. 사명은 시들해진다. 수많은 사람이 기독교의 교훈을 받지 못해 멸망한다.

우리의 옷은 검소하고 단순하면서도 질이 좋고 색깔이 잘 어울리고 일하기에 적합해야 한다. 과시보다는 오래 입을 수 있는 옷을 골라야 한다. 옷은 따뜻하고 몸을 적절히 보호해야 한다. 현숙한 여인은 잠언에 "다 홍색 옷을 입었으므로 눈이 와도 그는 자기 집 사람들을 위하여 염려하지"(잠 31:21) 아니한다고 묘사되어 있다.

깨끗하고 위생적이고 단순한 옷!

옷은 깨끗해야 한다. 옷이 불결하면 건강에 좋지 않으므로 몸과 마음을 더럽힌다. "너희가 하나님의 성전인 것을 알지 못하느뇨 누구든지 하나님의 성전을 더럽히면 하나님이 그 사람을 멸하시리라"(고전 3:16~17).

옷은 위생적이어야 한다. 하나님께서는 "범사에" 우리가 "강건하기를" 곧 몸과 마음이 건강하기를 바라신다(요삼 1:2). 그러므로 우리는 마음과 몸의 건강을 위해 그분과 함께 일하는 사람들이 되어야 한다. 몸과 마음은 건강에 좋은 옷을 입을 때 향상된다.

옷은 우아하고 아름답고 자연스럽고 단순함과 어울리는 것이어야 한다. 그리스도께서는 우리에게 삶의 자랑에 대해 경고하셨으나 우아한 것과 자연미에 대해서는 경고하지 않으셨다. 그분께서는 들에 핀 꽃들, 순결하게 꽃망울을 터뜨리는 백합화를 가리키시면서 "솔로몬의 모든 영광으로도 입은 것이 이 꽃 하나만 같지 못하였느니라"(마 6:29)라고 말씀하셨다. 이처럼 그리스도께서는 천연계의 사물들을 통해 우리의 옷을 그분께 기쁨이 되게 하는 아름다움 곧 하늘이 가치 있게 여기는 검소한 우아함, 단순함, 순결함, 아담함을 예증하셨다.

그분은 가장 아름다운 옷을 우리의 마음에 입으라고 명령하신다. 어떤 외적 치장도 그 가치나 사랑스러움에서 그분이 대단히 귀하게 보시는 "온유하고 안정한 심령"(벧전 3:4)과 비교할 수 없다.

구주의 원칙을 지침으로 삼는 사람들에게 그분이 하신 약속의 말씀은 참으로 귀중하다.

"너희가 어찌 의복을 위하여 염려하느냐…오늘 있다가 내일 아궁이에 던져지는 들풀도 하나님이 이렇게 입히시거든 하물며 너희일까보냐…그러므로 염려하여 이르기를…무엇을 입을까 하지 말라…너희 하늘 아버지께서 이 모든 것이 너희에게 있어야 할 줄을 아시느니라 그런즉 너희는 먼저 그의 나라와 그의 의를 구하라 그리하면 이 모든 것을 너희에게 더하시리라"(마 6:28~33).

"주께서 심지가 견고한 자를 평강하고 평강하도록 지키시리니 이는 그가 주를 신뢰함이니이다"(사 26:3).

세상의 유행을 뒤쫓는 어리석음

이것은 유행의 법을 따르느라 생기는 피로, 불안, 질병 그리고 불행과 얼마나 대조되는가! 성경에 제시된 원칙은 유행이 지시하는 여러 가지 옷 모양과 얼마나 대조적인가! 지난 몇 백 년 혹은 몇 십 년 동안에 유행한 스타

일을 생각해 보라. 그것들 중 얼마나 많은 것이 유행이 지났을 때에 온당하지 않다는 판정을 받게 되는가. 그리고 얼마나 많은 것이 세련되고 하나님을 경외하며 자중하는 여인에게 어울리지 않는다는 말을 듣게 되는가.

하나님의 말씀은 단지 유행을 위해 옷을 바꾸는 것을 허락하지 않는다. 스타일과 공들인 값진 장신구들을 바꾸는 일은 부자들의 시간과 재물을 탕진하게 하고 마음과 심령의 에너지를 낭비하게 한다. 그런 것들은 중류 계급과 가난한 사람들에게 무거운 짐을 지운다. 겨우 생계를 꾸려 나가는 많은 사람과 단순한 모양으로 자신들의 옷을 만들 수 있는 사람들이 유행을 따르기 위해 양장점에 갈 수밖에 없다. 많은 가난한 소녀가 맵시 있는 긴 웃옷 때문에 따뜻한 내복을 입지 않았으며 자신의 생명으로 그 대가를 지불했다. 또한 과시와 부의 우아함을 갈망하는 많은 사람이 부정직과 수치의 길로 빠지도록 유혹을 받았다. 아내나 자녀들의 엄청난 요구를 만족시키기 위해 많은 가정은 생활을 편하게 하는 것들을 빼앗기고 많은 사람은 횡령죄를 범하거나 파산을 당한다.

자신이나 자녀들을 위해 어쩔 수 없이 유행이 요구하는 맵시 있는 옷을 마련해야만 하는 여인네들은 끊임없이 고된 일을 할 수밖에 없는 운명에 놓인다. 많은 어머니가 떨리는 신경과 손으로 건강, 안락 그리고 진정한 아름다움에 전혀 도움이 되지 않는 장식을 자녀들의 옷에 달아 주기 위해 밤이 늦도록 고생한다. 유행 때문에 그는 자녀들의 올바른 지도에 매우 요긴한 건강과 정신적 안정을 희생한다. 마음과 정서의 계발은 방치된다. 심령은 위축된다.

어머니는 자녀들의 건강을 돌볼 때 알아야 할 신체 발달 원리를 공부할 시간이 없다. 그는 자녀들의 지적 혹은 영적 필요를 채워 줄 시간이 없고 그들의 작은 실망과 시련에 동정을 표하거나 그들의 관심과 일에 함께할 시간이 없다.

아이들은 세상에 태어나자마자 유행의 영향을 받는다. 그들은 구주에 대한 말보다 옷에 대한 이야기를 더 많이 듣는다. 그들은 어머니들이 성경보다는 유행하는 옷으로 멋을 낸 여자들에 더 진지한 관심이 있는 것을 본다. 옷의 과시가 품성의 계발보다 더 중요한 문제로 다루어진다. 부모와 자녀들은 생애에서 가장 좋고 가장 유쾌하고 가장 진실한 것을 빼앗긴다. 그들은 유행 때문에 내세를 위한 준비에서 기만을 당한다.

유행을 창안하는 '검은 손'

항상 유행이 바뀌도록 고안하여 충동한 것은 모든 선한 것의 원수였다. 그가 가장 바라는 것은 인간에게 불행과 멸망을 초래하게 하여 하나님께 슬픔과 불명예를 안기는 것이다. 그가 이 일을 가장 효과적으로 성취하는 방법 중 하나는 정신을 약화시키고 심령을 위축시키며 육체를 약하게 만드는 유행을 고안하는 일이다.

여인들은 심각한 질병에 걸리고 옷을 입는 방법에 따라 그들의 고통은 크게 증가한다. 그들은 분명히 이르러 올 비상사태를 위해 건강을 보존하는 대신 잘못된 습관으로 그들의 건강뿐 아니라 생명까지 희생한다. 그리고 자녀들에게 손상된 체질과 왜곡된 습관과 삶에 대한 거짓 개념을 비통한 유산으로 남긴다.

관습이 부추기는 또 하나의 잘못은 옷을 고르지 않게 입어서 몸의 어떤 부분은 필요 이상으로 입고 다른 부분은 불충분하게 입는 것이다. 발과 팔다리는 신체의 중요한 기관에서 멀리 떨어져 있기 때문에 충분히 입음으로써 특별히 냉기에서 보호해야 한다. 사지가 계속

해서 차면 건강할 수 없다. 사지에 피가 너무 적으면 몸의 다른 부분에 너무 많은 피가 몰리기 때문이다. 완전한 건강에는 완전한 혈액 순환이 필요하다. 그러나 발과 사지에 입는 것보다 신체의 주요 기관들이 위치해 있는 곳에 세 배 내지 네 배로 두꺼운 옷을 입는다면 이 일은 이루어질 수 없다.

여인들은 피를 맑게 하는 신선한 공기를 스스로 차단하고, 혈관을 통해 약동하는 피를 보냄으로써 생명, 건강 그리고 힘을 주는 자유로운 운동을

하지 않기 때문에 신경과민이 되고 여위게 된다. 많은 여인이 건강을 누릴 시기에 고질환자가 되었으며, 또 많은 사람이 건강 원리에 따라 옷을 입고 바깥 공기를 쐬며 자유롭게 운동했으면 그들에게 정해진 수를 다 누리고 있을 시기에 폐결핵과 그 밖의 질병으로 죽었다.

단순한 옷을 입을 용기

건강에 가장 좋은 옷을 만들기 위해 신체 각 부분의 필요를 주의 깊게 연구해야 한다. 기후의 특성, 환경, 건강 상태, 나이와 직업을 모두 고려해야 한다. 모든 옷은 잘 맞고, 혈액의 순환을 방해하지 말아야 한다. 또 자유롭고 충분하며 자연스러운 호흡에 지장을 주지 말아야 한다. 모든 이음새는 팔을 들 때 옷이 그에 따라 올라갈 수 있을 만큼 여유로워야 한다.

건강이 나빠지고 있는 여인들은 현명하게 옷을 입고 활동하면 스스로 많은 일을 할 수 있다. 바깥 운동에 적합한 옷을 입고 밖에서 운동하되 처음에는 조심해서 하고 견딜 수 있게 되면 양을 늘리라. 이런 과정을 통해 많은 사람이 건강을 되찾고 세상일에서 그들의 몫을 담당하며 살 것이다.

여인들은 유행을 따르기 위해 애쓰는 대신 스스로 건강에 좋고 단순한 옷을 입을 용기를 가져야 한다. 아내이며 어머니인 사람은 단지 고된 가사에 빠져드는 대신 독서를 하고 정보를 계속해서 충분히 얻으며 남편의 친구가 되고 자녀들의 자라나는 마음과 교류해야 한다. 그는 좀 더 향상된 삶을 위해 사랑하는 자녀들에게 영향을 미칠 수 있는 기회, 곧 그가 현재

가지고 있는 기회를 현명하게 사용해야 한다. 그는 사랑하는 구주를 동료와 친한 친구로 만들 시간을 매일 가져야 한다. 그는 그분의 말씀을 연구하고 자녀들과 함께 들로 나가며 하나님께서 하신 일의 아름다움을 통해 하나님을 배울 시간을 가져야 한다.

그는 언제나 즐겁고 쾌활해야 한다. 모든 시간을 끊임없이 바느질로 보내지 말고, 저녁 시간을 하루의 의무를 마치고 가족들이 다시 연합하는 즐거운 사교 시간으로 삼으라. 그렇게 하면 남자들이 클럽 회관이나 술집보다는 자신의 집에서 갖는 사교 모임을 택하게 될 것이다. 소년들은 길거리나 모퉁이 잡화점으로 나가지 않을 것이다. 소녀들은 경박하고 잘못된 길로 유도하는 친구를 만나지 않을 것이다. 가정의 감화는 부모와 자녀들에게 하나님께서 계획하신 대로 평생의 복이 될 것이다.

믿음으로 주님을 바라보나이다
My Faith Looks Up to Thee

믿음으로 주님을 바라보나이다
당신은 갈보리의 어린양
구원자 하나님
내가 기도할 때 주여 들으소서
내 죄를 사해 주시고
오 주여 이제는 저를
온전히 당신의 것으로 만드소서

당신의 부요한 은혜의 능력을
저의 가냘픈 심령에 나눠 주시고
나의 열심이 불붙게 하소서
당신께서 나를 위해 돌아가셨듯이
당신을 향한 나의 사랑이
순결하고 열렬하고 변함없는
타오르는 불꽃이 되게 하소서

내가 인생의 어두운 길을 걸어감으로 당황할 때

또 슬픔이 내 주위를 덮을 때

주여 당신이 나의 안내자가 되어 주소서

이제 어두움을 물리쳐 주시고

슬픔의 눈물을 닦아 주소서

더 이상 당신 곁에서

길을 잃지 않게 하소서.

레이 팔머(Ray Palmer)

Part Three

건강을 위태롭게 하는 것들

Enemies of Health

"신체의 자연적 상태를 허약하게 만들고 저하시키는 모든 마취제와 인공 자극제는 사람의 지능과 도덕적 상태를 떨어뜨리는 경향이 있다."

All narcotics and unnatural stimulants that enfeeble and degrade the physical nature tend to lower the tone of the intellect and morals.

제14장 자극제와 마취제 / 제15장 알코올 음료와 현대 생활 / 제16장 부절제는 고칠 수 있음
제17장 건강으로 안내하는 하이웨이 / 제18장 간단한 치료법 / 제19장 가정 간호 방법
제20장 마음의 시야

14
자극제와 마취제
Stimulants and Narcotics

자극제와 마취제는 매우 다양하게 분류되어 있는데 음식 혹은 음료로 사용하면 모두 위를 자극하고 혈액에 해독을 끼치며 신경을 흥분시킨다. 이것들을 사용하는 것은 분명히 해롭다. 사람들이 자극성 식물을 사용하는 이유는 잠시 동안 쾌감을 느끼기 때문이다. 그러나 거기에는 반드시 부작용이 따른다. 부자연스러운 자극제는 언제나 과용하게 되고 신체의 퇴화와 쇠약을 조장하는 주원인이다.

현대에는 음식이 덜 자극적일수록 좋다. 양념은 본질상 해롭다. 겨자, 고추, 향신료, 피클 그리고 이와 유사한 특성을 지닌 것들은 위를 자극하며 혈액을 뜨겁게 하고 불순하게 한다. 술고래의 충혈된 위장은 흔히 알코올성 음료의 해로움을 설명하는 그림으로 제시된다. 자극성 양념을 사용하면 이와 유사한 충혈 상태가 일어난다. 곧 보통 음식은 식욕을 만족시키지 못한다. 몸은 더 자극적인 것에 대한 결핍과 갈망을 느낀다.

커피와 차(茶)의 신경 자극제 역할

차는 일종의 자극제로 작용하며 어느 정도 중독을 일으킨다. 커피와 그 밖의 인기 있는 음료들도 유사하다. 우선적인 효능은 기분이 유쾌해지는 것이다. 위의 신경이 흥분되며 이 신경은 그 자극을 뇌에 전달하고 뇌 또한 자극을 받아 증가한 활동을 심장에 전하며 잠시 지속되는 에너지를 온 몸에 공급하는 것이다. 피로가 사라지고 기운이 나는 듯하다. 지력이 일깨워지고 상상력은 더 활발해진다.

이런 결과 때문에 많은 사람이 차나 커피가 자신들에게 큰 유익을 준다고 생각한다. 그러나 이것은 잘못이다. 차와 커피는 몸에 양분을 공급하지 않는다. 소화하고 흡수하는 시간이 지나기도 전에 효과가 나타나며 마치 기운이 솟는 것처럼 느껴지지만 사실은 신경의 흥분일 뿐이다. 자극의 영향이 사라지면 부자연스러운 힘은 감소하고 그 결과 노곤하고 쇠약해진다.

이 신경 자극제들을 계속 사용하면 두통, 불면, 심계항진(心悸亢進), 소화 불량, 떨림, 기타 여러 가지 장애를 일으킨다. 이는 이런 자극제들이 생명력을 소모하기 때문이다. 피로한 신경은 자극과 과로 대신 휴식과 안정을 요구한다. 몸은 소모한 에너지를 재충전할 시간이 필요하다. 자극제를 사용하여 체력을 부추기면 얼마 동안은 좀 더 많은 일을 성취할 것이나 그것들을 계속 사용하여 몸이 허약해지면 결국 원하는 만큼 에너지를 일으키기가 점점 더 어려워진다. 자극제에 대한 요구는 통제하기가 더 어려워져 마침내 의지력이 압도되며 부자연스러운 갈망을 거부할 힘이 없어진다. 점점 더 강한 자극제를 요구하다가 마침내 탈진한 몸은 더 이상 반응하지 않는다.

담배가 신체에 미치는 심각한 영향

담배는 완만하고 사람이 인식하지 못하게 피해를 입히는 가장 유해한 독약이다. 어떤 형태로 담배를 사용하든지 그것은 인체에 영향을 미친다. 담배의 영향은 느리고 처음에는 거의 감지할 수 없기 때문에 더욱 위험하다. 담배는 신경을 흥분시키고 그다음에는 마비시킨다. 또 뇌를 약화시키고 흐리게 한다. 흡연은 흔히 취하게 하는 음료보다 더 강력하게 신경에 영향을 미친다. 그것은 더 알아채기가 힘들며 그 영향을 몸에서 제거하기가 어렵다. 흡연은 음주에 대한 갈망을 일으키고 많은 경우 음주 습관의 기초를 놓는다.

흡연은 불편하며 비용이 많이 들며 불결하며 흡연자를 더럽히고 다른 사람들에게 불쾌감을 준다. 애연가는 어디서나 만날 수 있다. 군중 속을 헤치고 나아갈 때면 어김없이 어떤 흡연자가 그대의 얼굴에 독소가 가득한 입김을 내뿜는다. 공기가 술과 담배 냄새로 가득한 열차 객실이나 방 안에 남아 있는 것은 불쾌하고 건강에 좋지 않은 일이다. 비록 이 독약을 자신에게 사용하겠다고 고집할 수는 있다 하더라도 그들에게 다른 사람들이 호흡해야 할 공기를 더럽힐 수 있는 권리가 있단 말인가?

어린이들과 청년들이 흡연하면 말로 표현할 수 없는 해독을 끼친다. 지나간 세대가 남긴 건강에 좋지 않은 습관이 오늘날 어린이와 청년들에게 영향을 미친다. 정신 장애, 신체의 쇠약, 불안정한 신경 그리고 부자연스러운 욕구는 부모에서 자녀들에게 유산으로 전해진다. 자녀들이 같은 습관을 계속할 때 나쁜 결과는 증가하며 끊이지 않고 계속된다. 우리에게 경종을 울리는 육체적, 정신적, 도덕적 타락은 이에 적지 않게 기인한다.

소년들은 매우 어린 나이에 담배를 피기 시작한다. 그렇게 형성된 습관은 몸과 마음이 특히 그 영향에 민감할 때는 육체적 힘을 해치며 몸의 성장을 방해하며 지성을 둔화시키며 도덕심을 부패하게 한다.

부모의 금연이 자녀의 흡연을 예방함

부모, 교사 그리고 목사들의 모본을 본 어린이와 청년들에게 그 습관의 해악을 어떻게 가르칠 수 있을 것인가? 유아기를 겨우 벗어난 어린 소년들이 담배를 피우는 모습을 볼 수 있다. 어떤 사람이 그것을 지적하면 그들은 "우리 아버지도 담배를 피우는데요."라고 말한다. 그들은 목사나 주일 학교 교장을 가리키면서 "그런 사람도 담배를 피우는데 그대로 따라 하는 내게 무슨 해가 되나요?"라고 말한다. 절제 사업에 종사하는 많은 일꾼이 담배에 중독되어 있다. 부절제를 막는 데 그런 사람들이 무슨 힘을 쓸 수 있겠는가?

나는 하나님의 말씀을 믿고 순종한다고 공언하는 사람들에게 호소한다. 그대는 그리스도인으로서 지성을 마비시키며 영원한 실재를 올바로

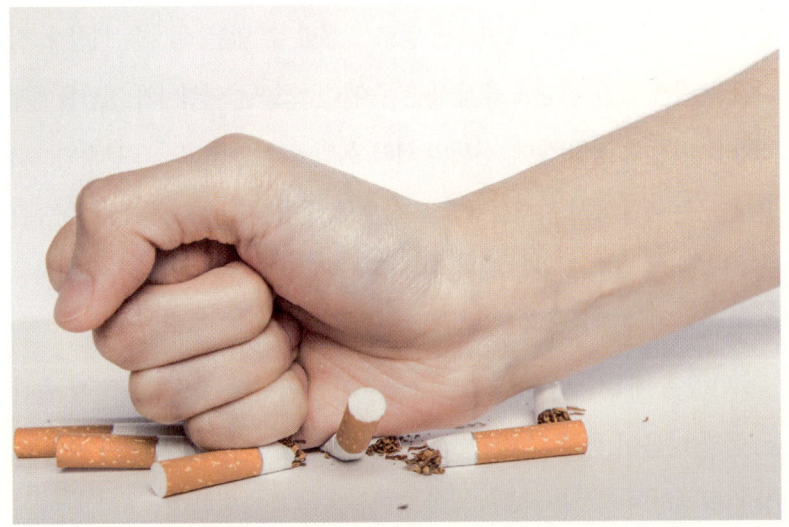

평가하는 능력을 빼앗는 습관에 빠지기를 원하는가? 하나님께서 마땅히 받으실 봉사를 그분에게서 빼앗고 그대가 베풀어야 할 봉사와 그대가 보여야 할 모본의 힘을 동료 인간에게서 빼앗는 일에 날마다 동의할 수 있겠는가?

그대의 손안에 있는 재물을 관리하는 하나님의 청지기로서 그대가 지고 있는 책임을 생각해 보았는가? 담배를 사는 데 주님의 돈을 얼마나 많이 사용했는가? 일평생 쓴 돈의 액수를 계산해 보라. 이 오염시키는 정욕을 위해 쓴 금액은 가난한 사람들을 구제하기 위해 준 금액 그리고 복음을 전하기 위해 쓴 금액과 비교할 때 어떤가?

인간에게는 담배가 필요 없다. 담배를 사는 데 쓴 돈은 낭비하는 것보다 더 나쁘게 쓰인 돈이다. 그런데 그 돈이 없어서 많은 사람이 죽어 가고 있다. 주님의 재산을 낭비해 오지 않았는가? 하나님의 것과 동료 인간의 것을 도적질하는 죄를 범해 오지 않았는가? "너희는 너희 자신의 것이 아니라 값으로 산 것이 되었으니 그런즉 너희 몸으로 하나님께 영광을 돌리라"(고전 6:19~20)는 말씀을 알지 못하는가?

가정과 사회를 파괴하는 술

"포도주는 거만하게 하는 것이요 독주는 떠들게 하는 것이라
이에 미혹되는 자마다 지혜가 없느니라
재앙이 뉘게 있느뇨 근심이 뉘게 있느뇨 분쟁이 뉘게 있느뇨

원망이 뉘게 있느뇨 까닭 없는 상처가 뉘게 있느뇨

붉은 눈이 뉘게 있느뇨

술에 잠긴 자에게 있고

혼합한 술을 구하러 다니는 자에게 있느니라

포도주는 붉고 잔에서 번쩍이며 순하게 내려가나니

너는 그것을 보지도 말지어다

그것이 마침내 뱀같이 물 것이요

독사같이 쏠 것이며"

- 잠언 20장 1절; 23장 29~32절

중독시키는 술에 희생된 자의 타락과 노예 상태를 인간의 손이 이보다 더 생생한 모습으로 묘사한 적은 없다. 노예가 되고 타락한 나머지 자신의 비참한 상태를 인식할지라도 그는 유혹에서 벗어날 힘이 없다. 그는 "다시 술을 찾겠다"(잠 23:35)라고 말한다.

알코올성 음료가 대주가(大酒家)에게 미치는 나쁜 영향을 보여 주기 위해 논쟁할 필요가 없다. 그리스도께서 그들을 위해 돌아가셨으며 천사들이 그들을 위해 울고 있으나 사람들은 술에 취해 몽롱하게 된 참상을 보이고 있다. 그들은 자랑스러운 문명에 오점을 남긴다. 그들은 어느 나라에서나 수치와 저주와 위험이 되고 있다.

대주가의 가정에 숨겨져 있는 참상과 번뇌와 절망을 누가 다 묘사할 수 있을까? 흔히 곱게 자라나서 감정이 풍부하고 교양이 있고 세련된 아내가 술로 인해 주정뱅이 곧 마귀로 전락한 사람에게 매여 있는 것을 생각해 보라. 가정의 안락, 교육 그리고 훈련을 박탈당하고 그들의 자랑과 보호자가 되어야 할 사람을 두려워하며 살다가 수치스러운 낙인이 찍혀 저주스러운 대주가의 갈증을 물려받고 세상으로 쫓겨나는 아이들을 생각해 보라.

 술의 영향으로 매일 일어나는 두려운 사고들을 생각해 보라. 열차에 탄 어떤 승무원이 신호에 주의하는 일을 소홀히 하거나 명령을 잘못 이해한다. 기차는 계속 진행한다. 충돌 사고가 발생하여 많은 사람이 죽는다. 혹은 배가 이리저리 다니다가 승객들과 승무원들을 수장한다. 사건을 조사

알코올성 음료가 대주가(大酒家)에게 미치는 나쁜 영향을 보여 주기 위해 논쟁할 필요가 없다. 그리스도께서 그들을 위해 돌아가셨으며 천사들이 그들을 위해 울고 있으나 사람들은 술에 취해 몽롱하게 된 참상을 보이고 있다.

해 보니 중요한 자리에 있던 사람이 술에 취해 있었음이 밝혀진다. 술 마시는 습관에 빠져 있는 이에게 사람의 생명을 안전하게 맡길 수 있겠는가? 완전히 금주할 때만 가능한 일이다.

세상에 '해롭지 않은 술'은 없다

부자연스러운 자극제에 대한 욕구를 물려받은 사람들은 포도주나 맥주나 사과주를 눈에 띄는 곳이나 손이 닿는 곳에 둬서는 안 된다. 이것이 그들에게 계속해서 유혹이 되기 때문이다. 단맛이 나는 사과즙은 해가 없다고 생각해서 많은 사람이 주저하지 않고 그것을 산다. 그러나 단맛은 잠깐 지속될 뿐이며 후에는 곧 발효하기 시작한다. 그때 생기는 쏘는 맛 때문에 사과주가 많은 사람의 구미에 맞게 되는데 마시는 사람들은 그것이 발효됐다고 인정하기를 매우 싫어한다.

일반적으로 생산되는 달콤한 사과즙이라도 그것을 마시면 건강이 위태롭게 된다. 만일 사람들이 그들이 사는 사과즙을 현미경으로 볼 수 있다면 그것을 마시려는 사람은 거의 없을 것이다. 흔히 시장에 팔기 위해 사과즙을 만드는 사람들은 사용하는 사과의 상태에 주의하지 않으며 벌레 먹고 썩은 사과로 즙을 짠다. 해로운 썩은 사과를 다른 방법으로는 아무 데도 사용할 생각을 하지 않는 사람들이 그런 사과로 만든 사과즙을 마시면서 그것을 별식이라고 말한다. 그러나 이 기분 좋게 하는 음료는 즙틀에서 금방 짰을 때라도 현미경으로 보면 마시기에 전혀 적합하지 않다.

더 강한 술에 취하는 것과 마찬가지로 포도주, 맥주, 사과주에도 취한다. 이런 술을 마시면 더 강한 음료에 대한 입맛을 일으키며 그렇게 하여 음주 습관이 형성된다. 술을 적당히 마신다는 것은 술고래가 되기 위한 준비 과정일 뿐이다. 그리고 이 순한 자극제의 작용은 매우 알아채기가 힘들어서 희생자가 자신의 위험을 의심하기도 전에 이미 그는 술고래가 되는 고속도로에 들어서 있는 것이다.

실제로 취했다고 결코 생각되지 않는 사람들 중에 어떤 사람들은 항상 순한 알코올성 음료에 취해 있다. 그들은 몸이 뜨겁고 마음은 불안하며 균형을 잡지 못한다. 그들은 모든 장벽이 무너지고 모든 원칙이 희생될 때까지 안전하다고 생각하고 계속 걸어 나간다. 가장 강한 결심도 서서히 무너져 내리고 가장 높은 동기도 타락한 식욕을 이성의 지배 아래 두기에 충분하지 못하다.

성경은 그 어디에서도 취하게 하는 술을 마시는 것을 승인하지 않았다. 그리스도께서 가나의 혼인 잔치에서 물로 만드신 포도즙은 순수한 포도즙이었다. 그것은 성경에서 "포도송이에는 즙이 있으므로…그것을 상하지 말라 거기 복이 있느니라"(사 65:8)고 한 새 포도즙이었다.

구약 성경에서 "포도주는 거만하게 하는 것이요 독주는 떠들게 하는 것이라 이에 미혹되는 자마다 지혜가 없느니라"(잠 20:1)라고 이스라엘 백성에게 경고를 하신 분은 바로 그리스도셨다. 그리스도께서는 결코 친히 그런 음료를 제공하지 않으셨다. 사탄은 이성을 흐리게 하고 영적 지각을 마비시키는 방종에 빠지도록 사람들을 유혹하지만 그리스도께서는 저하된 본성을 통제하도록 가르치신다. 그리스도께서는 결코 사람 앞에 유혹이 될 만한 것을 놓지 않으신다. 그분의 전 생애는 자아 부정의 모본이었다. 광야에서 40일 동안 금식하실 때에 우리를 위해 인간이 견딜 수 있는 가장 혹심한 시험을 당하신 것은 식욕의 힘을 깨뜨리기 위함이었다. 침례자 요한에게 포도주나 독주를 마시지 말도록 지시하신 분도 그리스도이셨다. 마노아의 아내에게 이와 비슷한 절제를 명령하신 분도 그리스도이셨다. 그리스도께서는 자신의 교훈에 모순되게 행동하지 않으셨다. 그분이 혼인 잔치에 모인 손님들을 위해 제공하신 발효하지 않은 포도즙은 건강에 좋고 원기를 새롭게 하는 음료였다. 이것이 우리 구주와 그분의 제자들이 첫 성찬식에서 사용한 포도즙이었다. 이것이 언제나 성찬식 식탁에 구주의 피의 상징으로 사용되어야 할 포도즙이다. 이 거룩한 예식은 심령을 새롭게 하고 생명을 주기 위해 제정되었다. 죄악을 조장할 수 있는 것은 그 어떤 것도 여기에 관련되어서는 안 된다.

부절제의 위험성

성경과 천연계와 이성이 마취제 사용에 대해 가르치는 빛에 비춰 볼 때 어떻게 그리스도인들이 맥주를 만드는 홉 재배에 종사하거나 시장에 팔기 위해 포도주나 사과주를 제조할 수 있겠는가? 그들이 이웃을 자신처럼 사랑한다면 어떻게 이웃의 길목에 올무를 놓는 일을 도울 수 있겠는가?

부절제는 흔히 가정에서 시작된다. 기름지고 건강에 좋지 않은 음식을 사용하면 소화 기관은 약화되고 더 자극적인 음식에 대한 욕구가 생긴다. 이렇게 식욕은 계속해서 더 자극적인 것을 갈망하도록 길들여진다. 자극제에 대한 욕구가 더 잦아지고 참기가 더 힘들어진다. 몸에 얼마간 독소가 차고 더 쇠약해질수록 이런 것들에 대한 욕구는 더 커진다. 잘못된 길로 디딘 한 걸음은 또 다른 걸음을 준비한다. 포도주나 다른 종류의 술을 식탁에 올려놓는 죄를 범하지 않으려는 많은 사람이 강한 술에 대한 갈망 곧 그 유혹을 견디기가 거의 불가능한 갈망을 일으키는 음식을 식탁에 올려놓는다. 먹고 마시는 잘못된 습관은 건강을 파괴하고 음주의 길을 예비한다.

사회를 구성하고 꼴 지을 청년들에게 절제에 대한 바른 원칙을 심어 줄 수 있다면 절제 운동을 할 필요가 거의 없게 될 것이다. 부모는 가정에서 부절제를 반대하는 운동을 시작해야 한다. 그러면 그들은 성공에 대한 희망을 가질 수 있을 것이다.

자녀들이 바른 습관과 순수한 미각을 형성하도록 돕는 것이 어머니의 일이다. 식욕을 길들이고 자극성 음식을 싫어하도록 가르치라. 자녀들을 둘러싸고 있는 악에 저항할 수 있는 도덕적 능력을 갖도록 그들을 양육하라. 다른 사람에 의해 흔들리거나 강한 영향에 굴복하지 않고 다른 사람들에게 선한 영향을 끼치도록 가르치라.

부절제를 억제하기 위해 큰 노력을 하고 있으나 많은 노력이 올바른 방향으로 나아가지 못하고 있다. 절제 개혁을 옹호하는 사람들은 건강에 나쁜 음식, 양념, 차, 커피의 사용으로 인한 해악에 대해 알아야 한다. 우리는 모든 절제 운동가들이 성공하기를 바란다. 그러나 우리는 그들이 대항하여 투쟁하고 있는 해악의 원인을 그들이 좀 더 깊이 통찰하고 개혁에서 일관성 있게 나아가는 일을 확실하게 하기를 바란다.

지적인 힘과 도덕적인 힘의 올바른 균형이 몸의 올바른 상태에 크게 의존한다는 사실을 사람들 앞에 제시해야 한다. 체질을 약하게 하고 퇴화시키는 모든 마취제와 부자연스러운 자극제는 지적 그리고 도덕적 상태를 저하시키는 경향이 있다. 부절제는 세상이 도덕적으로 타락하는 기초를 놓는다. 왜곡된 식욕의 방종으로 인간은 유혹에 저항할 힘을 잃는다.

신경 자극제, 담배, 알코올로부터 절제

절제 개혁자들은 이 분야에서 사람들을 교육하는 일을 해야 한다. 고갈된 에너지를 자극하는 자극제를 사용하면 부자연스럽고 돌발적인 작용을 하며 건강과 품성뿐 아니라 생명까지도 위험하게 된다는 사실을 사람들에게 가르치라.

　엽차, 커피, 담배 그리고 알코올성 음료에 대한 유일한 안전책은 그것들을 만지지도 않고 맛보지도 않고 취급하지도 않는 것이다. 엽차, 커피 그리고 그와 비슷한 음료는 알코올성 음료와 담배처럼 해로우며 어떤 경우에는 그 습관을 깨뜨리는 것이 마치 대주가가 술을 단념하는 것만큼이나 어렵다. 이러한 자극제들을 끊으려는 사람들은 얼마 동안 상실감을 느끼며 그것들이 없으면 고생할 것이다. 그러나 참고 견디면 그 갈망은 극복될 것이며 허전한 느낌도 사라질 것이다. 학대를 당한 후 회복하는 데 약간의 시간이 걸릴지 모르나 기회를 주면 몸은 다시 회복할 것이며 훌륭하고 만족스럽게 일을 수행할 것이다.

15
알코올 음료와 현대 생활
Liquor and Modern Life

"불의로 그 집을 세우며 부정하게 그 다락방을 지으며 자기의 이웃을 고용하고 그의 품삯을 주지 아니하는 자에게 화 있을진저 그가 이르기를 내가 나를 위하여 큰 집과 넓은 다락방을 지으리라 하고 자기를 위하여 창문을 만들고 그것에 백향목으로 입히고 붉은빛으로 칠하도다 네가 백향목을 많이 사용하여 왕이 될 수 있겠느냐 그러나 네 두 눈과 마음은 탐욕과 무죄한 피를 흘림과 압박과 포악을 행하려 할 뿐이니라"(렘 22:13~17).

이 성경절은 술을 제조하는 자들과 파는 자들의 사업을 묘사하고 있다. 그들의 사업은 강도 행위이다. 그들이 버는 돈에 상응한 유익을 끼치지 않는다. 그들이 벌어들이는 모든 돈은 소비자들에게 저주를 안겨 준다.

하나님께서는 그분의 복을 사람들에게 관대하게 베푸셨다. 그분의 선물을 지혜롭게 사용했다면 이 세상의 가난과 고통은 얼마나 크게 감소했을 것인가! 사람들의 죄악이 하나님의 복을 저주로 바꾸었다. 또한 이득을 위한 탐욕과 식욕의 방종이 우리의 몸을 유지하도록 주신 곡식과 과일들을 불행과 멸망을 가져오는 독소로 바꾸었다.

해마다 수백만 리터의 술이 소비된다. 불행, 궁핍, 질병, 타락, 색욕, 범죄 그리고 죽음을 사는 데 수천억 원의 돈이 사용된다. 주류 판매업자는 수익을 위해 몸과 마음을 오염시키며 파멸시키는 것을 희생자들에게 판다. 그는 대주가의 가정에 가난과 불행을 가져다준다.

희생자가 죽어도 주류 판매업자의 강탈은 그치지 않는다. 그는 과부를 약탈하고 어린이들을 거지로 만든다. 그는 남편이며 아버지인 자의 술값을 받으려고 빈곤한 가정에서 생계에 필수적인 것마저 빼앗는 일을 주저하지 않는다. 고통 당하는 어린이들의 부르짖음, 고민하는 어머니의 눈물은 오직 그의 분노를 자극할 뿐이다. 이 고통 당하는 사람들이 굶주려도 그는 아랑곳하지 않는다. 타락과 멸망으로 빠져들어도 그는 아랑곳하지 않는다. 그는 자신이 파멸시키는 사람들의 보잘것없는 양식으로 재물을 늘린다.

하나님께서는 그분의 복을 사람들에게 관대하게 베푸셨다. 그분의 선물을 지혜롭게 사용했다면 이 세상의 가난과 고통은 얼마나 크게 감소했을 것인가! 사람들의 죄악이 하나님의 복을 저주로 바꾸었다.

음주 문화의 부정적 영향

주류 판매업자의 사업의 결과로 사창가, 죄악의 소굴, 형사 법정, 교도소, 구호소, 정신병원, 병원 등이 채워진다. 요한계시록의 신비한 바벨론처럼 주류 판매업자는 "종들과 사람의 영혼들"(계 18:13)을 거래하고 있다. 주류 판매업자 배후에는 영혼들을 파괴하는 강력한 파괴자가 서 있으며 그는 인간을 자신의 세력 아래 넣기 위해 이 세상이나 지옥이 고안해 낼 수 있는 모든 술책을 다 쓰고 있다. 도시와 시골에, 달리는 열차 안에, 대형 선박 안에, 사업하는 곳에, 환락의 연회장에, 병원 약국에, 심지어는 교회의 신성한 성찬상 위에까지 그의 덫이 놓여 있다. 알코올음료에 대한 욕구를 일으키기 위해 온갖 방법이 동원된다. 길 모퉁이마다 술집이 있어서 환한 조명과 환영하는 말과 유쾌한 분위기로 노동자와 부유한 게으름뱅이와 순진한 젊은이들을 유혹한다.

간이식당이나 고급 휴양지에서는 숙녀들에게 호감이 가는 이름을 붙인 인기 있는 음료가 제공되는데 그것은 실제로 알코올성 음료이다. 환자와 탈진한 자들에게 알코올이 주성분인 '비터스'*가 널리 권장되고 있다.

어린이들에게 술에 대한 욕구를 일으키기 위해 과자에 알코올을 섞는다. 그런 과자가 가게에서 팔린다. 주류 판매업자는 이런 과자를 선물해서 아이들을 유흥장으로 유인한다.

날마다, 달마다, 해마다 이 일은 계속된다. 국가의 지주이고 희망과 자랑인 아버지, 남편, 형제들이 계속해서 주류 판매업자의 소굴로 들어갔다가 결국 불쌍한 폐인이 되어 나온다.

*Bitters, 당시 널리 사용되었던 일종의 연한 알코올성 음료의 통칭

더 두려운 것은 이 저주가 바로 가정의 심장을 공격한다는 사실이다. 점점 더 많은 여인이 음주 습관을 형성하고 있다. 많은 가정에서 어린 자녀들과 심지어 천진난만하고 무력한 영아들까지 술 취한 어머니들의 태만과 학대와 비열한 행동으로 날마다 위협을 받고 있다. 아들과 딸들이 이런 무서운 죄악의 그늘에서 자라고 있다. 부모들보다 더 깊이 빠지는 것 외에 그들이 장래를 위해 무슨 희망을 가질 수 있겠는가?

이 저주가 소위 기독교 나라에서 우상 숭배하는 지역으로 퍼진다. 가난하고 무지한 미개인들이 음주를 배운다. 이교도들 중에서도 지각 있는 사람들은 음주의 무서운 독성을 인식하고 음주에 반대한다. 그러나 나라를 음주의 해악에서 보호하려는 그들의 노력은 물거품이 되어 왔다. 문명인들에 의해 담배와 술과 아편이 이교국에 강매된다. 미개인의 걷잡을 수 없는 정욕이 술의 자극을 받아 전에 알지 못했던 타락에 빠지게 하므로 이런 나라에 선교사를 파송하는 것은 거의 희망 없는 일이 된다.

재물의 가치

하나님에 대한 지식을 전해 주어야 할 사람들이 도리어 이교 국민들을 모든 부족과 종족들을 파멸시키는 악습으로 이끌고 있다. 이로 인해 지구상의 저개발 지역에서 문명국 사람들이 미움을 받고 있다.

주류 사업은 이 세상에서 힘을 떨치고 있다. 그것은 돈, 습관, 식욕의 힘을 모두 합한 힘을 가지고 있다. 그 힘은 심지어 교회 안에서도 느껴진다.

직간접으로 주류 거래를 해서 돈을 번 사람들이 "평판이 좋고 정규적인" 교인이다. 그들 중 많은 사람이 대중적인 자선 사업에 많은 돈을 기부한다. 그들이 내는 기부금은 교회 사업을 지원하고 목사들을 부양하는 일을 돕는다. 그들은 돈의 힘에 경의를 표해 줄 것을 요구한다. 그런 교인을 용납하는 교회는 사실상 술 거래를 지지하는 셈이다. 목사들이 올바른 일을 위해 일어설 용기를 갖지 못하는 경우가 너무 많다. 그는 주류 판매업자가 하는 일에 대해 하나님께서 말씀하신 것을 사람들에게 선포하지 않는다. 분명하게 말하다가는 교인들의 비위를 건드려서 인기가 떨어지고 월급이 날아갈 수도 있기 때문이다.

그러나 교회의 심판대 위에 하나님의 심판대가 있다. "네 아우의 핏소리가 땅에서부터 내게 호소하느니라"(창 4:10)라고 첫 살인자에게 말씀하신 하나님께서는 술 판매업자가 드리는 예물을 당신의 제단에 받아들이지 않으실 것이다. 관대함이라는 가면으로 그들의 죄를 가리려고 하는 자들에게 하나님께서는 분노하신다. 그들의 돈은 피로 얼룩져 있다. 그 위에는 저주가 있다.

"여호와께서 말씀하시되 너희의 무수한 제물이

내게 무엇이 유익하뇨 …

너희가 내 앞에 보이러 오니

이것을 누가 너희에게 요구하였느냐 내 마당만 밟을 뿐이니라

헛된 제물을 다시 가져오지 말라 …

너희가 손을 펼 때에 내가 내 눈을 너희에게서 가리고

너희가 많이 기도할지라도 내가 듣지 아니하리니

이는 너희의 손에 피가 가득함이라."

- 이사야 1장 11~15절

대주가도 좋은 일을 할 수 있다. 그에게 하나님을 영화롭게 하고 세상을 복되게 할 수 있는 재능이 위탁되었다. 그러나 그의 동료들이 그의 영혼을 잡는 덫을 놓고 그를 타락시킴으로써 자신들을 세웠다. 그들이 강탈한 희생자는 가난과 불행 가운데 사는 반면 그들은 사치스럽게 산다. 그러나 하나님께서는 대주가를 신속하게 멸망시키는 일을 도운 자의 손에서 그 대가를 요구하실 것이다. 하늘에서 통치하시는 분께서는 음주의 첫 원인과 마지막 결과를 놓치지 않고 보신다. 참새를 돌보시고 들의 풀을 입히시는 분께서는 자신의 형상대로 창조되고 자신의 피로 사신 사람들을 지나치지 않으시고 그들의 부르짖음에 유의하실 것이다. 하나님께서는 범죄와 불행을 영속시키는 이 죄악에 주목하신다.

부절제가 초래한 절망, 불행, 고통

　세상과 교회는 사람을 타락시킴으로써 재물을 얻은 사람을 인정할 수도 있다. 그들은 사람들을 한 걸음 한 걸음 수치와 타락의 길로 끌어내린 사람에게 미소를 보낼 수도 있다. 그러나 하나님께서는 그 모든 것을 주목하시고 공정하게 심판하신다. 술 판매업자는 세상에서 좋은 사업가로 불릴 수 있을지 모르나 주님께서는 그에게 "화 있을진저"(합 2:15)라고 말씀하신다. 그는 술 거래로 세상에 초래한 절망과 불행과 고통에 대해 추궁을 당할 것이다. 그는 음식과 옷과 거처 문제로 고통을 겪고 모든 희망과 기쁨이 매장된 어머니와 어린이의 가난과 비애에 대해 답변해야만 한다. 그는 영생을 위해 준비하지 못한 채 그에 의해 죽임을 당한 사람들에 대해 답변해야만 할 것이다. 또한 술 판매업자의 사업을 지지한 자들은 그의 죄를 나누어 받는다. 그들에게 하나님께서는 "너희의 손에 피가 가득함이라"(사 1:15)라고 말씀하신다.

　많은 사람이 주류 판매 허가를 음주의 폐해를 제한하는 것으로 여겨 이를 옹호한다. 그러나 판매 허가는 그것을 법의 보호 아래 두는 것이다. 정부는 그 존재를 승인함으로써 겉으로는 제한한다고 공언하면서 실은 폐해를 조장하고 있다. 허가법의 보호 아래 맥주와 소주와 포도주 양조장들이 전국에 세워지고 술 판매업자들은 바로 우리 집 옆에서 부지런히 영업을 하고 있다.

　흔히 취객이나 알코올 중독자로 확인된 자에게는 주류 판매가 금지된다. 그러나 청년들을 대주가로 만드는 일은 끊임없이 계속되고 있다. 청년들에게 술맛을 알게 하는 데 주류 사업의 생명이 달려 있다. 청년들은 음주 습관을 형성하고 어떤 대가를 지불하고라도 술로 만족을 얻으려고 갈망하기까지 한 걸음 한 걸음 이끌린다. 꽃다운 청년들이 이 무서운 습관 때문에 파멸에 이르는 것을 허용하기보다는 파멸이 결정된 중독자에게 술을 허용하는 편이 덜 해로울 것이다.

주류 판매 허가 때문에 개혁하려는 자들이 끊임없이 유혹을 받는다. 부절제로 인한 희생자들이 식욕을 극복하는 일에 도움을 받을 수 있는 시설들이 설립되었다. 이것은 고귀한 사업이다. 그러나 주류 판매가 법률로 허

술 판매업자의 사업을 지지한 자들은 그의 죄를 나누어 받는다.
그들에게 하나님께서는 "너희의 손에 피가 가득함이라"(사 1:15)라고 말씀하신다.

가되어 있는 한 부절제하는 자들은 알코올 중독자 보호 시설에서 별 유익을 얻지 못한다. 그들은 그곳에 언제나 남아 있을 수 없다. 그들은 사회에 복귀하지 않으면 안 된다. 비록 알코올성 음료에 대한 욕구는 진정되었으나 완전히 없어진 것은 아니다. 유혹이 사방에서 공격할 때 그들은 흔히 너무 손쉽게 희생된다.

사나운 짐승을 소유한 사람이 그 짐승의 성질을 알고도 그것을 풀어놓으면 나라의 법에 따라 그 짐승이 저지르는 폐해를 책임지게 된다. 이스라엘 백성에게 주신 율법에서 하나님께서는 사납다고 알려진 짐승이 사람을 죽였으면 그 임자는 부주의와 악행에 대해 자신의 생명으로 배상해야 한다고 하셨다. 동일한 원칙에서 볼 때 주류 판매업자에게 허가를 내준 정부는 그 업자의 거래로 생기는 결과에 대해 책임을 져야 한다. 사나운 짐승을 풀어놓는 행위가 사형에 처할 만한 죄가 된다면 술 판매업자에게 사업을 허가해 준 죄는 얼마나 더 크겠는가!

주류 판매의 득(得)과 실(失)

나라에 이익을 준다는 구실로 주류 판매를 허가하고 있다. 그러나 주류 거래의 열매인 범죄 행위, 정신병자, 가난한 사람들로 인해 발생하는 엄청난 비용과 비교할 때 이 수입이 과연 얼마나 되겠는가. 술에 취한 사람이 범죄 행위를 저지른다. 그는 법정에 끌려가고, 주류 거래를 합법화해 준 사람들은 자신들이 한 일의 결과를 다루게 된다. 그들은 술을 팔도록 공인했고 멀쩡한 사람을 미친 사람으로 만들었다. 이제는 그의 아내와 자녀들을 그들이 살고 있는 지역 사회에 짐이 되도록 비참하게 버려둔 채 그를 교도소나 교수대로 보내지 않으면 안 된다.

이 문제의 경제적인 측면만을 고려하더라도 주류 영업을 용인하는 것은 얼마나 어리석은 일인가! 술을 팔아 이익을 남긴들 인간이 이성을 상실하고, 사람 속에 있는 하나님의 형상이 변형되고, 자녀들을 빈곤하게 하고 타락하게 하며 술고래 아버지의 악한 기질을 영구히 물려받게 한 것을 능히 변상할 수 있겠는가?

술 마시는 습관을 형성한 사람은 절망적인 상태에 놓인다. 두뇌는 병들고 의지력은 약화된다. 그 자신 안에 있는 어떤 힘으로도 식욕을 통제할 수 없다. 극기하도록 논리적인 이야기를 나누거나 설득할 수도 없다. 죄의 소굴에 빠진 사람은 술을 끊기로 결심할지라도 다시 술잔을 잡으며 일단 술맛을 보면 모든 좋은 결심은 무너지고 의지력은 흔적도 없이 사라진다. 사람을 미치게 만드는 술을 한 모금 마시면 그 결과에 대한 모든 생각은 사라진다. 그는 상심한 아내를 잊는다. 취한 아버지는 자녀들이 헐벗고 굶주리는 것도 더 이상 상관하지 않는다. 법률은 거래를 합법화함으로써 영혼의 타락을 승인하고 세상을 해악으로 채우는 거래를 중단하기를 거부한다.

이런 일이 끝없이 계속되어야만 하는가? 사람들은 그들 앞에 유혹의 문을 활짝 열어놓은 채 항상 승리를 위해 힘겨운 투쟁을 해야 하는가? 부절제의 저주가 문명 세계를 영원히 황폐화시키도록 버려두어야 하는가? 그

저주가 마치 삼키는 불처럼 매년 행복한 많은 가정을 계속해서 휩쓸어야만 하는가? 해안에서 보이는 곳에서 배가 파선한다면 사람들은 수수방관하지 않을 것이다. 사람들은 생명의 위험을 무릅쓰고 물에서 사람들을 구해 내기 위해 노력할 것이다. 그렇다면 대주가가 당할 운명에서 사람들을 구해 내는 일에는 얼마나 더 큰 노력을 할 필요가 있겠는가!

술에 중독된 사람들이 사회에 주는 위협

술 판매업자의 사업으로 인해 위협을 받는 것은 술꾼들과 그 가족뿐이 아니며 그 거래로 사회에 주는 세금 부담도 해악의 일부에 불과하다. 우리 모두는 인류라는 직물로 함께 짜여 있다. 이 큰 인간적인 형제 관계의 어느 일부에 일어나는 불행은 모두에게 위기를 가져올 것이다.

이득이나 안일을 좋아하여 주류 거래를 금지하는 일에 관여하지 않았던 사람들은 너무 늦게 그 거래가 자신들에게도 관계가 있음을 발견한다. 그는 자신의 자녀들이 술에 중독되어 파멸된 것을 보게 된다. 무법이 폭동으로 이어진다. 재산은 위태로워지고 생명은 안전하지 못하다. 바다와 육지에서 사고는 증가한다. 더럽고 비참한 서식지에서 번식한 질병이 당당하고 호화로운 가정으로 침투한다. 방탕하고 불량한 아이들에 의해 조장된 악행이 세련되고 교양 있는 가정에 전염된다.

주류 거래에 의해 권익에 위협을 받지 않을 사람은 아무도 없다. 누구나 자기 자신을 보호하기 위해서라도 주류 거래를 근절하기 위해 나서야 한다.

다른 모든 곳에서는 세속적인 이득만을 다루고 있을지라도 국회와 법원은 부절제의 저주에서 벗어나야 한다. 도지사, 시의원, 국회의원, 판사, 국가의 법을 제정하고 다루는 사람, 동료 인간의 생명과 명성과 재산을 좌우하는 사람은 엄격하게 절제하는 사람들이어야 한다. 오직 그렇게 할 때만 그들의 정신은 옳고 그름을 분별할 만큼 맑아질 수 있다. 오직 그렇게 할 때만 그들은 원칙에 확고하며 정의를 시행하고 자비를 나타낼 수 있는 지혜를 소유할 수 있다. 그러나 기록은 무엇을 보여 주는가? 이들 중 얼마나 많은 사람이 독한 술을 마심으로 마음이 흐려지고 옳고 그름에 대한 판단을 혼동하였는가! 술을 마시는 입법자, 증인, 배심원, 변호사, 심지어 판사들의 불공정 때문에 얼마나 많은 억압적인 법률이 제정되었으며 얼마나 많은 무죄한 사람들이 사형 선고를 받았는가! "포도주를 마시기에 용감하며 독주를 잘 빚는 자들", "악을 선하다 하며 선을 악하다 하는 자들", "뇌물로 말미암아 악인을 의롭다 하고 의인에게서 그 공의를 빼앗는"(사 5:20, 22~23) 사람들이 많다. 그런 자들에 대해 하나님께서는 다음과 같이 말씀하신다.

"화 있을진저…

이로 말미암아 불꽃이 그루터기를 삼킴같이,

마른풀이 불 속에 떨어짐같이

그들의 뿌리가 썩겠고

꽃이 티끌처럼 날리리니

그들이 만군의 여호와의 율법을 버리며

이스라엘의 거룩하신 이의 말씀을 멸시하였음이라."

- 이사야 5장 22~24절

주류 판매를 금지하는 단호한 노력

하나님의 영광, 국가의 안정, 사회와 가정과 개인의 복지는 사람들로 하여금 부절제의 해악에 대항하여 일어나게 하는 일에 가능한 모든 노력을 다할 것을 요구한다. 지금은 우리가 그것을 보지 못하지만 머지않아 우리는 이 무서운 해악의 결과를 보게 될 것이다. 누가 이 파멸시키는 일을 저지하기 위해 단호한 노력을 할 것인가? 아직도 싸움은 시작되지 않았다. 사람들을 정신 이상자로 만드는 주류 판매를 금지하기 위해 단체를 조직하라. 술 거래로 인한 위험을 명백히 밝히고 그것의 금지를 요구하도록 여론을 일으키라. 술로 정신 이상이 된 사람들에게 그 노예 상태에서 벗어날 기회를 주라. 국민들은 목소리를 높여 이 수치스러운 거래를 중지할 것을 국가의 입법자들에게 요구해야 한다.

"너는 사망으로 끌려가는 자를 건져 주며

살륙을 당하게 된 자를 구원하지 아니하려고 하지 말라

네가 말하기를

나는 그것을 알지 못하였노라 할지라도

마음을 저울질하시는 이가

어찌 통찰하지 못하시겠으며

네 영혼을 지키시는 이가 어찌 알지 못하시겠느냐."

"너의 친구 삼았던 자를

그가 네 위에 우두머리로 세우실 때에

네가 무슨 말을 하겠느냐."

- 잠언 24장 11~12절; 예레미야 13장 21절

16

부절제는 고칠 수 있음
Intemperance Can Be Cured

부절제로 타락한 사람들을 위해 해야 할 일이 어디에나 있다. 교회 안에서, 종교 기관에서 그리고 그리스도인 가정이라고 공언하는 곳에서 젊은이들이 멸망으로 가는 길을 택하고 있다. 그들은 부절제 습관으로 자신에게 질병을 초래하고 죄악적인 방종에 쓸 돈을 벌기 위한 탐욕 때문에 부정직한 행동을 하게 된다. 건강과 품성이 파괴된다. 하나님과 분리되고 사회에서 버림받은 이 가련한 영혼들은 현세에서나 내세에서 희망이 없다고 생각한다. 부모들의 마음은 비탄에 잠긴다. 사람들은 잘못을 저지르는 젊은이들에 대해 희망이 없다고 말하나 하나님께서는 그렇게 말씀하지 않으신다. 그분은 그들을 그렇게 만든 모든 환경을 이해하시며 그들을 불쌍하게 보신다. 이들은 도움이 필요한 부류이다. 결코 그들에게 "아무도 내 영혼을 돌봐 주지 않는다."고 말할 여지를 주지 말라.

부절제로 인한 희생자 중에는 온갖 계층과 직업에 속한 사람들이 있다. 높은 지위, 탁월한 재능, 위대한 학식을 갖춘 사람들이 식욕의 방종에 빠져 마침내 유혹에 전혀 저항할 수 없는 상태에 이른다. 한때 부를 소유했던 사람들 중 어떤 이들은 집도 친구도 없이 불행과 질병과 타락의 고통을 당하고 있다. 그들은 자기 통제력을 상실했다. 그들에게 도움의 손길이 미치지 않으면 그들은 점점 더 낮은 곳으로 빠져들 것이다. 이들에게 자기 방종은 도덕적 죄악일 뿐 아니라 신체적 질병이다.

악한 습관에 사로잡힌 사람들을 돌보아 줄 필요

절제하지 못하는 사람들을 도와줄 경우 우리는 그리스도께서 흔히 하셨던 것처럼 먼저 그들의 몸 상태에 주의해야 한다. 그들에게는 건강에 좋고 비자극적인 음식과 음료, 깨끗한 옷, 몸을 청결하게 할 수 있는 기회가 필요하다. 그들은 도움이 되고 향상시키는 그리스도인의 감화를 느낄 수 있는 분위기에 둘러싸일 필요가 있다. 모든 도시에서 악한 습관에 사로잡힌 사람들이 그들을 구속한 사슬을 끊는 데 도움을 받을 수 있는 장소가 제공되어야 한다. 많은 사람이 독한 술을 근심할 때 얻을 수 있는 유일한 위로라고 생각한다. 그러나 그리스도인이라고 공언하는 사람들이 제사장과 레위인처럼 행동하는 대신 선한 사마리아인의 모본을 따른다면 많은 사람이 술을 위로의 방편이라고 생각하지 않게 될 것이다.

  대주가가 자신의 타락상을 깨달을 경우 그대가 그의 친구임을 보여 주기 위해 온 힘을 다하라. 비난하는 말을 하지 말라. 행동이나 표정으로 책망이나 혐오를 나타내지 말라. 그 가련한 영혼은 십중팔구 자신을 저주할 것이다. 그가 일어서도록 도우라. 믿음을 북돋는 말을 하라. 그의 품성에서 모든 좋은 특성을 강화시키기 위해 노력하라. 그에게 향상하는 방법을 가르치라. 그에게 그가 동료의 존경을 받으며 살 수 있다는 것을 보여 주라. 하나님께서 그에게 주셨으나 그가 증진하기를 등한히 한 재능의 가치를 볼 수 있게 그를 도우라.

<u>그대는 그대가 도와주려는 사람들을 굳게 붙들어야 한다. 그렇지 않으면 결코 승리를 얻지 못할 것이다. 그들은 계속해서 악을 행하고 싶은 유혹을 받을 것이다.</u>

비록 그의 의지가 쇠락하고 약화되었으나 그리스도 안에서 그에게 희망이 있다. 그의 마음속에는 좀 더 고상한 충동과 거룩한 소망이 일깨워질 것이다. 복음이 그에게 제시하는 희망을 붙잡도록 그를 격려하라. 유혹을 받고 투쟁하는 사람 앞에 성경을 펴고 하나님의 약속을 거듭하여 읽어 주라. 이 약속은 그에게 생명나무의 잎사귀와 같을 것이다. 떨리는 손이 감사의 기쁨으로 그리스도를 통해 구속의 소망을 잡기까지 인내하며 계속해서 노력하라.

그대는 그대가 도와주려는 사람들을 굳게 붙들어야 한다. 그렇지 않으면 결코 승리를 얻지 못할 것이다. 그들은 계속해서 악을 행하고 싶은 유혹을 받을 것이다. 거듭해서 독주에 대한 갈망에 의해 정복될 것이며 계속 넘어질 것이다. 그러나 그것 때문에 노력을 중단하지 말라.

욕망에 대항하여 투쟁할 때 천사의 도움이 있을 것임

그들은 그리스도를 위해 살려는 노력을 하기로 결심했다. 그러나 그들의 의지력은 약하다. 그러므로 당연히 해야 할 사명으로 여기고 영혼을 돌보는 사람들에 의해 주의 깊은 보호를 받아야 한다. 그들은 남자다운 기백을 상실했으므로 그것을 되찾아야 한다. 많은 사람이 악으로 기우는 강한 유전적 성향에 대항해 싸우지 않으면 안 된다. 부자연스러운 욕망, 관능적 충동은 타고난 것이다. 이것들을 주의 깊이 경계해야 한다. 안팎으로 선과 악이 패권을 다투고 있다. 그런 경험을 한 번도 겪어 보지 못한 사람은 식욕의 압도적인 힘과 방종의 습관과 모든 일에 절제하려는 결심 사이에 일어나는 투쟁의 격렬함을 알 수 없다. 거듭해서 전쟁을 치러야 한다.

그리스도께로 나오는 많은 사람이 식욕과 정욕에 대항하여 싸움을 지속할 도덕적 용기가 없을 것이다. 교역자는 그것 때문에 낙심해서는 안 된다. 어디 타락의 밑바닥에서부터 구해 내어야 할 사람들뿐이겠는가?

그대는 혼자 일하고 있지 않음을 기억하라. 섬기는 천사들은 봉사하는 일에 진실한 마음을 지닌 하나님의 모든 아들딸과 연합한다. 그리고 그리스도는 회복시키는 분이시다. 위대한 의사이신 그분께서 친히 당신의 충실한 일꾼들 곁에 서서 회개하는 영혼에게 "작은 자야 네 죄 사함을 받았느니라"(막 2:5)고 말씀하신다.

버림받은 많은 사람이 복음이 그들에게 제시하는 소망을 붙들고 천국에 들어가게 될 것이다. 반면에 큰 기회와 복을 받았으나 그것을 활용하지 않은 사람들은 바깥 어두운 곳에 버려질 것이다.

악습의 희생자들은 스스로 노력할 필요를 깨달아야 한다. 다른 사람들이 그들을 향상시키기 위해 열렬한 노력을 기울일 수도 있고, 하나님의 은혜가 값없이 주어질 수도 있으며, 그리스도께서 탄원하실 수도 있고, 그분의 천사들이 봉사할 수도 있으나 그들이 스스로 자신을 위해 싸우려고 일어나지 않으면 모든 것이 헛일이 될 것이다.

당시에는 한 젊은이에 불과했지만 장차 곧 이스라엘의 왕위를 계승할 솔로몬에게 다윗이 한 마지막 말은 "너는 힘써 대장부가 되라"(왕상 2:2)는 것이었다. 인류의 모든 자녀 곧 불멸의 면류관을 얻을 후보자들에게 "너는 힘써 대장부가 되라"라는 영감의 말씀이 주어진다.

그대도 악에 저항할 수 있다!

자기 방종의 생활을 하는 사람들은 대장부가 되려면 큰 도덕적 개혁이 필요하다는 사실을 깨닫고 느껴야 한다. 하나님께서는 그들에게 죄악적인 방종을 통해 희생시킨 하나님께서 주신 대장부의 기백을 그리스도의 능력에 힘입어 되찾으라고 촉구하신다.

많은 사람이 유혹의 두려운 힘, 방종으로 이끄는 욕망의 흡인력을 느끼면서 절망 중에 "나는 악에 저항할 수 없다."라고 부르짖는다. 그에게 악에 저항할 수 있다는 것과 저항해야만 한다는 것을 말해 주라. 그는 거듭하여 정복당해 왔을지 모르나 언제나 그럴 필요는 없다. 그는 죄악된 생활 습관에 지배당한 나머지 도덕적 능력이 약하다. 그의 약속과 결심은 마치 모래로 만든 밧줄과 같다. 약속을 깨고 서약을 어긴 것에 대한 자각은 자신의 성실성에 대한 확신을 약하게 하고 하나님께서 그를 받아 주시지 않는다거나 그와 함께 일하실 수 없다는 생각이 들게 한다. 그러나 그는 절망할 필요가 없다.

그리스도를 신뢰하는 사람들은 어떤 유전적인 또는 후천적인 습관이나 성향에 노예가 되지 말아야 한다. 저급한 속성에 사로잡히는 대신 모든 식욕과 정욕을 다스려야 한다. 하나님께서는 우리가 유한한 힘으로 악과 싸우도록 버려두지 않으신다. 우리의 선천적 혹은 후천적 성향이 아무리 강

**의지력의 올바른 활용을 통해 생애에 전적인 변화가 이루어진다.
의지를 그리스도께 복종시킴으로 우리는 하나님의 능력과 연합하게 된다.
우리는 우리를 확고부동하게 붙들어 줄 능력을 위로부터 받는다.**

해도 우리는 그분께서 기꺼이 나누어 주시는 힘으로 극복할 수 있다.

유혹을 받는 사람은 의지의 참된 힘을 이해할 필요가 있다. 이것은 사람의 속성 가운데 있는 지배력, 곧 결정하고 선택하는 능력이다. 모든 일은 의지를 올바르게 활용하는 데 달려 있다. 선과 순결에 대한 욕망은 그 자체에 관한 한 올바른 것이다. 그러나 만일 우리가 여기서 그치면 아무런 유익이 없다. 많은 사람이 악한 기질을 정복하길 바라고 소원만 하다가 멸망하게 될 것이다. 그들은 의지를 하나님께 굴복시키지 않는다. 그들은 그분을 섬기기로 선택하지 않는다.

하나님께서 우리에게 선택할 능력을 주셨으므로 그것을 활용하는 것은 우리가 할 일이다. 우리는 마음을 변화시킬 수 없으며 생각과 충동과 애정을 통제할 수 없다. 우리는 우리 자신을 순결하게 하여 하나님의 사업에 적합한 상태로 만들 수 없다. 그러나 우리는 하나님을 섬기기로 선택할 수 있으며 의지를 그분께 드릴 수 있다. 그렇게 하면 그분은 그분이 기뻐하시는 대로 우리 안에서 의지력을 행사하며 행하실 것이다. 이렇게 우리의 온 속성이 그리스도의 통제 아래 놓이게 될 것이다.

의지력의 올바른 활용을 통해 생애에 전적인 변화가 이루어진다. 의지를 그리스도께 복종시킴으로 우리는 하나님의 능력과 연합하게 된다. 우리는 우리를 확고부동하게 붙들어 줄 능력을 위로부터 받는다. 순결하고 고상한 생애, 곧 식욕과 정욕에 승리하는 생애는 연약하고 요동하는 인간의 의지를 전능하고 확고한 하나님의 의지에 연합시키는 모든 사람에게 가능하다.

건강 원칙에 순종하는 삶

식욕의 힘에 대항하여 투쟁하고 있는 사람들은 건강 생활의 원칙에 대해 가르침을 받아야 한다. 질병에 걸릴 환경을 만들고 부자연스러운 욕구를 일으킴으로써 건강 법칙을 위반할 때 음주 습관의 기초가 놓인다는 것을 그들에게 보여 주어야 한다. 오로지 건강 원칙에 순종하는 생활을 함으로써만 그들은 부자연스러운 자극제에 대한 욕구에서 벗어날 희망을 가질 수 있다. 식욕의 속박을 끊기 위해 하나님의 능력에 의지하고자 할 때 그들은 하나님의 법, 곧 도덕적인 법과 육체적인 법에 순종함으로써 그분과 협력해야 한다. 개혁을 하려고 노력하는 사람들에게는 할 일이 주어져야 한다.

 타락한 자들을 위해 일하는 사람들은 개혁을 약속하는 많은 사람에게 실망할 것이다. 많은 사람이 습관과 행동에서 피상적으로만 변화할 것이다. 그들은 충동에 따라 움직이고 얼마 동안은 개혁한 것처럼 보일 것이다. 그러나 마음의 진정한 변화는 없다. 그들은 전처럼 자기를 사랑하는 마음을 품고 있으며 어리석은 쾌락에 대한 동일한 갈망과 자기 방종에 대한 동일한 욕망을 가지고 있다. 그들은 품성을 형성하는 일에 대해 알지 못하며 원칙을 지키는 사람으로 신뢰받을 수 없다. 그들은 식욕과 정욕을 만족시킴으로써 정신적인 힘과 영적인 힘을 저하시켰으며 이것이 그들을 연약하게 만들었다. 그들은 변덕스럽고 불안정하다. 그들의 충동은 관능으로 기운다. 이런 사람들은 흔히 다른 사람들에게 위험의 근원이 된다. 개혁한 남녀로 간주되어 그들에게 책임이 위탁되며 그들의 감화로 순진한 사람들을 타락하게 하는 지위에 서게 된다.

 개혁하고자 진지하게 노력하는 사람들도 넘어질 위험에서 벗어난 것은 아니다. 그들은 부드럽고 매우 지혜롭게 대우받아야 한다. 가장 깊은 타락의 구렁에서 구원받은 사람들을 칭찬하고 높이는 경향은 때때로 그들을 멸망시키는 일임이 입증되었다. 남녀를 초청하여 그들의 죄악된 생활의 경험을 공중 앞에서 이야기하게 하는 일은 말하는 사람과 듣는 사람 모두에게 아주 위험하다. 악한 장면을 곰곰이 생각하고 있으면 정신과 심령이 부패하게 된다. 구원받은 사람들을 두드러진 위치에 놓으면 그들에게 해가 된다. 많은 사람이 그들의 죄악된 생활이 그들에게 어떤 특별한 탁월성을 부여했다고 느끼게 된다. 악명에 대한 사랑과 자기 신뢰의 정신이 고무되는데 이는 영혼에 치명적인 결과를 미치는 것으로 입증되었다. 오로지 자신을 불신하고 그리스도의 자비를 의지함으로써만 그들은 굳게 설 수 있다.

회개한 사람이 봉사자가 될 수 있음

참된 회개의 증거를 나타내는 모든 사람은 다른 사람을 위해 일하도록 격려를 받아야 한다. 그리스도를 섬기기 위해 사탄을 섬기는 일에서 떠나는 사람 중 한 사람도 뒤돌아서지 않게 하라. 누군가 하나님의 성령께서 그와 투쟁하는 증거를 보이면 그에게 주님을 섬기는 일을 시작하도록 용기를 주라. "어떤 의심하는 자들을 긍휼히 여기라"(유 1:22). 하나님께로부터 오는 지혜로 현명하게 된 사람들은 도움이 필요한 사람들, 곧 진정으로 회개했으나 격려가 없으면 감히 소망을 가지려 하지 않는 사람들을 알게 될 것이다. 주님께서는 두려워하며 회개하는 이 영혼들을 사랑의 친교로 환영하도록 그분의 종들의 마음속에 지혜를 주실 것이다. 그들을 둘러싸고 있는 죄악이 어떻든지, 그들이 얼마나 깊이 타락했든지, 그들이 회개하고 그리스도께 나오면 그분은 그들을 받아들이신다. 그런 후에 그분은 그들에게 그분을 위해 할 일을 주신다. 만약 그들이 자신들이 구원받은 그 멸망의 구덩이에서 다른 사람들을 끌어 올리는 일을 하기 원하면 그들에게

빛이 심령에 비칠 때, 가장 깊이 죄에 빠졌던 것처럼 보이는 어떤 사람들은 자신들이 한때 처해 있던 것과 똑같은 처지에 있는 죄인들을 위해 일하는 성공적인 일꾼이 될 것이다.

기회를 주라. 영적인 힘을 얻도록 그들을 경험이 많은 그리스도인과 사귀게 하라. 그들의 마음과 손을 주님을 위한 일로 채우라.

빛이 심령에 비칠 때, 가장 깊은 죄에 빠졌던 것처럼 보이던 사람들이 자신들이 한때 처해 있던 것과 똑같은 처지에 있는 죄인들을 위해 일하는 성공적인 일꾼이 될 것이다. 그리스도를 믿는 믿음을 통해 어떤 이들은 봉사의 높은 위치에 오를 것이며 영혼들을 구원하는 일에 책임을 맡게 될 것이다. 그들은 자신의 약점을 알며 본성의 타락상을 깨닫는다. 그들은 죄의 힘, 곧 악습의 힘을 안다. 그들은 그리스도의 도움이 없으면 자신들이 승리할 수 없다는 사실을 깨닫고, "나는 나의 속절없는 영혼을 당신께 드립니다."라고 크게 부르짖는다.

이런 사람들은 다른 사람들을 도울 수 있다. 유혹과 시련을 받아 희망이 거의 사라졌으나 사랑의 기별을 들음으로써 구원을 받은 사람은 영혼 구원의 이치를 이해할 수 있다. 구주께서 그를 찾아내어 양의 우리 안으로 다시 들어오게 하셨기 때문에, 그리스도에 대한 사랑으로 그 마음이 가득한 사람은 잃어버린 사람을 찾는 법을 알게 된다. 그는 죄인들에게 세상 죄를 지고 가는 하나님의 어린양을 가르쳐 줄 수 있다. 그는 아낌없이 자신을 하나님께 드렸으며 사랑하는 분의 영접을 받았다. 하나님께서 연약한 상태에서 도움을 받으려고 내민 손을 붙들어 주셨다. 그런 사람들의 봉사를 통해 탕자들이 하나님 아버지께로 돌아올 것이다.

악습에 대한 유일한 치료제

죄악된 생활에서 순결한 생활로 돌아오기 위해 애쓰는 모든 영혼에게 능력의 큰 요소는 오직 "천하 사람 중에 구원을 받을 만한 다른 이름을 우리에게 주신 일이 없음이라"(행 4:12)는 그 이름 안에 있다. 그리스도께서는 평온한 소망을 얻는 일에 그리고 죄악적인 기질에서 구원을 받는 일에 "누구든지 목마르거든 내게로 와서 마시라"(요 7:37)라고 말씀하신다. 악습에 대한 유일한 치료제는 그리스도의 은혜와 능력이다.

사람의 힘으로 한 훌륭한 결심은 아무 소용이 없다. 세상의 온갖 서약도 악습의 힘을 깨뜨릴 수 없다. 하나님의 은혜로 마음이 새로워진 후에야 사람들은 모든 일에 절제할 수 있다. 우리는 한순간도 우리 자신을 죄에서 보호할 수 없다. 매순간 우리는 하나님께 의존해야 한다.

참된 개혁은 심령을 정결케 하는 일에서 시작된다. 타락한 사람들을 위한 우리의 사업은 오직 그리스도의 은혜가 품성을 재형성하고 심령이 하나님과 산 관계를 가질 때 진정한 성공을 거둘 것이다.

그리스도께서는 하나님의 율법에 완전히 순종하는 삶을 사셨으며 이 점에서 모든 사람에게 본을 남기셨다. 우리도 이 세상에서 사신 그분의 삶을 그분의 능력을 통해 그리고 그분의 지시를 받아 실천해야 한다.

우리가 타락한 사람들을 위해 일할 때, 하나님의 율법의 요구와 그분께 충성해야 할 필요가 사람들의 생각과 마음에 새겨질 것이다. 하나님을 섬기는 사람과 그분을 섬기지 않는 사람 사이에 뚜렷한 차이가 있다는 것을 반드시 보여 주라. 하나님은 사랑이시지만 그분의 명령을 고의로 무시하

는 것을 용서하지 않으신다. 불충성한 결과를 피할 수 없는 것이 하나님 정부의 법이다. 오직 그분을 존중하는 사람들을 그분께서 존중하실 것이다. 이 세상에서의 행위가 그의 영원한 운명을 결정한다. 사람은 심은 대로 거둔다. 원인에는 결과가 따르게 되어 있다.

완전한 순종에 못 미치는 것은 그 어떤 것도 하나님께서 요구하시는 표준을 만족시킬 수 없다. 그분은 그분의 요구를 분명하게 하셨다. 하나님께서는 사람이 그분과 조화를 이루는 데 필요치 않은 것은 아무것도 요구하지 않으셨다.

구주께서는 인간들이 극복하지 못할 연약한 인성 때문에 두려워하지 않도록 연약한 인성을 취하시고 죄 없는 삶을 사셨다. 그리스도께서는 우리로 "신성한 성품에 참여하는 자"(벧후 1:4)가 되게 하기 위해 오셨으며 그분의 생애는 인성이 신성과 결합할 때 죄를 짓지 않게 된다는 것을 말해 준다.

그리스도께서 승리하신 것처럼 그대도 승리할 수 있음

구주께서는 사람들이 어떻게 승리할 수 있는지를 보여 주시려고 승리하셨다. 그리스도께서는 사탄의 모든 시험을 하나님의 말씀으로 대항하셨다. 하나님의 약속을 신뢰함으로써 그분은 하나님의 계명에 순종할 능력을 받으셨으며 유혹하는 자는 아무런 이득도 보지 못했다. 모든 시험에 대한 그분의 대답은 "기록하였으되"(마 4:4~7)였다. 그처럼 하나님께서는 악에 저항하도록 그분의 말씀을 우리에게 주셨다. "보배롭고 지극히 큰 약속"을 우리에게 주셨으므로 우리는 이 약속에 힘입어 "정욕 때문에 세상에서 썩어질 것을 피하여 신성한 성품에 참여하는 자"(벧후 1:4)가 될 수 있다.

시험을 받는 사람에게 환경, 자신의 연약함 혹은 유혹의 힘을 보지 말고 하나님의 말씀의 능력을 보도록 알려 주라. 그 모든 힘이 우리의 것이다. 시편 기자는 "내가 주께 범죄 하지 아니하려 하여 주의 말씀을 내 마음에 두었나이다"(시 119:11), "주의 입술의 말씀을 따라 스스로 삼가서 포악한 자의 길을 가지 아니하였사오며"(시 17:4)라고 말한다.

사람들에게 용기를 주는 말을 하라. 기도로 그들을 하나님께로 끌어올리라. 시험에 정복당한 많은 사람은 실패로 인해 굴욕감을 느끼고 하나님께 접근하는 것이 소용없는 일이라고 생각한다. 그러나 이와 같은 생각은 원수의 암시이다. 죄를 짓고 기도할 수 없다고 생각할 때 바로 그때가 기도할 때라는 것을 그들에게 일러 주라. 부끄러운 생각이 들고 자신들의 비천함을 깊이 느낄지 모르나 그들이 죄를 자복하면 미쁘시고 의로우신 하나님께서는 그들의 죄를 용서하시고 모든 불의에서 깨끗하게 하실 것이다.

자신이 아무것도 아님을 느끼며 구주의 공로에 완전히 의존하는 사람보다 더 강한 사람은 없다. 기도와 하나님의 말씀 연구 그리고 그분께서 언제나 함께하심을 믿는 믿음으로 가장 약한 사람도 살아 계신 그리스도와 연결되어 살 수 있으며 그분은 결코 놓지 않는 손으로 그들을 붙드실 것이다.

다음의 귀한 말씀은 그리스도 안에 거하는 모든 영혼이 자신의 것으로 삼을 수 있는 말씀이다.

"오직 나는 여호와를 우러러보며

나를 구원하시는 하나님을 바라보나니

나의 하나님이 나에게 귀를 기울이시리로다

나의 대적이여

나로 말미암아 기뻐하지 말지어다

나는 엎드러질지라도 일어날 것이요

어두운 데에 앉을지라도

여호와께서 나의 빛이 되실 것임이로다."

"다시 우리를 불쌍히 여기셔서

우리의 죄악을 발로 밟으시고

우리의 모든 죄를 깊은 바다에 던지시리이다."

- 미가 7장 7~8, 19절

하나님께서는 다음과 같이 약속하셨다.

"내가 사람을 순금보다 희소하게 하며
인생을 오빌의 금보다 희귀하게 하리로다."
"너희가 양 우리에 누울 때에는
그 날개를 은으로 입히고
그 깃을 황금으로 입힌 비둘기 같도다."
– 이사야 13장 12절; 시편 68편 13절

그리스도께 가장 많은 용서를 받은 사람들이 그분을 가장 많이 사랑하게 될 것이다. 그들은 마지막 날에 그분의 보좌에 가장 가까이 설 사람들이다.
"그의 얼굴을 볼 터이요 그의 이름도 그들의 이마에 있으리라"(계 22:4).

17
건강으로 안내하는 하이웨이
The Highway to Health

하나님께서는 우리를 살아가게 하고 우리의 건강을 증진시키고 회복시키기 위해 매일, 매시간, 매 순간 자연의 활동을 통해 일하고 계신다. 신체의 어떤 부분이 상처를 입으면 치료의 과정이 즉시 시작되고 자연의 활동도 정상적인 상태로 회복시키기 위해 즉시 일을 시작한다. 그러나 이와 같은 활동을 통해 나타나는 능력은 하나님의 능력이다. 생명을 주는 모든 능력은 하나님께로부터 온다. 사람이 질병에서 회복될 때 그를 회복시켜 주는 분은 하나님이시다.

질병과 고통과 죽음은 적대적인 세력의 작용이다. 사탄은 파괴자이며 하나님은 회복자이시다. 이스라엘 민족에게 주어진 말씀은 오늘날 몸의 건강과 심령의 건강을 회복하는 사람들에게도 해당된다. "나는 너희를 치료하는 여호와임이라"(출 15:26).

모든 사람에 대한 하나님의 소원은 "사랑하는 자여 네 영혼이 잘됨같이 네가 범사에 잘되고 강건하기를 내가 간구하노라"(요삼 1:2)라는 말씀 가운데 나타나 있다. 그분께서는 "네 모든 죄악을 사하시며 네 모든 병을 고치시며 네 생명을 파멸에서 속량하시고 인자와 긍휼로 관을 씌우"(시 103:3~4)는 분이시다.

질병을 치료하실 때 그리스도께서는 많은 병자에게 "더 심한 것이 생기지 않게 다시는 죄를 범하지 말라"(요 5:14)고 경고하셨다. 이렇게 그분께서는 하나님의 율법을 범하므로 그들이 질병을 자초하였다는 것과 오직 순종을 통해서만 건강이 보존될 수 있다는 사실을 가르치셨다.

의사들이 환자들에게 알려 주어야 할 중요한 사실

의사는 환자들에게 그들이 건강을 회복하는 일에서 하나님과 협력해야 한다는 사실을 가르쳐야 한다. 의사는 질병이 죄의 결과라는 사실을 계속해서 더 많이 깨닫게 된다. 그는 자연의 법칙이 십계명과 마찬가지로 신성하다는 것과 오직 그 법칙에 순종할 때만 건강이 회복되고 보존될 수 있다는 것을 알아야 한다. 그는 회복을 위해 할 수 있었던 일을 했다면 건강을 회복했을 많은 사람이 해로운 습관의 결과로 고통 당하는 것을 본다. 그들은 몸과 정신과 영의 에너지를 파괴하는 모든 행동이 죄라는 사실과 건강은 하나님께서 모든 인류의 행복을 위해 세워 주신 법칙에 순종함으로써 얻게 된다는 사실을 배울 필요가 있다.

만일 의사가 부적절하게 먹고 마시는 일과 그 밖의 잘못된 습관 때문에 생긴 질병으로 고통 당하는 환자를 보면서도 그에게 이를 일러 주는 일을 등한히 한다면, 그는 동료 인간을 해치는 일을 하고 있는 것이다. 술고래들과 정신 착란자들과 방탕에 빠진 사람들은 모두 의사에게 고통이 죄의 결과라는 점을 분명하고 똑똑하게 밝혀 주기를 호소하고 있다. 생명의 법칙을 이해하는 사람들은 질병의 원인을 제거하는 일에 열렬한 노력을 기울여야 한다. 고통과의 끊임없는 투쟁과 괴로움을 경감시키기 위한 끊임없는 노력을 보면서 의사가 어떻게 침묵을 지킬 수 있겠는가? 만약 그가 질병의 치료제인 엄격한 절제를 가르치지 않는다면 과연 그가 인정 많고 자비로운 사람이 될 수 있겠는가?

참된 의사는 교육자이다. 그는 그가 직접 치료하는 환자들뿐 아니라 그가 살고 있는 지역 사회에 대해서도 책임이 있다는 것을 깨달아야 한다. 그는 육체적 건강과 도덕적 건강 모두를 지키는 사람이다. 그는 환자를 올바르게 치료하는 방법을 가르칠 뿐 아니라 올바른 생활 습관을 갖도록 장려하고 올바른 원칙에 대한 지식을 확산시키기 위해 노력해야 한다.

하나님의 계명을 따르는 길이 생명의 길임을 명백하게 하라. 하나님께는 천연 법칙을 세우셨으며 그분의 법칙은 독단적이고 부당한 강요가 아니다. 신체적 법칙과 도덕적 법칙을 막론하고 "하지 말라"는 모든 명령에는 약속이 들어 있다. 그 법칙에 순종하면 우리의 발걸음에 축복이 따를 것이다. 하나님께서는 결코 우리에게 옳은 일을 하도록 강제하지 않으시며 오직 악에서 우리를 건져 내어 선으로 인도하려고 노력하신다.

이스라엘 민족이 배운 율법에 주의하자. 하나님께서는 그들의 생활 습관에 대해 분명하게 지시하셨다. 그분은 그들에게 신체적 행복과 영적 행복에 관련된 법칙을 알려 주시고 순종을 조건으로 "모든 질병을 네게서 멀리"(신 7:15)하겠다고 보증하셨다.

"내가 오늘 너희에게 증언한 모든 말을 너희의 마음에"(신 32:46) 두라. "그것은 얻는 자에게 생명이 되며 그의 온 육체의 건강이 됨이니라"(잠 4:22).

신체와 정신과 영혼을 치료하는 참된 처방전

하나님께서는 그리스도의 선물을 통해 성취할 수 있게 된 완전함의 표준에 우리가 도달하기를 바라신다. 그분은 우리에게 올바른 편을 선택할 것과 하늘의 능력에 연결될 것과 우리 속에 하나님의 형상을 회복할 원칙들을 채택할 것을 요구하신다. 그분은 성경과 천연계의 큰 책에 생명의 법칙들을 계시하셨다. 그 원칙들에 대한 지식을 얻고 순종함으로써 심령의 건강은 물론 신체의 건강을 회복하는 일에 그분과 협력하는 것이 우리의 할 일이다.

사람들은 그리스도의 은혜를 받아들일 때만 순종의 축복이 충만하게 그들의 소유가 될 수 있음을 배울 필요가 있다. 사람에게 하나님의 율법에 순종할 능력을 주는 것은 하나님의 은혜이다. 그 은혜가 사람으로 하여금 악습의 사슬을 깨뜨릴 수 있게 한다. 이것이 사람을 바른길에 굳게 설 수 있게 하고 계속 지켜 줄 수 있는 유일한 힘이다.

순결하고 능력 있는 복음을 받아들일 때 그것은 죄 때문에 생긴 질병을 치료한다. 의의 태양은 "치료하는 광선"(말 4:2)을 비춘다. 이 세상이 주는 그 어떤 것으로도 상한 심령을 고치거나 마음에 평안을 주거나 걱정을 없애거나 질병을 떨쳐 버릴 수 없다. 명성, 비상한 재주, 능력 등 그 모든 것이 슬픔에 잠긴 마음을 기쁘게 하거나 황폐한 생애를 회복시키는 일에 무력

이 세상이 주는 그 어떤 것으로도 상한 심령을 고치거나 마음에 평안을 주거나 걱정을 없애거나 질병을 떨쳐 버릴 수 없다. …심령 속에 있는 하나님의 생명이 사람의 유일한 희망이다.

하다. 심령 속에 있는 하나님의 생명이 사람의 유일한 희망이다.

그리스도께서 온몸을 통하여 나누어 주시는 사랑은 하나의 생명력이다. 그것은 중요한 부분, 곧 뇌, 심장, 신경 등을 치료한다. 사람에 의해 몸에서 최고의 에너지가 일어나 작용하게 된다. 사랑은 생명력을 파괴하는 죄책감과 슬픔, 근심과 걱정에서 심령을 해방시킨다. 사랑과 함께 평온과 안정이 온다. 사랑은 지상의 어떤 것도 파괴할 수 없는 기쁨, 곧 건강을 주고 성령 안에 있는 기쁨을 심령 속에 넣어 준다.

"다 내게로 오라 내가 너희를 쉬게 하리라"(마 11:28)라고 하신 우리 구주의 말씀은 육체와 정신과 영의 질병을 치료하는 처방이다. 비록 사람들이 자신들의 잘못으로 고통을 자초했으나 그분은 그들을 불쌍히 여기신다. 그들은 그분 안에서 도움을 찾을 수 있다. 그분은 그분을 신뢰하는 사람들을 위해 큰일을 행하실 것이다.

비록 여러 세대에 걸쳐 인류를 붙드는 죄의 힘이 강화되었고 사탄이 거짓과 술책을 통해 하나님의 말씀에 자신이 해석한 검은 그림자를 던짐으로써 사람들이 그분의 선하심을 의심하게 했을지라도, 아버지 하나님의 자비와 사랑이 이 땅으로 풍성하게 흘러내리는 일은 결코 그치지 않았다. 만일 사람들이 하나님의 선물을 감사하는 마음으로 하늘을 향해 심령의 창을 연다면 치료의 효력이 홍수처럼 쏟아져 내릴 것이다.

18
간단한 치료법
Simple Remedies

질병은 결코 원인 없이 생기지 않는다. 건강 법칙을 무시하면 질병이 생긴다. 많은 사람이 부모가 범죄한 결과로 고통을 당한다. 그들에게 부모가 한 일에 대한 책임은 없을지라도 무엇이 건강 법칙을 범하는 것이며 무엇이 그렇지 않은 것인지 확인할 의무가 있다. 그들은 부모의 잘못된 습관을 피하고 올바른 생활을 통해 자신을 더 나은 환경 아래 놓아야 한다.

그러나 많은 사람이 자신의 잘못된 행동 때문에 고통을 당한다. 그들은 먹고, 마시고, 옷 입고, 일하는 습관에 따라 건강 원칙들을 무시한다. 자연 법칙을 위반하면 반드시 그 결과가 따르기 마련인데 많은 사람이 그 고통을 참된 원인에 돌리지 않고 하나님만을 원망한다. 그러나 하나님께서는 천연 법칙을 무시함으로써 초래된 고통에 대해 책임이 없으시다.

하나님께서는 일정량의 생명력을 우리에게 베푸셨다. 그분은 또한 다양한 생명 기능을 유지하기에 적합한 기관들을 만들어 주셨으며 이 기관들이 함께 조화를 이루어 작용하게 하셨다. 우리가 생명력을 주의 깊게 보존하고 몸의 섬세한 구조를 질서 있게 유지하면 건강하게 된다. 그러나 생명력이 너무 빨리 고갈되면 신경계는 저축된 힘에서 현재 사용할 힘을 빌려오게 되며 한 기관이 손상을 입으면 모든 기관이 영향을 받게 된다. 몸은 크게 혹사당해도 처음에는 뚜렷한 저항을 보이지 않는다. 그런 다음에 몸은 자극을 받아 그것이 당한 잘못된 취급 때문에 생긴 결과를 제거하기 위해 단호한 노력을 한다. 이런 상태를 바로잡으려는 몸의 노력이 흔히 열이나 그 밖의 여러 형태의 질병으로 나타난다.

질병의 원인 분석과 재치 있는 치료법

체력을 남용하여 질병이 발생한 경우에 흔히 고통을 당하는 사람은 아무도 그를 위해 해 줄 수 없는 일을 스스로 할 수 있다. 첫 번째로 할 일은 질병의 참성격을 규명하는 일이고 그 후에 질병의 원인을 제거하기 위해 재치 있게 치료하는 것이다. 만일 신체의 조화로운 작용이 과로, 과식, 그 밖의 불규칙한 습관으로 균형을 잃었다면 신체에 부담을 주는 유독한 약을 먹고 그 곤경에서 벗어나려 하지 말라.

수많은 질병과 심각한 해악(害惡)의 기초를 놓는 습관 중의 하나는 유

하나님께서는 일정량의 생명력을 우리에게 베푸셨다. 그분은 또한 다양한 생명 기능을 유지하기에 적합한 기관들을 만들어 주셨으며 이 기관들이 함께 조화를 이루어 작용하게 하셨다. 우리가 생명력을 주의 깊게 보존하고 몸의 섬세한 구조를 질서 있게 유지하면 건강하게 된다.

해(有害)한 약품을 함부로 사용하는 것이다. 많은 사람이 질병의 공격을 받은 경우 그 질병의 원인을 찾아내는 번거로운 일을 하지 않는다. 그들의 주된 근심은 당장 신체에서 고통과 불편을 제거하는 것이다. 그리하여 그들은 약품의 특성에 대해 거의 알지 못하는 약을 의지하거나 자신들의 잘못된 행동의 결과로 발생한 질병을 치료하기 위해 의사에게 진료를 받는다. 그러나 건강하지 못한 습관을 바꾸려는 생각은 하지 못한다. 복용한 약이 즉시 효과를 내지 않으면 다른 약을 사용해 보고 그 후에 또 다른 약을 투약한다. 이렇게 해악이 계속된다.

사람들은 약이 병을 치료하지 못한다는 사실을 배울 필요가 있다. 때때로 약이 통증을 제거해 주고, 약을 사용한 결과 환자가 나은 것처럼 보이는 것이 사실이다. 그러나 그것은 몸이 그 독을 배출하고 질병을 일으킨 상태를 바로잡기에 충분한 활력을 가지고 있기 때문에 일어나는 일이다. 약을 사용하지 않아도 건강은 회복된다. 대개의 경우 약은 다만 병의 형태와 위치를 바꿀 뿐이다. 흔히 독의 영향이 얼마 동안은 극복된 것처럼 보이나 그 결과는 몸에 남아 언젠가 큰 해를 끼친다.

유독한 약을 사용함으로 많은 사람이 평생 계속되는 질병을 자초하고 있으며 또한 천연 치료법을 사용했다면 살았을 많은 사람이 죽고 있다. 많은 치료제 속에 포함된 독소들은 심령과 육체를 파멸시키는 습관과 욕구를 조성한다. 소위 만병통치약이라고 하는 많은 특효약과 의사들이 조제한 약품들 중 어떤 것들은 사회에서 두려운 저주가 되고 있는 음주 습관, 아편 습관, 마약 습관의 기초를 놓는 일에 한몫을 한다.

생활 주변에서 찾을 수 있는 천연 치료법

더 좋은 세상을 만드는 유일한 희망은 사람들에게 올바른 원칙을 교육하는 것이다. 의사들은 회복시키는 능력이 약에 있지 않고 자연에 있다는 것을 사람들에게 가르쳐야 한다. 질병은 건강 법칙을 범해서 생긴 상태에서 몸이 벗어나고자 하는 자연적인 노력이다. 병이 생기면 원인을 확인해야 한다. 건강에 좋지 않은 환경은 바꿔야 하며 잘못된 습관은 바로잡아야 한다. 그렇게 하면 몸은 불순한 것들을 배출하는 노력과 몸의 올바른 상태를 다시 구축하는 일에 도움을 받게 된다.

무절제한 식사는 종종 질병의 원인이 되며 몸에 진정으로 필요한 것은 과도한 짐에서 벗어나는 것이다. 많은 질병의 경우 가장 좋은 치료법은 환자가 한두 끼 금식함으로써 과로한 소화 기관에 쉴 기회를 주는 것이다. 며칠 동안 과일로 된 음식을 먹는 것은 흔히 정신노동을 하는 사람들의 부담을 크게 줄여 준다. 또한 짧은 기간 완전히 금식한 후에 간단하고 알맞은 식사를 하면 우리 몸은 스스로 회복하려고 노력하며 결국 병이 낫게 둔다. 한두 달 절식하면서 자신을 부정하는 길이 건강의 길임을 많은 환자에게 확신시켜 줄 필요가 있다.

어떤 사람들은 과로 때문에 병에 걸린다. 이 사람들에게는 휴식, 걱정에서의 해방 그리고 검소한 식생활이 건강 회복에 필수적이다. 밀폐된 상태에서 끊임없이 일하여 머리가 피곤하고 신경이 곤두선 사람들은 단순하고 걱정 없이 살 수 있는 시골로 가서 자연계를 가까이 접하면 큰 도움이 될 것이다. 들과 숲을 거닐면서 꽃을 꺾고 새들의 노래를 듣는 것이 다른 어떤 것보다 그들의 회복에 큰 역할을 할 것이다.

건강할 때나 병들었을 때나 순수한 물은 하늘이 내린 가장 좋은 복 중 하나이다. 물을 적절히 사용하면 건강이 증진된다. 물은 하나님께서 동물과 사람의 갈증을 해소하기 위해 마련해 주신 음료이다. 물을 충분히 마시면 몸에 필요한 것을 공급하는 데 도움이 되며 몸이 병을 저항하는 데도 도움이 된다. 물을 피부에 사용하는 것은 가장 쉽고 만족스럽게 혈액 순환을 조절하는 방법 중 하나이다. 찬물이나 시원한 물로 목욕하는 것은 훌륭한 강장제이다. 또한 따뜻한 물로 목욕하는 것은 땀구멍을 열어 불순

모든 사람은 가정에서 물을 사용하는 간단한 치료법을 알아야 한다. 특히 어머니들은 가족들이 건강할 때나 병들었을 때 돌보는 법을 알아야 한다.

물을 배출하는 데 도움이 된다. 따뜻한 물이나 미지근한 물로 목욕하는 것은 신경을 안정시키고 혈액 순환을 고르게 한다.

그러나 많은 사람이 물을 적절하게 사용하여 얻는 유익한 효과를 경험으로 배운 적이 없기 때문에 두려워한다. 수치료법(水治療法)은 마땅히 인정받아야 할 만큼 인정받지 못하고 있으며 기술적으로 그것을 적용하는 데는 많은 사람이 하고 싶어 하지 않는 일이 요구된다. 그러나 아무도 이 문제에 대해 무지하거나 무관심한 것으로 인해 변명할 수 있다고 생각해서는 안 된다. 고통을 가볍게 하고 병을 억제하기 위해 물을 이용하는 방법에는 여러 가지가 있다. 모든 사람은 가정에서 물을 사용하는 간단한 치료법을 알아야 한다. 특히 어머니들은 가족들이 건강할 때나 병들었을 때 돌보는 법을 알아야 한다.

운동은 생명을, 무활동은 죽음을 가져옴

활동은 생존 법칙이다. 몸의 기관마다 각기 맡은 일이 있으며 그 기능의 수행에 따라 각 기관의 발달과 힘이 좌우된다. 모든 기관의 정상적인 활동은 힘과 활력을 주지만 그것들을 사용하지 않으면 쇠퇴하여 죽게 된다. 한쪽 팔을 몇 주일만이라도 묶어 두었다가 붕대를 풀어 보면 그 팔이 같은 기간에 정상적으로 사용한 팔보다 약해진 것을 보게 될 것이다. 무활동은 모든 근육 체계에 동일한 결과를 가져온다.

무활동은 질병의 가장 큰 원인이다. 운동은 피의 순환을 촉진하고 고르게 해 주지만 무활동은 피를 잘 돌게 하지 않으므로 생명과 건강에 매우 필요한 교체가 일어나지 않게 한다. 피부도 활성화되지 않는다. 활발한 운동으로 순환 작용이 촉진되어 폐에 깨끗하고 신선한 공기가 많이 공급되었다면 배출되었을 불순물들이 배출되지 않는다. 몸의 이런 상태는 배설 기관에 이중으로 부담을 주고 결과적으로 병이 나게 된다.

환자들을 활동하지 않도록 장려해서는 안 된다. 어떤 면으로든 매우 과중한 부담을 져 왔을 경우 얼마 동안 완전한 휴식을 취하면 간혹 심한 질병에서 놓이게 된다. 그러나 만성 환자의 경우에는 모든 활동을 중지할 필요가 없다.

정신노동으로 쇠약해진 사람들은 피곤하게 하는 생각에서 떠나 쉬어야 한다. 그러나 그들이 정신적인 힘을 조금이라도 사용하는 것은 위험하다고 믿게끔 지도해서는 안 된다. 많은 사람이 그들의 상태를 실제보다 더 나쁘게 보는 경향이 있다. 그런 마음 상태는 회복에 도움이 되지 않으므로 장려해서는 안 된다.

 목사, 교사, 학생 그리고 그 밖의 정신노동자들이 흔히 신체적인 운동을 통해 해소하지 않은 것 때문에 생긴 질병으로 고생한다. 이 사람들에게 필요한 것은 더 활동적인 생활이다. 적절한 운동과 결합된 엄격한 절제 습관은 정신과 신체의 활력을 보장하고 모든 정신노동자에게 인내하는 힘을 줄 것이다.

 신체의 힘을 무리하게 사용해 온 사람들에게 신체노동을 완전히 그만두도록 장려해서는 안 된다. 그리고 가장 큰 유익을 얻는 노동이 되려면 그것은 조직적이며 유쾌한 것이어야 한다. 실외에서 하는 운동이 가장 좋다. 운동을 할 때에는 약화된 기관들을 사용하여 그것들을 강화하도록 계획해야 하며 거기에 온 마음을 다해야 한다. 손으로 하는 노동을 그저 단조롭고 고된 일로 전락시켜서는 안 된다.

걷기 운동이 차를 타는 것보다 훨씬 유익함

 환자들이 그들의 시간을 보내고 주의를 집중할 만한 그 무엇인가를 갖지 못할 경우 그들의 생각은 자신에게 집중되며 우울하고 초조해진다. 그들은 여러 번 자신의 불쾌한 감정에 대해 곰곰이 생각하다가 마침내 그들 자신이 실제보다 훨씬 더 나쁜 상태이며 어떤 일도 전혀 할 수 없다고 생각하기에 이른다.

 이 모든 경우에 잘 훈련된 신체 운동은 효과적인 치료 수단으로 입증될 것이다. 어떤 경우에 그것은 건강 회복에 필수적이다. 손으로 하는 노동에는 의지가 함께 작용하므로 이 환자들에게 필요한 것은 의지력을 일깨워 주는 일이다. 의지가 휴면 상태면 마음이 비정상적으로 되어 질병에 저항하기가 힘들어진다.

활동을 하지 않는 것은 대부분의 환자가 받게 될 가장 큰 저주이다. 마음과 몸에 부담을 주지 않는 범위에서 유익한 노동을 가볍게 하는 것은 마음과 몸에 좋은 영향을 미친다. 그것은 근육을 튼튼하게 하고 순환을 향상시키며 환자가 이 바쁜 세상에서 전혀 쓸모없는 사람이 아니라는 사실을 깨닫게 하여 만족감을 준다. 처음에는 조금밖에 할 수 없겠으나 곧 힘이 증가한다는 사실을 알게 될 것이며 그에 따라 일의 양을 늘릴 수 있게 된다.

운동은 소화기관을 건강하게 해 주므로 소화불량에 도움이 된다. 식사 직후에 힘든 연구나 심한 육체 운동을 하는 것은 소화작용을 방해하나 식후에 머리를 들고 어깨를 펴고 잠깐 산보하는 것은 매우 유익하다.

운동의 중요성에 대해 모든 말과 글을 통한 강조에도 불구하고 아직도 육체 운동을 등한시하는 사람이 많다. 어떤 사람은 몸의 활동이 지장을 받아 비대해지고 어떤 사람은 과도한 음식을 처리하는 일에 활력을 소모해 마르고 약하게 된다. 간은 피에서 불순물을 깨끗하게 하는 일로 부담을 지게 되며 그 결과 질병이 생긴다.

늘 앉아서 일하는 사람들은 날씨가 허락하는 대로 여름이든 겨울이든 매일 밖에서 운동을 해야 한다. 걷는 것은 더 많은 근육을 움직이게 해 주므로 차를 타는 것보다 좋다. 폐를 부풀리지 않고서는 활발하게 걸을 수 없기 때문에 걷게 되면 폐가 건강한 활동을 할 수밖에 없다.

많은 경우에 운동은 약보다 건강에 더 좋다. 흔히 의사들은 환자에게 배를 타고 여행을 하거나 광물질이 함유된 어떤 샘을 찾아가거나 환경을 바꾸기 위해 다른 지방을 찾아가라는 조언을 한다. 그러나 대개의 경우 환자들이 음식에 절제하며 상쾌하고 건강에 좋은 운동을 하면 건강은 회복되고 시간과 돈도 절약할 수 있을 것이다.

19
가정 간호 방법
Home Nursing

환자를 간호하는 사람들은 건강 법칙에 주의 깊은 관심을 가져야 할 중요성이 있다. 어떤 곳보다 병실에서 이 법칙이 잘 지켜져야 한다. 간호하는 사람들이 작은 일에 성실을 나타내면 그것에 따라 큰 결과가 좌우된다. 위독한 질병의 경우 환자의 특별한 필요나 위험에 대하여 작은 부주의, 사소한 태만, 두려움의 표현, 흥분, 성급한 언동(言動), 심지어 동정의 결핍이 환자의 생사(生死)를 좌우할 수 있으며 회복할 수도 있었던 환자가 무덤으로 가는 원인이 된다.

간호사의 능률은 신체적인 활력에 따라 크게 좌우된다. 그가 건강할수록 환자를 돌보는 고된 일을 더 잘 참아내고 의무를 성공적으로 이행할 수 있다. 환자를 간호하는 사람들은 식생활, 청결, 신선한 공기와 운동에 특별한 주의를 기울여야 한다. 자신의 식구를 돌봐 주는 것처럼 환자를 돌보는 사람들은 그들에게 지워진 부가적인 부담을 견딜 수 있으며 병에 걸리지 않도록 도움을 받아야 한다.

간호사가 밤낮으로 돌봐야 할 정도로 병이 심할 경우에는 그 일을 최소한 유능한 간호사 두 명이 나누어 함으로써 각자 휴식하며 밖에서 운동할 기회를 가져야 할 것이다. 병실에서 신선한 공기를 풍부하게 얻기 어려운 경우 이 일은 특히 중요하다. 신선한 공기의 중요성에 대해 무지하여 때때로 환기를 제한하면 환자와 간호사의 생명이 둘 다 위협을 받는다.

적절한 예방을 한다면 비전염성 질병이 다른 사람들에게 전염될 이유가 없다. 습관을 바르게 하고 청결과 적절한 환기를 통해 유독한 요소들을 병실에서 제거하라. 그런 환경에서 환자들은 훨씬 더 쉽게 회복하고 대개의 경우 간호하는 사람들과 가족들도 질병에 걸리지 않을 것이다.

회복에 가장 좋은 환경을 환자에게 제공하기 위해서는 그가 사용하는 방이 크고 밝고 상쾌하며 구석구석 환기가 되어야 한다. 주택에 있는 방 중에서 이 조건에 가장 잘 맞는 방을 병실로 선택해야 한다. 적절한 환기를 위한 장치가 되어 있는 집이 많지 않으므로 그런 방을 얻기 어려우나 밤낮으로 신선한 공기가 순환하도록 온갖 노력을 기울여 병실을 준비해야 한다.

의료진의 정성과 태도가 환자의 생명을 좌우함

가능한 한 병실의 온도는 일정하게 유지되어야 한다. 온도계를 사용해야 한다. 환자를 돌보는 사람들은 흔히 잠을 자지 못하거나 환자를 돌보기 위해 밤에 잠에서 깨어나야 하기 때문에 냉기에 노출되기 쉬우므로 건강에 적절한 온도를 분별할 수 없다.

간호사의 의무 중 중요한 일부는 환자의 식사를 살피는 것이다. 환자는 영양 부족으로 고통을 당하거나 약해져서는 안 되며 약한 소화력에 과도한 부담을 주어서도 안 된다. 음식은 맛있게 준비하여 제공하도록 주의를 기울여야 하나 현명하게 판단하여 양이나 질을 환자의 필요에 맞춰야 한다. 특히 회복기 곧 식욕은 왕성하나 소화 기관이 아직 힘을 회복하지 못했을 때에는 잘못된 음식 때문에 손상을 입을 위험이 크다.

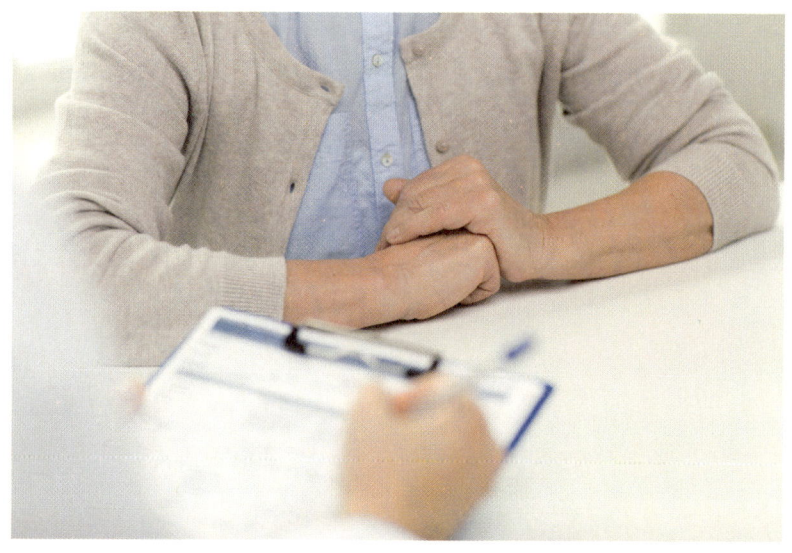

간호사를 비롯하여 병실에 관련된 모든 사람은 쾌활하고 조용하고 침착해야 한다. 서두름과 흥분, 혼란은 모두 피해야 한다. 병실 문은 조심해서 여닫아야 하며 병실은 항상 조용해야 한다. 발열(發熱)이 있을 경우 위독할 때와 열이 내렸을 때 특별한 보살핌이 필요하다. 그러한 경우에는 계속 관찰할 필요가 있다. 분별력 있고 심사숙고하는 적절한 간호를 받았다면 생존하였을 많은 환자가 의료진의 무지(無知)와 부주의(不注意)와 무모(無謀)함 때문에 생명을 잃었다.

사람들은 그릇된 친절 곧 예의에 대한 틀린 생각 때문에 환자를 너무 자주 방문한다. 매우 아픈 환자에게는 방문자들이 없어야 한다. 환자에게 절대 정숙함과 방해받지 않는 휴식이 필요할 때 방문객들을 맞이하는 흥분이 방문을 받을 때마다 환자를 지치게 만든다.

회복기의 환자나 만성적 질병으로 고생하는 환자는 자주 누군가 자신을 친절하게 기억해 주고 있다는 사실이 즐거움이 되며 치료에 유익이 된다. 개인적으로 방문하기보다는 '위로가 담긴 쪽지'나 '작은 선물'이 훨씬 효과적으로 환자에게 도움을 주며 위험 부담이 없다.

20
마음의 시야
The Mental Outlook

마음과 신체 사이에는 매우 밀접한 관계가 있다. 하나가 영향을 받으면 다른 하나도 그 영향을 받는다. 마음의 상태는 많은 사람이 알고 있는 것보다 건강에 훨씬 더 큰 영향을 미친다. 사람들이 앓고 있는 질병 대부분은 정신적인 우울의 결과이다. 슬픔, 걱정, 불만, 후회, 죄책감, 불신 이 모든 것은 생명력을 파괴하고 쇠약과 죽음을 초래한다.

질병은 간혹 상상력에 의해 생기며 흔히 크게 악화된다. 자신이 건강하다고 생각했다면 건강했을 많은 사람이 평생 환자로 지낸다. 많은 사람은 조금이라도 위험에 노출되면 병에 걸릴 것으로 상상하기 때문에 기대한 대로 나쁜 결과를 초래한다. 많은 사람이 순전히 상상에 의해 생긴 질병 때문에 죽는다.

용기, 희망, 믿음, 동정, 사랑은 건강을 증진시키고 수명을 연장시킨다. 만족하는 마음 곧 즐거운 정신은 몸에 건강을 주고 심령에 힘을 준다. "마음의 즐거움은 양약"(잠 17:22)이 된다.

환자 치료에서 정신적 영향의 효과를 간과해서는 안 된다. 올바르게 활용하면 이 영향은 투병을 위한 가장 효과적인 수단이 될 것이다.

그러나 죄악에 빠지게 하는 가장 효과적인 수단 중 하나로 '심령 치료'가 있다. 소위 과학이라고 불리는 이것을 통해 한 사람의 마음이 다른 사람 마음의 지배를 받게 되며 연약한 사람의 개성이 더 강한 마음을 소유한 사람의 개성에 흡수된다. 한 사람이 다른 사람의 의지에 따라 행동한다. 그리하여 생각의 흐름이 바뀔 수 있으며 건강을 주는 마음의 자극이 전달되어 환자들은 질병을 저항하고 극복할 수 있다는 주장이 제기된다.

용기, 희망, 믿음, 동정, 사랑은 건강을 증진시키고 수명을 연장시킨다. 만족하는 마음 곧 즐거운 정신은 몸에 건강을 주고 심령에 힘을 준다. "마음의 즐거움은 양약"(잠 17:22)이 된다.

이러한 치료법은 그 참성격과 경향을 알지 못하는 사람들 그리고 그것이 환자들에게 도움을 주는 수단이라고 믿는 사람들에 의해 사용되어 왔다. 그러나 소위 과학이라고 불리는 그것은 거짓 원칙에 기초한다. 그러한 것은 그리스도의 본성이나 정신과는 성질이 다른 것이며 생명과 구원이 되시는 분께로 인도하지 않는다. 사람의 마음을 자신에게로 이끄는 사람은 능력의 참 근원이신 분으로부터 사람들을 분리시킨다.

어떤 사람이 마음과 의지를 다른 사람의 지배에 굴복시켜 그 사람의 손에 잡힌 수동적인 도구가 되는 것은 하나님의 목적이 아니다. 어느 누구도 자신의 개성을 다른 사람의 개성에 흡수시켜서는 안 된다. 그는 어떤 다른 인간을 치료의 근원으로 바라보아서는 안 된다. 그는 하나님을 의지해야만 한다. 하나님께서 주신 인간의 존엄성을 지니고 있으면서 인간의 마음의 지배를 받을 것이 아니라 하나님의 지배를 받아야 한다.

유한(有限)한 사람을 바라보지 말고 하나님을 바라보라!

하나님께서는 사람들이 그분과 직접적인 관계를 맺기를 바라신다. 사람들을 다루시는 그분의 모든 취급에서 그분은 개인적인 책임의 원칙을 인정하신다. 그분께서는 개인의 자주성을 권장하고 개인적 지도의 필요를 깨우쳐 주고자 하신다. 또 사람들이 하나님의 형상으로 변화하도록 하나님과 교제하기를 바라신다. 사탄은 이 목적을 좌절시키기 위해 일한다. 그는 사람들이 자신을 의지하도록 만들기 위해 노력한다. 사람들의 마음이 하나님으로부터 떠나면 시험하는 자는 그들을 자신의 통제 아래 둘 수 있다. 그는 인간을 지배할 수 있다.

마음이 마음을 지배한다는 이론은 사탄이 자신을 주역으로 소개하고 마땅히 하나님의 철학이 있어야 할 곳에 인간의 철학을 놓기 위해 창안했다. 그리스도인이라고 공언하는 사람들이 받아들이는 모든 오류 중에 이보다 더 위험한 기만은 없으며 사람을 하나님께 분리시키는 더 확실한 것은 없다. 비록 무해한 것처럼 보일지라도 환자들에게 행사하면 그것은 그들을 회복시키기는커녕 파멸시킬 것이다. 그것은 다른 사람을 통제하는 사람의 마음과 그 통제에 굴복한 사람의 마음 둘 다를 소유하기 위해 사탄이 들어갈 수 있는 문을 열어 준다.

이렇게 하여 마음이 악한 사람들에게 주어진 힘은 두려울 정도로 무섭다. 다른 사람의 약점과 어리석음을 이용하며 사는 사람들에게 그것은 얼마나 좋은 기회를 주겠는가! 얼마나 많은 사람이 약하고 병든 마음을 지배하는 일을 통해 음탕한 정욕과 이득에 대한 탐욕을 만족시키는 방법을 발견할 것인가!

사람이 사람에 의해 관리되는 것보다 더 좋은 일이 있다. 의사는 사람들에게 사람을 바라보지 말고 하나님을 바라보도록 교육해야 한다. 환자들에게 마음과 신체의 치료를 위해 사람을 의지하도록 가르치는 대신 그분께로 나오는 모든 사람을 하나도 빠짐없이 모두 구원하실 수 있는 분을 사람들에게 제시해야 한다. 사람의 마음을 창조하신 분께서는 마음이 무엇을 필요로 하는지 알고 계신다. 하나님만이 유일하게 치료하실 수 있는 분이시다. 마음과 신체가 질병에 걸린 사람들은 '회복자' 되시는 그리스도를 바라보아야 한다. 그분께서는 "내가 살아 있고 너희도 살아 있겠음이라"(요 14:19)라고 말씀하신다. 이것이 우리가 환자들에게, 만일 그들이 그리스도를 회복시켜 주시는 분으로 믿고 그분과 협력하며 건강 법칙에 순종하고 그분을 경외하는 가운데 완전한 성결(聖潔)을 얻으려고 노력할 때 그분께서 자신의 생명을 나눠 주실 것이라는 사실을 말해 주는 것이 우리의 삶이 되어야 한다. 우리가 이처럼 사람들에게 그리스도를 제시하면 우리는 하늘로부터 오는 가치 있는 능력과 힘을 나누어 주는 것이다. 이것이 신체와 마음을 치료하는 참된 과학이다.

인류의 위대한 치료자 예수

마음 때문에 생긴 병을 다루는 데에는 큰 지혜가 필요하다. 쓰리고 아픈 마음, 낙심한 마음은 부드러운 치료를 필요로 한다. 많은 경우에 어떤 가정 문제는 암처럼 심령을 잠식하고 생명력을 약화시킨다. 간혹 죄에 대한 양심의 가책이 몸을 서서히 약화시키고 마음의 균형을 깨뜨리는 경우가 있다. 이런 환자들은 부드러운 동정을 통해 유익을 얻을 수 있다. 의사는 우선 환자의 신임을 얻고 그 다음에 그들에게 위대한 치료자를 제시해야 한다. 만일 그들이 참된 의사이신 예수님을 믿고 그분께서 그들의 문제를 맡으셨다는 확신을 갖게 되면 마음에 안도감이 생길 것이며 몸의 건강이 회복될 것이다.

동정과 재치가 흔히 냉랭하고 무관심하게 해 준 가장 능숙한 치료보다 환자들에게 더 큰 유익이 된다는 점이 입증될 것이다.

많은 사람은 환자를 자극하거나 낙담시킬 것이 두려워 회복에 대한 거짓 희망을 제시하며 위험에 대한 경고도 하지 않은 채 환자를 무덤으로 내려가게 한다. 이는 지혜롭지 못한 행동이다. 환자에게 그가 처한 위험을 모두 설명해 주는 것이 항상 안전하거나 최선이 아닐 수도 있다. 이것은 환자를 놀라게 하여 회복을 지연시키거나 방해까지 할 수 있다. 주로 상상 때문에 병이 생긴 사람들에게 항상 모든 사실을 이야기해 줄 필요는 없다. 이들 중 대다수가 비이성적이며 자제력을 발휘하는 데 익숙하지 않다. 그들은 기묘한 환상에 사로잡혀 있으며 자신과 남들에 관하여 사실이 아닌 많은 것을 상상한다. 그들은 거짓된 상상을 실제적인 것으로 여기므로 그들을 간호하는 사람들은 계속적인 친절과 지칠 줄 모르는 인내와 재치를 발휘할 필요가 있다. 만일 그런 환자들에게 그들 자신에 관한 사실을 그대로 말해 준다면 어떤 이들은 화를 내고 다른 이들은 낙심할 것이다. 그리스도께서는 제자들에게 "내가 아직도 너희에게 이를 것이 많으나 지금은 너희가 감당하지 못하리라"(요 16:12)고 말씀하셨다. 그러나 모든 경우에 진실을 다 말하지 않을 수도 있다고 해서 속이는 것은 결코 필요하거나 정당하지 않다.

회복할 수 있다는 '의지력'이 치료에 도움을 줌

의지력은 마땅히 그 가치를 인정받아야 할 만큼 인정받지 못하고 있다. 의지를 일깨우고 올바로 사용하면 온몸에 힘을 줄 것이며 건강을 유지하는 데 큰 도움이 될 것이다. 의지는 질병 치료에도 힘이 된다. 올바로 사용하면 상상력을 통제하며 마음과 몸의 질병을 저항하고 극복하는 데 강력한 수단이 될 것이다. 삶에 대한 올바른 관계를 형성하는 일에 의지력을 활용함으로 환자들은 회복을 위해 애쓰는 의사의 노력에 많은 협력을 할 수 있다. 의지를 활용한다면 회복될 수 있는 사람이 수없이 많다. 주님은 그들이 질병으로 고통당하는 것을 원하지 않으신다. 그분은 그들이 건강하고 행복하기를 바라시므로 그들은 건강해지겠다는 결심을 해야 한다. 흔히 환자들은 단지 질병에 굴복하지 않겠다는 생각으로 병에 저항하기도 하며 무활동 상태로 들어간다. 그러나 그들은 아픔과 고통을 참고 자신들의 힘에 알맞게 계획된 유용한 일을 해야 한다. 그런 일을 하며 공기와 햇빛을 마음껏 활용함으로 쇠약한 환자들이 건강과 힘을 회복할 수 있다.

건강을 회복하려는 사람들을 위한 교훈이 성경 말씀에 있다. "술 취하지 말라 이는 방탕한 것이니 오직 성령으로 충만함을 받으라"(엡 5:18). 부자연스럽고 건강에 좋지 않은 자극제 때문에 생기는 흥분과 망각, 저급한 식욕과 정욕의 방종은 몸과 심령의 참된 치료나 회복을 불가능하게 한다. 환자들 중에는 하나님도 소망도 없는 사람이 많다. 그들은 충족되지 않은 욕구, 난잡한 정욕, 양심의 가책 등으로 고통을 받는다. 그들은 현세의 생에 대한 의욕을 상실해 가고 있으며 내세의 생명에 대한 전망도 없다. 환자들을 돌보는 사람들은 경박하고 흥분시키는 방종을 허용함으로써 환자들에게 유익을 줄 수 있으리라는 희망을 갖지 말아야 한다. 이런 헛된 희망이 그들의 생애에 저주가 되어 왔다. 굶주리고 목마른 영혼들이 이런 것들에서 만족을 얻고자 노력하는 한 주림과 갈증은 계속될 것이다. 이기적인 쾌락의 샘에서 물을 마시는 사람들은 속고 있다. 그들은 유쾌한 기분을 힘으로 오해한다. 그리하여 흥분이 끝나면 고무되었던 마음은 사라지고 불만과 낙담만 남게 된다.

생명의 샘이 되시는 그리스도

한결같은 평화, 진정한 마음의 안식은 오직 한 근원에서 나온다. 그리스도께서는 그 근원에 대해 다음과 같이 말씀하셨다. "수고하고 무거운 짐 진 자들아 다 내게로 오라 내가 너희를 쉬게 하리라"(마 11:28). "평안을 너희에게 끼치노니 곧 나의 평안을 너희에게 주노라 내가 너희에게 주는 것

하나님의 사랑의 햇빛이 영혼의 어두운 밀실에 비칠 때 끝없는 염려와 불만은 사라질 것이며 흡족한 기쁨이 마음에 활력을 주고 몸에 건강과 힘을 줄 것이다.

은 세상이 주는 것과 같지 아니하니라"(요 14:27). 이 평안은 그분 자신과 상관없이 주시는 그 어떤 것이 아니다. 그것은 그리스도 안에 있는 것으로 우리는 그분을 받아들임으로써만 그 평안을 받을 수 있다.

그리스도는 생명의 샘이시다. 많은 사람에게 필요한 것은 그분에 대한 더 분명한 지식이다. 그들은 하늘의 치유력을 받아들이기 위하여 어떻게 온몸을 맡길 것인지 끈기 있고 진지하게 배울 필요가 있다. 하나님의 사랑의 햇빛이 영혼의 어두운 밀실에 비칠 때 끝없는 염려와 불만은 사라질 것이며 흡족한 기쁨이 마음에 활력을 주고 몸에 건강과 힘을 줄 것이다.

우리는 고통이 많은 세상에 살고 있다. 어려움과 시련과 슬픔이 하늘 본향으로 가는 길 내내 우리를 기다린다. 그런데 계속해서 어려움을 예견함으로써 인생의 짐을 배나 더 무겁게 하는 사람들이 많다. 역경이나 실망을 당할 경우 그들은 모든 것이 파멸될 것이고 그들이 당하는 일이 가장 어려운 일이며 틀림없이 곤궁해질 것이라고 생각한다. 그렇게 하여 그들은 불행을 자초하고 주위에 있는 모든 사람에게 그늘을 던진다. 삶 자체가 그들에게 짐이 된다. 그러나 그럴 필요가 없다. 그들의 생각의 흐름을 바꾸기 위해 단호한 노력을 해야 한다. 변화는 가능하다. 현세와 내세의 삶을 위한 그들의 행복은 그들의 마음을 즐거운 일에 고정하는 데 달려 있다. 그들로 하여금 상상에 불과한 어두운 장면에서 눈을 돌려 하나님께서 그들의 앞길에 뿌려 놓은 유익한 것들을 보게 하고 그것들 너머에 있는 보이지 않는 영원한 것을 바라보게 하라.

하나님께서는 모든 고난에 대비하여 도움의 손길을 준비해 주셨다. 광야에서 이스라엘 민족이 마라의 쓴 물가에 이르렀을 때 모세는 여호와께 부르짖었다. 여호와께서는 어떤 새로운 대책을 제공하지 않으셨다. 그분은 바로 곁에 있는 것에 주의를 돌리도록 하셨다. 물을 깨끗하고 달게 만들기 위해 그분이 창조하신 한 나무를 샘에 던져 넣도록 했다. 그러자 사람들은 물을 마시고 원기를 회복했다. 시련을 당할 때마다 우리가 그리스도를 찾으면 그분은 우리를 도우실 것이다. 우리는 눈이 열려 그분의 말씀에 기록된 치료의 약속을 분별하게 될 것이다. 성령께서는 슬픔의 해독제가 될 모든 축복을 이용하는 방법을 우리에게 가르쳐 주실 것이다. 우리의 입술에 닿는 쓴 잔마다 우리는 그것에 대한 치유의 나뭇가지를 발견할 것이다.

어두운 미래를 안내할 인도자

우리는 어려운 문제들과 만족스럽지 못한 전망들이 예시하는 미래로 인하여 우리의 마음을 나약하게 하고 무릎을 떨리게 하며 손을 놓고 있도록 허용해서는 안 된다. 전능하신 하나님은 "내 힘을 의지하고 나와 화친하며 나와 화친할 것이니라"(사 27:5)라고 말씀하신다. 자신의 생애를 하나님의 지도와 그분을 섬기는 일에 바치는 사람들은 결코 그분께서 돌보시지 않는 처지에 놓이지 않을 것이다. 우리가 어떤 경우에 처하든지 그분의 말씀을 행한다면 그분께서는 우리의 길을 인도해 주실 것이다. 우리가 가진 난처한 문제가 무엇이든지 우리에게는 확실한 상담자가 있다. 우리의 슬픔과 사별의 고통과 외로움이 무엇이든지 우리에게는 인정이 많은 친구가 있다.

지식이 없어 실수할지라도 구주께서는 우리를 버리지 않으신다. 우리는 결코 혼자라고 생각할 필요가 없다. 천사들이 우리의 동반자이다. 그리스도께서 그분의 이름으로 보내겠다고 약속하신 보혜사께서 우리와 함께 계신다. 하나님의 도성으로 가는 길에는 하나님을 신뢰하는 사람들이 정복할 수 없는 어려움이란 없다. 그들이 이길 수 없는 위험도 없다. 하나님께서 치유해 주시지 않는 슬픔, 비애, 인간적 약점도 없다.

아무도 실망과 절망 가운데 자포자기(自暴自棄)할 필요가 없다. 사탄은 그대에게 다가와 "너의 상태는 절망적이다. 너는 구속받을 수 없다."라는 무자비한 암시를 줄 수 있다. 그러나 그대는 그리스도 안에서 희망을 찾을 수 있다. 하나님께서는 우리 자신의 힘으로 승리하라고 명령하지 않으신다. 그분은 우리에게 당신 곁으로 가까이 오라고 요청하신다. 그분은 우리의 마음과 몸을 억압하고 우리가 괴로워하는 어떤 어려움에서라도 우리를 자유롭게 하기 위해 기다리고 계신다.

스스로 인성을 취하신 그분께서는 인간의 고통을 어떻게 동정하실지 아신다. 그리스도께서는 각 영혼과 그 영혼의 특수한 필요와 시험을 아실 뿐 아니라 심령을 아프게 하고 당혹게 하는 모든 상황을 아신다. 그분은 동정 어린 친절로써 고통을 당하는 각 자녀에게 그분의 손을 내미신다. 가장 크게 고통을 당하는 사람들이 그분의 동정과 긍휼을 가장 많이 받는다. 그분은 우리의 연약함을 느끼고 동정하시며, 우리가 난처한 문제들과 어려움을 그분의 발 앞에 내려놓기를 바라신다.

우리 자신을 바라보고 우리의 감정을 살피는 것은 현명하지 않다. 만일 우리가 그렇게 하면 원수는 믿음을 약화시키고 용기를 꺾을 어려움과 유혹을 줄 것이다. 우리의 감정을 살피고 감정에 양보하는 것은 의심을 받아들이고 우리 자신을 난처한 일에 빠뜨리는 것이다. 우리는 자신에게서 눈을 돌려 예수님을 바라보아야 한다.

유혹이 공격하고, 근심과 걱정과 어두움이 심령을 둘러싸는 것처럼 보일 때에는 그대가 마지막으로 빛을 본 그곳을 바라보라. 그리스도의 사랑 안에서 그리고 그분께서 돌보시는 보호 아래서 쉬라. 죄가 주도권을 쥐려고 마음속에서 싸울 때, 죄책감이 심령을 압박하고 양심을 억누를 때, 불신이 마음을 암울하게 할 때, 그리스도의 은혜가 죄를 정복하고 어두움을 몰아내기에 충분하다는 사실을 기억하라. 구주와 사귐으로 우리는 평화의 영역으로 들어간다.

"여호와께서 그의 종들의 영혼을 속량하시나니
그에게 피하는 자는 다 벌을 받지 아니하리로다."
"여호와를 경외하는 자에게는 견고한 의뢰가 있나니
그 자녀들에게 피난처가 있으리라."
"오직 시온이 이르기를 여호와께서 나를 버리시며

주께서 나를 잊으셨다 하였거니와

여인이 어찌 그 젖 먹는 자식을 잊겠으며

자기 태에서 난 아들을 긍휼히 여기지 않겠느냐

그들은 혹시 잊을지라도

나는 너를 잊지 아니할 것이라

내가 너를 내 손바닥에 새겼고."

- 시편 34편 22절; 잠언 14장 26절; 이사야 49장 14~16절

"두려워하지 말라 내가 너와 함께함이라

놀라지 말라 나는 네 하나님이 됨이라

내가 너를 굳세게 하리라 참으로 너를 도와주리라

참으로 나의 의로운 오른손으로 너를 붙들리라."

"배에서 태어남으로부터 내게 안겼고

태에서 남으로부터 내게 업힌 너희여

너희가 노년에 이르기까지 내가 그리하겠고

백발이 되기까지 내가 너희를 품을 것이라

내가 지었은즉 내가 업을 것이요

내가 품고 구하여 내리라."

- 이사야 41장 10절; 46장 3~4절

붉은 장미 속의 '가시'와 아름다운 '꽃'

감사와 찬양의 정신보다 몸과 마음의 건강을 더 증진시키는 것은 없다. 우울하고 불만스러운 생각과 감정을 물리치는 것은 기도하는 것과 마찬가지로 하나의 의무이다. 만일 우리가 하늘을 향해 가는 사람들이라면 어떻게 하늘 아버지의 집으로 가는 길 내내 신음하며 불평하는 애도자의 무리처럼 걸어갈 수 있겠는가?

그리스도인임을 공언하나 늘 불평하는 사람들, 곧 즐거움과 행복을 죄로 생각하는 것처럼 보이는 사람들은 참된 믿음을 가지고 있지 않다. 천연계에 있는 모든 우울한 장면에서 애상적인 쾌락을 즐기는 사람, 아름답고 싱싱한 꽃을 모으는 대신 죽은 잎만 바라보는 사람, 웅장한 산봉우리와 생생한 녹음이 덮인 계곡에서 아름다움을 찾지 못하는 사람, 천연계를 통

해 그들에게 들려주는 즐거운 음성에 대해 감각의 문을 닫아 버리는 사람, 이 모든 사람은 그리스도 안에 있지 않다. 그들은 밝음 곧 치료하는 광선으로 그들의 마음에 떠오르는 의의 태양까지 소유할 수 있는데도 우울한 것과 어두운 것만을 자신들에게로 모으고 있다.

때때로 마음이 고통으로 암울해질 수 있다. 그럴 때는 애써 고통스러운 것을 생각하려 하지 말라. 그대는 예수께서 그대를 사랑하신다는 것을 안다. 그분은 그대의 약점을 이해하신다. 그대는 단순히 그분의 품 안에서 쉼으로 그분의 뜻을 행할 수 있다.

말로 표현할 때 우리의 생각과 감정이 격려를 받고 힘을 얻는다는 것은 자연스런 법칙이다. 말이 생각을 표현하지만 생각이 말을 따라가는 것 또한 사실이다. 만일 우리가 우리의 믿음을 더 많이 표현하고 우리가 받고 있는 복, 곧 하나님의 큰 자비와 사랑 안에서 더 크게 기뻐하면 우리는 더 큰 믿음과 기쁨을 갖게 될 것이다. 하나님의 선하심과 사랑에 감사할 때 얻는 복은 어떤 말로도 표현할 수 없고 어떤 유한한 사람의 마음으로도 이해할 수 없다. 우리는 하나님의 보좌에서 흘러나오는 물을 마시기 때문에 결코 마르지 않는 샘물과 같은 기쁨을 느낄 수 있다.

그러므로 비할 데 없는 사랑을 베풀어 주신 하나님을 찬양하기 위해 우리의 마음과 입술을 길들이자. 희망을 품고 갈보리의 십자가에서 흘러나오는 빛 안에 거하도록 우리의 심령을 길들이자. 우리는 하늘 왕의 자녀들이며 만군의 여호와의 아들과 딸이라는 사실을 결코 잊지 말자. 하나님 안에서 고요한 쉼을 얻는 것은 우리의 특권이다.

"그리스도의 평강이 너희 마음을 주장하게 하라 …너희는 또한 감사하는 자가 되라"(골 3:15). 우리 자신의 어려움과 고생을 잊어버리고 하나님 이름의 영광을 위해 살 기회를 주신 것에 대해 그분을 찬양하자. 날마다 새로운 복을 받는 것이 하나님의 자비로운 보호임을 믿고 우리의 마음속에서 찬양이 흘러나오게 하자. 아침에 눈을 뜰 때 하나님께서 밤새 그대를 보호해 주신 것을 감사하라. 그대의 마음속에 있는 하나님의 평화를 인해 그분께 감사하라. 아침과 정오와 밤에 감사가 향긋한 향기처럼 하늘로 올라가게 하라.

슬픔과 고통에서 찬양과 감사로

누가 기분이 어떠냐고 묻거든 동정을 얻기 위해 무언가 슬픈 것을 말해야겠다고 생각하지 말라. 믿음의 부족과 슬픔, 고통에 대해 말하지 말라. 유혹하는 자는 그런 말을 들을 때 기뻐한다. 우울한 주제에 대해 이야기하는 것은 그를 영광스럽게 하는 것이다. 우리는 사탄의 큰 능력이 우리를 정복하도록 그것에 대해 거듭 이야기해서는 안 된다. 우리는 흔히 그의 능력에 대해 이야기함으로 우리 자신을 그의 손에 맡긴다. 우리는 우리의 모든 관심을 하나님의 관심과 결부시키기 위해 하나님의 위대한 능력에 대해 이야기해야 한다. 비할 데 없는 그리스도의 능력에 대해 말하고 그분의 영광에 대해 이야기하자. 온 하늘이 우리의 구원에 관심을 가지고 있다. 천천만만의 하나님의 천사들은 구원의 후사가 될 사람들을 섬기라는 사명을 받았다. 그들은 죄에서 우리를 지키고 우리를 멸망시키려는 흑암의 세력을 물리친다. 우리는 매 순간 감사해야 할 이유, 곧 우리 앞길에 어려움이 있을 때에도 감사해야 할 분명한 이유가 있지 않은가!

찬양과 감사를 노래로 표현하자. 유혹을 받을 때 우리의 감정을 말로 나타내는 대신 믿음으로 감사의 노래를 하나님께 올리자.

노래는 우리가 실망에 대항하여 항상 사용할 수 있는 무기이다. 이렇게 우리가 구주의 임재의 햇빛을 받고자 마음을 열 때 우리는 건강과 그분이 주시는 복을 받을 것이다.

"여호와께 감사하라 그는 선하시며

그 인자하심이 영원함이로다

여호와의 속량을 받은 자들은 이같이 말할지어다

여호와께서 대적의 손에서 그들을 속량하셨도다."

"그에게 노래하며 그를 찬양하며

그의 모든 기이한 일들을 말할지어다

그의 거룩한 이름을 자랑하라

여호와를 구하는 자들은 마음이 즐거울지로다."

– 시편 107편 1~2절; 105편 2~3절

"범사에 감사하라 이것이 그리스도 예수 안에서 너희를 향하신 하나님의 뜻이니라"(살전 5:18). 이 명령은 우리에게 불리하게 보이는 것까지도 유익이 될 것이라는 보증이다. 하나님께서는 우리에게 손해가 될 수 있는 일에 대해 감사하라고 명령하지 않으신다.

환자들의 회복에 틀림없이 방해가 되는 것 중 하나는 자신에게 주의를 집중하는 것이다. 많은 환자가 자신에게서 주의를 돌려 다른 사람들을 생각하고 돌볼 필요가 있는데도 대부분이 자신들을 동정하고 자신들에게 도움을 주어야 한다고 생각한다.

다른 사람을 돕기 위해 노력할 때 그들의 마음에서 어둠이 사라질 것이다. 우리가 받은 그 위로로 다른 사람들을 위로할 때 복이 우리에게 돌아온다.

우리는 고통 받고, 슬퍼하고, 낙담하는 사람들을 위해 기도를 하는데 이는 올바른 일이다. 우리는 하나님께서 어두워진 마음에 빛을 비추시고 슬퍼하는 마음을 위로해 주시도록 기도해야 한다. 또한 하나님께서는 자신들을 그분의 축복의 통로에 두는 사람들의 기도에 응답하신다. 우리는 슬픔에 잠긴 사람들을 위해 기도하는 한편 그들보다 더 궁핍한 사람들을 돕기 위해 노력하도록 그들을 격려해야 한다. 다른 사람을 돕기 위해 노력할 때 그들의 마음에서 어둠이 사라질 것이다. 우리가 받은 그 위로로 다른 사람들을 위로할 때 복이 우리에게 돌아온다.

이사야 58장은 몸과 심령의 질병에 대한 처방이다. 만일 우리가 건강과 삶의 진정한 기쁨을 원한다면 우리는 이 성경 말씀에 기록된 법칙을 실천해야 한다. 주님께서 받으실 만한 봉사와 그 축복에 대해 그분께서는 다음과 같이 말씀하신다.

> "주린 자에게 네 양식을 나누어 주며
> 유리하는 빈민을 집에 들이며 헐벗은 자를 보면 입히며
> 또 네 골육을 피하여 스스로 숨지 아니하는 것이 아니겠느냐
> 그리하면 네 빛이 새벽같이 비칠 것이며
> 네 치유가 급속할 것이며 네 공의가 네 앞에 행하고
> 여호와의 영광이 네 뒤에 호위하리니."
> – 이사야 58장 7~8절

주위의 사람들을 축복하는 삶

선행은 친절을 베푸는 사람과 받는 사람 모두에게 유익을 주는 이중의 축복이다. 옳은 일을 한다는 자각은 병든 몸과 마음을 위한 가장 좋은 약이다. 의무를 잘 이행했다는 생각과 다른 사람들을 행복하게 해 준다는 만족감으로 마음이 가볍고 행복해질 때, 즐겁고 향상시키는 힘이 온몸에 새 생명을 준다.

환자들은 끊임없이 동정을 요구하는 대신 동정을 하기 위해 노력해야 한다. 그대 자신의 연약함과 슬픔과 고통의 짐을 자비로우신 구주께 맡기라. 그분의 사랑에 마음을 열고 그 사랑이 다른 사람들에게 흘러가게 하라. 모든 사람이 감당하기 어려운 시련과 저항하기 힘든 시험을 당하고 있다는 것과 그대가 그 짐들을 덜어 주기 위해 무엇인가 할 수 있다는 것을 기억하라. 그대가 누리고 있는 축복에 감사하고 받고 있는 돌봄에 감사하라. 귀중한 하나님의 약속으로 마음을 늘 가득 채워서 그 보고(寶庫)에서 다른 사람들에게 위로와 힘이 될 말을 꺼낼 수 있게 하라. 이렇게 하면 그대 주위에는 유익하고 고무적인 분위기가 감돌 것이다. 주위에 있는 사람들을 축복하는 것을 목적으로 삼으라. 그러면 그대의 가족과 다른 사람들에게 똑같이 도움이 되는 길을 발견하게 될 것이다.

건강이 좋지 못해 고생하는 사람들이 다른 사람들에게 관심을 쏟느라 자신을 잊는다면, 만일 그들이 자신보다 더 궁핍한 자들에게 봉사하라는 주님의 명령을 따른다면, 그들은 "네 빛이 새벽같이 비칠 것이며 네 치유가 급속할 것"이라는 예언적 약속이 옳다는 것을 깨닫게 될 것이다.

행복한 가정과 건강 ❶

증보개정판 2018년 8월 27일 발행

지은이 엘렌 G. 화잇 | 편집인 박재만 | 발행인 황춘광 | 인쇄인 엄길수 | 발행처 시조사
출판등록 1955년 1월 29일, 제5-2호, 02461 서울 동대문구 이문로1길 11
홈페이지 http://www.sijosa.com | 전자우편 bookeditor@sijosa.com
대표전화 (02)3299-5300
정가 15,000원

ISBN 978-89-6375-301-0-04200
　　　978-89-6375-300-3-04200(세트)

이 책에 실린 글과 사진의 무단 전재와 무단 복제를 금합니다.
Copyright ⓒ 2018, Korean Publishing House